D1389048

DEN TROFASTE HUSTRU

SIGRID UNDSET

DEN TROFASTE HUSTRU

ROMAN

OSLO
FORLAGT AV H. ASCHEHOUG & CO. (W. NYGAARD)
1936

Printed in Norway

DET MALLINGSKE BOGTRYKKERI

I.

1.

Nathalie la en haandfuld morkler i dørslaget og holdt det ned i gryten med kokende vand; da hørte hun at Sigurd laaste sig ind i entreen. Et øieblikk ventet hun og lyttet. Han hængte fra sig yttertøiet, så gikk han like ind paa sit værelse.

Lugten av de skollede morklerne fikk henne til at se for sig skogstier — slitte og krokete røtter flettet utover bakken og tepper av visne barnaaler. Sandelig fikk de se at komme sig opover en tur til de gamle morkel-stederne sine iaar og, før det blev for sent. Denne vinteren og vaaren hadde det kommet noget iveien næsten bestandig, naar hun og Sigurd skulde paa tur om søndagene — uf! Nathalie tænkte paa det hvite spindet over tørrkvist og visne bregneblader, med det samme sneen hadde trukket sig unda dem — og paa suset i grantoppene en saan vaardag naar himmelen er fuld av skyer som strømmer for vinden — og paa skjegglav som leer sig litt, tustet og svartflammet. Og selv om himmelen var aldrig saa overskyet — saasandt det bare silte nogen smaa solstreif ned saa yret det oppaa toppen av alle mauerstuerne, det saa ut som enslags metalduk av ørsmaa kobberperler laa og bølget —. Sigurd gjorde altid narr av henne fordi hun sa mauerstue — det vil si, han hadde gjort det i førstningen. Nu la han vist ikke merke til det længer — det hændte at han sa mauerstue han og —.

Nathalie tømte de forvellede morkler ut paa et haandklæde, la en ny nævefuld i dørslaget. — Det lugtet saa godt saa hun ønsket næsten de kunde spist aftens her paa kjøkkenet. Hun kom til at huske paa noen kjøkkener med spisekrok som hun hadde sett paa, den tiden de tænkte paa at kjøpe sig ny leilighet. Ja, hun var bare glad til at de ikke hadde kjøpt — i virkeligheten var de smaa nye leiligheterne upraktiske, de fleste ialfald, og kjedelige. — Om noen aar, undres paa om ikke funkisstilen vil virke da som jugendstilen nu —? Engang var d e t det nye og alle unge var begeistret for den uttrykte d e r e s følemaate. Huser s k u l d e se ut som berg eller røiser utenpaa og ha taarn som lignet pepperbøsser og eddikflasker, og indi var det bare bølgelinjer og stiliserte vandplanter — Nu var ingenting saa stygt som alting fra den tiden.

— Hun lot det ikke faa komme op i overflaten av sin bevissthet at hun var ikke saa glad længer som hun hadde vært da hun kom hjem og glædet sig til at traktere Sigurd med sopp-omelett til kvelds. Hun hadde altid syntes at det var indskrænket, naar en kone satte sig i hodet at manden hennes absolutt skulde følge ett eller annet opmerksomhetsritual hver gang han gikk ut eller kom hjem. Men Sigurd burde faatt kjenne hvor fint det lugtet paa kjøkkenet nu —.

— Ingensteder hadde hun likevel sett saan masse morkler som i Østerdalen dengangen da de reiste opover til hans hjem som nygifte. Naturligvis, vaaren kom meget senere deroppe — en hel maaned senere. Det var næsten en maaned til bryllupsdagen. Da hadde de vært gifte i seksten aar.

— De hadde jo aldrig kunnet komme til at bo saa rummelig i en av de nye gaardene, ikke for samme prisen. Og saa var der gjerne saa lydt i dem, det klaget de over alle som bodde der. Selv om det mest var for at erte Sverre hun paastod at hun syntes, dette gammeldags kjøkkenet var netop saa hyggelig. Hyggelig var det ikke — det virket endda trangere end det var, fordi det var saa høit under taket, med det eneste høie og smale vinduet ut mot bakgaarden. Her var mørkt — det hadde ikke hjulpet stort at hun fikk malt det op for etpar aar siden. Hun hadde tatt farverne eftersom hun husket fra kjøkkenet paa Fardals prestegaard — blaaagtig lysegrønne vegger, mørkt rustrøde hyller og skap — men virkningen blev unegtelig ikke den samme her. Det samme kunde det være. Sigurd syntes ikke det var noe hyggelig at sitte og spise paa kjøkkenet — ikke i bykjøkkener, sa han. Men hun likte kjøkkenet sit — til at gaa alene og arbeide i. Alle de morsomme gamle tingene fra farmors kjøkken hadde hun her — messingmorteren og de brunblomstrede tallerknerne og puddingformen av kobber paa façon som en fisk. Det pene ildfaste stentøiet hadde hun hatt med hjem fra Sverige — det var den sommeren da hun og Sigurd laa ved Båstad. De hadde hatt det saa deilig der — det var moro at tænke paa det.

Hun holdt paa at knække eggene til omeletten da Sigurd kom i døren: «Du Thali, blir det længe til vi skal ha mat —?»

Han hadde byttet paa sig den blaa dressen.

«Nei, hvordan da? Skal du ut ikveld? Jeg kom over saanne pene morkler hos fru Ness, og saa tænkte jeg at jeg skulde traktere litt ekstra.»

«Det er bare det at jeg skal træffe noen. Hjemmefra. Jeg forsøkte at ringe til dig. Ved halvsyvtiden, men du var gaatt, sa de. Og da jeg ringte hit hjem svarte det ikke her heller, endda jeg ringte engang senere og.»

«Nei, jeg maatte noen erender. Indom proto- kollfabrikken, og saa var jeg hos sydamen. Jeg kom hjem for tre kvarter siden. Det var leit at ikke jeg visste du skulde bort —.»

«Janei, det gjør ingenting. Vi avtalte ikke noen bestemt tid. Jeg skulde komme ned til dem paa hotellet.»

«Kanske du vil være saa snild og begynde at sætte paa bordet for mig,» bad hun. «Og slipp to tallerkner ned i gryten her — vi maa ha varme tal=lerkner til omeletten. — Lugter det ikke godt?» Hun lo til ham.

«Storartet. — Men du, da skal vi vel ha rødvin til —?»

«O. K.» Nathalie blev lys i stemmen. «Men da maa du altsaa ta op en ny flaske til imorgen.»

Nathalie gjorde sig færdig paa kjøkkenet. Hun hadde vennet sig til at færdes næsten lydløst — det var siden den tiden da hun selv stelte frokosten deres før hun gikk i forretningen. Og det kjendtes saa godt ogsaa: hele dagen arbeidet hun i den ustanselige larmen fra verkstederne i bakgaarden, lastebiler durte ind og ut av porten og fikk hele gaarden til at riste, trafikken i gaten — det var egent=lig kolossalt som den hadde øket bare paa de tolv aarene som «Hytter og Hus» hadde hatt lokale der.

Hun pakket op ostene som hun hadde kjøpt med hjem til helgen. Schweizerosten var finfin — ikke for at hun brød sig noe om schweizerost, men det var det beste Sigurd visste. Hun ordnet færdig brettet, flyttet panden med omeletten over paa den lille kokeplaten og satte kjelen med opvaskvand paa den største.

Tilslut hængte hun op kjøkkenforklædet sit paa spikeren ved døren og saa sig i speilet under speceri=hyllen. Hun pudret sig litt, frisket op øienbryn og leber og ordnet haaret, før hun tok presenterbrettet og gikk ind i spisestuen.

Sigurd satt i den lave skindstolen med en avis foran sig. Han hadde satt paa den elektriske ovnen med reflektoren, som kastet et rødagtig lys opover ham. Han var saa pen, naar hun saa ham slik i profil, for det var hodeformen som var saa vakker paa ham — med den rette panden og litt krum næse, kraftig rundet hake og munden som virket saa bestemt naar leberne var lukket slik fast. Fra siden saaes det ikke saa meget at kinderne hans var blitt vel glatte og kjøttfulde — forresten syntes ikke hun at det misklædde Sigurd, om han var blitt saan litt mere muskeltung, ialfald var det ikke saa meget endda, saa det gjorde noe. Han burde formodentlig passe litt paa vegten sin — men endda hadde han da den vakreste skikkelse. Og det at haaret hans var blitt hvitt ved tindingerne fikk ham bare til at se mere forfinet ut likesom — saa blond som han var la fremmede vist ikke merke til det engang.

Nathalie mønstret bordet. Naar Sigurd skulde hjelpe henne og dække visste hun at det blev ikke stort han husket at sætte paa det. Smaasmilende kompletterte hun med asjetter til brødet, smørkniver, paaleggsgafler, theskjeer, salt og pepper — og sennep, det var sandt: Sigurd vilde ha sennep til osten. «Ja værsaagod da —.»

«Det kan bli hyggelig for dig det at træffe folk oppe fra Aasbygden. Hvem er det forresten — noen jeg kjenner?»

«Gaarder heter han, jeg vet ikke om du husker ham. Han var hjemme hos os paa Rafstad noen ganger. Du kunde ikke fordrage ham husker jeg Men nu holder han forresten til et sted oppe i Indherred. Og har visst en ganske god praksis saavidt jeg kan skjønne. Men om han har noe videre forbindelse med noen hjemmefra vet jeg ikke forresten — igrunnen kjenner jeg ham svært litet —.»

«Hvad er han forresten — du sa praksis —?»

«Læge.» — Nathalie saa forbauset paa sin mand — han sa det saa kort og rart. «Vi skal være sammen med noen flere da —, fælles kjendte skjønner du.»

«Ja da kan dere vel faa det hyggelig —.»

«Sikkert. Skaal kone! Det var en storartet omelett. — Apropos du, har du noen planer for imorgen Thali —?»

Hun rystet paa hodet. Naar de ingenting hadde avtalt for søndagen pleiet det jo være en usagt overenskomst at de skulde bli liggende længe om morgenen og spise sen frokost. Og ved frokostbordet brukte de da snakke om hvad de skulde finne paa for resten av dagen.

«Hvis altsaa disse menneskene skulde foreslaa ett eller annet. De har bil flere av dem naturligvis. — Jeg visste ikke om du kanske hadde avtalt noe med Hildur for eksempel?»

«Neida. Jeg er ledig hele dagen.»

Sigurd saa litt betenkt ut.

«Det var ikke d e t jeg mente igrunden. Foreslaa dig at bli med i tilfælde —. Sandt at si, jeg tror ikke du vilde like dig noe videre med dem —.»

«Aa —. Jeg er da ikke s a a vanskelig vel?»

«Du jo?» Han lo litt. «Og jeg kan ikke si at jeg synes det er noe morro naar jeg har faatt dig med paa noe som jeg kan se, du morer dig ikke —»

«Vet du hvad! Du kan da ikke si at jeg v i s e r det, selv om jeg ikke er saa vildt begeistret for dem som jeg er sammen med.»

«Var det ikke dronning Victoria som sa bestandig, det morer os ikke? — Du ser ut akkurat som henne —»

«Uf hvor du tøver Sigurd. For det første var jo dronning Victoria en tykk gammel —»

«— og du er ung og slank og vakker, joda. Og allikevel, naar du sitter saan saa stille og høflig og søt, med denne dronningminen din —»

«Med andre ord.» Nathalie merket selv at den lyse gemytlige stemmeklangen hennes lød litt tilgjort. «Dere vil helst ikke ha med fruerne, hvis dere bestemmer dere for noe imorgen —»

«Naa for den saks skyld. Gaarders fætter skal nu ha med sig s i n frue. Det er netop pointet. Du vilde synes hun er fæl.» Han lo høit. «Og det er hun forresten ogsaa. Den typen som lager braak med kelnerne om regningen og bruker sig paa manden i hele selskapets paahør. Men vældig venlig indstillet mot alle andre mandfolk end akkurat den stakkaren som er faldt i hennes klør — og de som skal ha betaling av dem for noenting. Huttetu!» Han ristet sig indi klærne.

«Stakkars dig da Sigurd. Det tegner da frygtelig for din søndagsfornøielse.»

«Ikke spor. Du kan da begripe, vi andre greier os nok. Men du vilde altsaa i tilfælde bli henvist til damens selskap. En god del ialfald.»

«— og saa vondt vil du mig ikke. Skaal da! — Du har vel ikke tilfældigvis husket at hente op den rødvinen?»

«Død og klore! Det glemte jeg —»

«Jamen det skal du sandelig ikke faa vridd dig fra far!» Hun talte hele tiden i den lystige lyse tonen. «Du vet godt, jeg tør ikke gaa i kjelleren om kvelden for aldrig det — jeg som er saa rædd for rotter og katter og fæle mænder —»

«All right!» Han kom bort og gav henne et smellkyss. «Takk for maten kone — det var et festmaaltid!» Han strøk paa dør.

Nathalie tok av bordet, litt oprømt efter det uventede kysset. De hadde brukt det i hennes hjem at faren kysset moren takk for mat, og Sigurd hadde ikke kunnet skjule, da han var hos dem første gang, at han syntes det var en pussig skikk. Derfor kysset han henne sommetider takk for maten naar han var oplagt til at holde litt leven med henne. — Kanske han ogsaa helst vilde ha vært hjemme ikveld. —

«Men naa maa jeg fly — aa vær en engel da du og ring efter bil for mig» Han stillet vinflaskene op paa plassen i hjørneskapet, gav henne en halv omfavnelse og et kyss paa veien mot entreen. Litt efter stakk han hodet ind i stuen igjen:

«Djø da Thali — det er sandt, jeg tok med litt sukkertøi til dig — det ligger paa konsollen. — Og saa ikke vent paa mig da du — jeg er rædd det blir sent — og jeg ikke akkurat i fin form naar jeg arriverer. Ja godnat da Thali — farvel saa længe —»

Nathalie gav sig god tid med den lille opvasken sin. Hun ordnet efter sig paa kjøkkenet, bar ind de tingene som hørte til i spisestuen og satte dem paa plass i hjørneskapet og paa skjenken. Hun gikk ind paa Sigurds værelse — han slengte alting hulter til bulter efter sig naar han klædde sig om. Nathalie ryddet efter ham paa soveværelset og badeværelset. Men saa var der heller ikke mere som hun kunde gjøre.

Det vil si, der var nok av ting som hun kunde ta sig til. Hun burde skrive til sin mor — eller til Ragna. Og hun hadde flere haandarbeider igang. Og der laa en haug med bøker som hun hadde tænkt at læse. Lørdagsavisene hadde hun saavidt faatt tittet paa i middags. Men hun var ikke oplagt til at begynde paa noe.

Hu bar den elektriske ovnen ind i dagligstuen — det var slet ikke noe varmt om aftnene. Med den store reflektoren som kastet et rødgult lys bortover gulvteppet minnet den henne om dampskiber. Det var visst fordi der var et gitter av buede metalstenger foran reflektoren, likesom paa skibslanterner. Sigurd sa at den der ovnstypen hadde ikke slaatt an noe videre — de førte den ikke lenger. Men hun var glad i denne ovnen. — Hun hadde mest lyst til at de skulde ta noen steds med baat til sommeren. Hardangerfjorden for eksempel, eller Sognefjorden hadde ingen av dem sett endda. Paa Vestlandet i det hele var de litet kjendt. Og Nordkapsturen deres hadde da Sigurd ogsaa nydt saan — han likte godt at reise paa dampbaat —.

Hvis de altsaa bare kunde ta ferie paa samme tid.

Det kunde være bra nok at de ferierte paa hver sin kant sommetider — det var sikkert sundt med en saan liten skilsmisse av og til. Og hun hadde hatt det rigtig morsomt i Kjøbenhavn ifjor — meget utbytte hadde hun ogsaa hatt av de utstillingerne hun saa der. Men allikevel. — Det var sandt at hun hadde ikke saa lett for at bli kjendt med folk — Sigurd hadde rett i det at hun var kanske litt saan retirée. Og de hadde det altid saa deilig sammen naar de var ute og reiste. Iaar burde hun vel ta sig en tur hjemom. Otteogseksti var jo ikke noen alder at snakke om, men Ragna skrev altid om at mamma var faldt noksaa meget av i det sisste. Hvis hun reiste og var hjemme en uke. Saa kunde Sigurd komme og hente henne, og saa kunde de ta en baat som gikk rundt kysten —.

Nathalie trakk føtterne op under sig og krøp sammen i hjørnet av divanen, laa og saa paa den rødtlysende ovnen. Hun hadde lyst paa kaffe — tragtekaffe, ekstra god og sterk. Hun var bare saa uoplagt til at reise sig. Likør var der ogsaa igjen siden den kvelden Asmund og Sonja var her. Hun kunde ringe til Hildur og be henne komme bortom —.

Hun hadde bare ikke lyst til at Hildur skulde faa vite, nu var Sigurd ute igjen denne lørdagen og. Hildur kunde være saa besynderlig taktløs, eller kynisk, hun mente naturligvis ikke noe vondt med det. Uf ja, naar man er ung er man dum — og hovmodig, eller vigtig; det var henne som hadde vært taktløs, da hun ikke hadde kunnet dy sig for at betro Hildur ting som hun hadde gjort bedre i at tie om. Men hun hadde vært saa sindssvakt, tindrende, overmodig lyksalig — aldeles vild. Og Hildur overbærende — skeptisk — og Nathalie hadde ogsaa vært overbærende, nedlatende, fordi hun syntes at imot hennes oplevelse var da en saan stuevarm, langtrukken og venskapelig kjærlighet som Hildurs og Gunnars noksaa triviel og litt fattigslig.

De hadde gaatt forlovet paa den siden gymnasiasttiden og giftet sig paa den da de syntes at de fornuftigvis kunde gjøre det, og levet godt sammen paa den siden i alle aarene. Det var jo længe siden nu. Og kanske det var indbildning — men ialfald indbildte hun sig at Hildur aldrig hadde glemt henne ett og annet som hun sa dengang, og rett som det var undret hun paa om ikke Hildur kom med hentydninger, naar de satt og snakket sammen i al almindelighet.

Det var vist forresten meningsløst. Hildur hadde jo bevist i det lange løp at hennes maate at ta tingene paa passet for henne — og for Gunnar. De to var virkelig et par; Nathalie kunde ikke tænke sig den ene uten den annen. Det kunde vist ikke de heller. Det lot for eksempel aldrig til at noen av dem hadde trang til saanne egteskapelige sommerferier eller pauser. Men Hildur hadde et eget snitt med at gjøre sig uundværlig for folk. Barna hennes viste likesom saa usjenert at de *trængte* sin mor, selv de to store, — Nathalie tænkte sommetider at hvis hun ogsaa hadde hatt barn, saa vilde kanske Sigurd ogsaa ha trængt henne paa en annen maate. De trængte nok hverandre, hun og Sigurd ogsaa. Men det er enslags praktisk sans og opmerksomhet i kjærlighet som en ikke lærer uten en har hatt ansvaret for væseners trivsel ogsaa naar de ikke selv kan si fra om sin trang. —

Nathalie saa igjennem radioprogrammet, stilte paa apparatet en stund og lyttet: de legemsløse røsterne var helt fremmede — det var vist et slavisk sprog de snakket, et hørespill. Latterkaskaderne kom meningsløse som spøkelsesskogring, fordi hun ikke kunde ane hvad de lo av. Hun dreiet paa knappen, lyttet og søkte. Dæmpet musikk, en trio — det var Midland Regional. Hun saa efter i programbladet — et engelsk komponistnavn som hun ikke kjendte, men det var ganske pent. — Hun satte sig og tok sit strikketøi. Om et øieblikk hørte hun bare den svake musikken halvbevisst, et fjernt spill i bakgrunden bak hennes tanker.

— Det skulde bli badedragter til Ragnars unger — hvite, med et litet kulørt monogram, grønt til Manden. Til Jenta tænkte hun at ta jadegrønt, eller blaatt kanske. Nydelige skulde de bli ialfald. Men hun maatte tænde lampen.

— Den høie staalampen bak divanens hodegjerde hadde hun bestilt hos en ung billedskjærer som ut⸗stilte hos dem engang. Og skjermen hadde hun kjøpt hos Wertheim. Formodentlig skrev pergaments⸗bladene sig slet ikke fra noen gammel kirkelig kodeks, de var vel eftergjort bare for at brukes til lampeskjermer og slikt. Men de gyldne og brogede borderne og linjerne og neumerne i sort og rødt dannet et pent litet mønster paa det gulklare perga⸗ment. Og da hun kjøpte den, gav hun efter for en hemmelig liten sentimentalitet — hun likte den tan⸗ken at bladene av en gammel alterbok skulde skygge over sengen deres. Sigurd vilde altid at lampen skulde være tændt. Og for henne var det hellige i livet det at Sigurd og hun elsket hverandre.

Da de bodde i den lille leiligheten her inde ved siden av, hadde de altid fablet om at naar de fikk bedre raad, vilde de ha hver sin stue som de kunde indrette aldeles efter sit eget hode, og saa kunde de ha spisestuen som etslags fælles terræn. Da det kom til stykket, valgte Sigurd det lille værelset som vendte til gaarden og møblerte det aldeles almindelig, med en god gammeldags jernseng, kommode og klæsskap og ordentlig, rummelig vaskeservant. Saa fikk hun verandaværelset, og det blev dagligstuen deres ogsaa. Det lille pikeværelset hadde hun brukt som paaklæd⸗ningsrum like til de fikk indredet badet for etpar aar siden. Det var praktisk saalænge hun selv stelte frokosten deres at hun kunde klæ paa sig mens hun passet kaffekjelen og grøtkasserollen og saan —.

Sommetider længtet hun tilbake til den tiden. Skjønt hun godt visste at nu vilde hun slet ikke like det, hvis hun igjen skulde bli nødt til at greie sig bare med en kone til trappevask og det grøvste av rengjøringen. Nu hadde hun vænnet sig til at ha hushjelp som kom hver morgen og blev til efter middagsopvasken. — Stakkars Sigurd, det var ikke hans skyld at han var blitt litt makelig efterhvert. — Han hadde vært ivrig, den første tiden de var gifte, for at de skulde holde alt som de hadde avtalt, — han vilde endelig ta sin uke til at lage frokost og stelle i huset. Men hun hadde syntes, det var saa morsomt at faa degge litt for Sigurd og leke husstel. Hun hadde selv skjemt ham bort saa godt hun kunde. — Nu da de hadde faatt pikeværelset ledig, slog jo Sigurd sommetider paa at de burde ha fast pike. Men hun hadde ikke rigtig lyst til det. For hun visste godt, at hadde hun først engang overlatt aftenstellet til en annen, saa blev det slutt med at hun egenhændig gjorde istand smaa ekstrafester for ham og sig selv alene — og dem satte de begge saan pris paa. Men da vilde likesom det sisste av nygiftstemningen være forduftet av deres tilværelse. —

— Det ringte. Med en liten iling av forventning reiste Nathalie sig og gikk for at lukke op. Paa en maate var det deilig at faa være alene hjemme en aftenstund engang imellem. Men hun vilde ikke hatt noe imot at der kom noen nu, som hun kunde faa sig en hyggelig prat med.

— Saa var det bare Sonja. Det var sandt, hun hadde satt igjen sin paraply da de var her i forrige uke. «Jeg kom her forbi allikevel, og saa saa jeg at det lyste hos dig —»

«Jamen kom ind da du. Det var hyggelig at du kom opom —»

Nathalie hadde aldrig følelsen av at hun hadde noe usnakket med denne svigerinnen. At hun ikke likte henne var for sterkt sagt — men Sonja var jo blandt annet elleve aar yngre end henne da. Sigurd hadde egentlig ikke syntes saa værst om henne fra først av — da var hun bare nitten aar, og virket rigtig søt og indtagende. Men Sigurd hadde jo hatt imot selve saken fordi han hele tiden trodde at Asmunds første kone kunde bli frisk igjen. Og efterhvert hadde han faatt noksaa meget at utsætte paa Sonja. Hun var en uforbederlig natteranglerske blandt annet — var hun ikke ute en aften, saa drog hun fremmede til huse, og hændte det allikevel at hun og Asmund blev alene i huset en kveld, gikk hun aldrig og la sig før længe efter midnat. Det var ingen sak for henne, hun stod saa allikevel aldrig op før utpaa formiddagen, men Asmund maatte jo være paa kontoret sit til bestemt tid. Og Sonja ver forresten altid trætt og grinet dagen derpaa; hun levnet likesom ikke ordentlig op før om kvelden. Hun røkte altfor meget — og hun likte godt at drikke endel, men hun taalte næsten ingenting. Men især var det galt for barna — Sonja gren og maste paa dem, dasket og klasket dem, men lot dem likevel faa gjøre akkurat som de selv vilde tilslutt, eller de gjorde det ialfald. Maiken og Gary var tynne og nervøse og de mest uopdragne unger som tænkes kunde. Det var sandelig bedre ingen barn at ha, sa Sigurd, end saan noen uskikkelige og utrivelige planter.

«Gid noe saa fortryllende», sa Sonja da Nathalie kom ind med kaffebrettet. Hun hadde funnet Nathalies strikketøi, og nu trodde hun naturligvis at det var til Gary — T'en kunde jo likegodt bety Torgal. «Men du, er den ikke svært stor —?»

«Nei jeg tror ikke. Den er til Thomas, Ragnas gutt du vet.»

«Aa nu.» — Det hadde altid irritert Nathalie at Sonja sa «aa nu» og etpar ting til av samme sorten. Ellers la hun nærmest an paa at snakke uvøren jargon, men det var vist noe som hang igjen fra barneaarene — hennes mor hadde gjort de mest fortvilede anstrengelser for at «tale dannet». Stakkars Sonja hun hadde nu hatt et noksaa fælt hjem. Faren var en haabløs døgenikt som ikke bestilte annet end synes synd paa sig selv, fordi han hadde begaatt en saan mesalliance og giftet sig med en stuepike fra et tredieklasses smaabyhotel. Han beklaget sig over den fine familien sin som ingenting vilde gjøre for ham og bebreidet sin kone at det var hennes skyld han var kommet paa kant med den. — Fru Ulbricht var tarvelig, og det saaes paa henne at hun var glad i det sterke. Gustav, den ældste broren til Sonja, hadde hun hatt før hun traff Ulbricht, og han var forresten den likeste av barna hennes — ja og saa Molla, den yngste, var grei, og hun var vel heller ikke Ulbricht. Det kunde nu ingen fortænke henne i at hun ikke hadde greiet at være den vaske-fillen av en mand saa forskrækkelig tro — men det var blitt litt vel meget av utroskap der i gaarden, efterhvert. Ellers hadde hun paa mange maater været makeløs mot manden — hun hadde degget for ham og sørget godt for ham og barna. Arbeidsom var hun jo, og rivende flink; hjemmebakeriet hennes var blitt en ganske stor forretning efterhvert. Og hun var et snildt menneske — det var en kjendsgjerning som Nathalie hadde opdaget allerede mens hun var smaapike og hennes mor overlot barna saa meget til pikerne: de letsindigste er ofte svært snilde. Rigtig-nok langtfra altid — Sonja stakkar tok desværre ikke efter sin mor hverken i dygtighet eller i det at være omsorgsfuld for noens legemlige velfærd. Men hennes letsindighet var vel heller ikke av den posi-tive sorten, som morens — den var mere som farens, resultatet av en hel del egenskaper som hun manglet. Sonja var nok glad i sin mor, men hun skammet sig over henne ogsaa — og hun kunde ikke utstaa sin far og foragtet ham, men hun holdt sig til hans familie alt hun orket, snakket gjerne om at hun var blitt opdraget hos sin bedstefar oberstløitnant Ulbricht, at William Ulbricht var hennes fætter og Elisabeth Ulbricht hennes tante og saa videre. – Hun hadde bodd hos de gamle Ulbrichts det aaret da hun gikk paa handelsgymnasiet.

«Jeg blev saa forbauset da jeg saa det lyste hos dere, for Sigurd telefonerte med Åsmund i middagen og da sa han at dere skulde ut med noen kjendte oppenifra Aasbygden ikveld og det kom til at bli sent sa han. Vi vilde hatt dere med paa biltur imorgen skjønner du.»

«Nei du vet, det var noen mennesker som jeg næsten ikke kjenner. Sigurd kunde ikke godt slippe for at gaa, men jeg syntes ikke at jeg behøvet –.»

«Tænk, hadde du virkelig ikke lyst –. De skulde vist være noksaa mange og, forstod jeg –. Ungdom og. Ta ut paa en villa til noen og danse –.»

Nathalie fyldte Sonjas likørglass paanytt. «Du vet, jeg bryr mig ikke saa meget om denslags. Naar det er saa mange, og ingen som jeg kjenner ordentlig allikevel saa –.»

«Sverre Reistad kjenner du da godt – din trofaste tilbeder.»

Nathalie visste ikke hvorfor hun ikke likte at høre det. Det var litt rart at ikke Sigurd hadde nævnt, Sverre skulde være med. «Sverre du». Hun smilte lunt. «Han er vist saa optatt for tiden – med en meget yngre og penere dame. Saa jeg tror ikke han vilde ha vært saa henrykt om han skulde blitt nødt til at være min kavaller nu igjen.»

«Vettuhva! Du kunde vel ha funnet dig en annen kavaller vel vet jeg – du er da sandelig saa pen endda saa –. Jassaa – det er vel Adinda Gaarder da som Reistad svermer for nu –?»

«Er det det hun heter?» lo Nathalie. «Jeg vet bare at der er en. De er sammen støtt.» I øieblikket husket han knapt at dette med Sverres flamme var jo noe som hun hadde funnet op paa staa-ende fot.

«En ganske pen en? Lys. Ikke no chick — men hun har vist vældig herretække, skjønt jeg synes hun ser ut som hun skulde være gørr kjedelig. Jeg trodde forresten at Sigurd flirtet litt med henne — saan i al uskyldighet forstaas. Hun gaar i en blaagrøn spaserdragt —?»

«Ja det maa jeg si at jeg ikke har lagt merke til. — Hvad var det du sa at hun het?»

«Adinda Gaarder.»

«Er hun gift med Gaarder som bor her i byen — som har vildt- og fiskeforretning er det vist et sted borte ved Frognerveien?»

«Nei er du gal! Hun tok vist artium ifjor vist. Hun er da ikke gift — faren hennes har gaard oppe paa de kanter tror jeg.» Sonja lo. «Saa du skal ikke være for sikker paa at ikke din gode ven Sverre gaar bort og gifter sig en vakker dag, hvis det er henne han dyrker nu.»

«Jamen det vilde da være utmerket. Hvis pikebarnet altsaa er noenting at samle paa. Jeg har altid ønsket at Sverre kunde finne sig en søt kone. Han passer akkurat til at ha et eget hjem og sin egen familie. Skaal Sonja!»

«— paa Sverres utsigter til at bli egtemand mener du? Er du ikke litt sjalu engang du da Thali? Det blir slutt da med orkideer og sjeldne kaktus til dig vet du —»

«Aa — hvis ikke fru Sverre er for sjalu av sig saa kan vi vel bli ved at prate kaktusprat og bytte avlæggere og utveksle erfaringer som vi har gjort —. Alvorlig talt jeg er svært glad i Sverre, vil jeg si dig; jeg skulde rigtig ønske at han kunde faa sig en pen, forstandig ung kone som han kunde bli rigtig lykkelig med. For det fortjener han.»

«Ak ja, du har dit paa det tørre du,» sukket Sonja. «Saa du kan gjerne være edel. Det har du raad til. En annen stakkar faar nok passe bedre paa tilbederne sine, hvis man vil ha litt morro i sin ungdoms vaar.»

«Naa-aa», sa Nathalie og visste ikke hvad hun skulde si. Hun blev altid flau naar Sonja ganske ugenert snakket om at hun dyrket venner og veninner for de fordelers skyld som hun trodde at hun kunde ha av dem.

«Det er ingen sak for dig, Thali. Du tjener en masse penger selv du — har en overordnet stilling tesmers og blir intervjuet rett som det er med billede av dig i aviserne —»

«Aa! Det var da bare den ene gangen, Sonja. Da vi hadde femogtyveaars jubileum ifjor.»

«Kjære, du kom da i avisen den gangen da dere hadde den derre utstillingen av norsk lin ogsaa — og da han pottemakeren fra Trondhjem var der —»

«Ja jeg var med som beskeden bakgrundsfigur,» lo Nathalie. «Men forresten saa skjønner jeg da ikke hvad gjildt det skal være ved at komme i avisen.»

«Gid, jeg vet ikke hvad jeg ikke skulde gjøre hvis bare jeg kunde bli intervjuet og fetografert i bladene — men det blir jeg nok aldrig. Jeg blir nok aldrig annet end en saan ganske almindelig liten huskone jeg —»

«Bare pass dig du, nu du er begyndt at kjøre bilen deres selv — at ikke d e t bringer dig i bladene.»

«Ja du ler av mig du. Jeg vet godt at du syns jeg er dum, Thali. Og det er jeg forresten ogsaa, det vet jeg selv det —»

«Jeg vet slet ikke om du er dum, Sonja — du behøver jo ikke at være dum fordi om du sommetider ikke bærer dig klokt ad.»

«Ja jeg vet at du syns det,» sa Sonja bittert. «Akkurat som det var en forbrytelse at man vil være ung og ha litt morro, bare fordi man er gift og har etpar barn. Det er ingen sak for dig at snakke —

jeg er virkelig saa glad i barna mine som et menne=ske kan faa blitt, men du skulde vite for et slit det er med unger ogsaa — saa vanskelig. Især nufor=tiden naar en læser og hører saa mye om hvor far=lig og vanskelig det er at opdrage dem saa de ikke faar komplekser og gal mat og alt denslags. Men saan er det bestandig. Gamle jomfruers barn er englebarn sa bestemor Ulbricht bestandig — i hen=nes tid var det bare gamle jomfruer som ingen barn hadde, men nu er det vist ingen gamle jomfruer mere, bare barnløse fruer og frøkener, og de vet hvordan alting skal være. Hvorfor skaffer dere dere ikke noen barn selv da, naar dere syns de er saa dei=lige? Jeg hadde ingen ungdom jeg, jeg blev gift like fra skolebænken, med Åsmund som var næsten dobbelt saa gammel jeg —»

Det var der jo ingen som tvang dig til, lille Sonja. Du giftet dig fordi du vilde heller det end begynde at se dig om efter post. — Men Nathalie sa ingenting.

«Uf ja da — Asmund er saa prægtig saa, vist vet jeg vel det! Men det er noe annet at være gift, skal jeg fortælle dig, naar man er nødt til at be manden sin om hvert øre man skal bruke. Det er også noe som du ikke vet noe om. Det er ingen sak for Sigurd at være hyggelig mot dig altid og flott naar dere er ute og huske paa at ta med presenter og konfekt hjem til dig —»

«Det var sandt san.» Nathalie reiste sig leende, gikk ut i entreen og fandt den store flate pakken paa konsollen. «Jeg hadde med litt sukkertøi til dig, det ligger ute i gangen, sa Sigurd — han stakk ho=det ind av døren i det samme han skulde gaa, for han hadde vist aldeles glemt det. Saa hvis jeg vilde være saa skrækkelig nøie paa at Sigurd altid husker paa at være opmerksom og saan —»

«Ja der kan du bare se!» Sonja lo ogsaa, mens hun rotet i esken og fandt frem sine yndlingskon=

fekter. «Der ligger noe sukkertøi i gangen sier Sigurd saan nonchalant, naar han har kjøpt med en kilo av den dyreste konfekten til dig. Naar det hender en sjelden gang at Asmund tar med litt godt til mig saa spør han for hver bit jeg tar om det ikke er nydelig, og la ungene faa smake da, og saa forteller han hvad det kostet og hvor han har kjøpt det og alt saan — uf ja!»

«Han har vel gaatt og glædet sig til at gi dig det da.» Asmund hadde det jo altid vanskelig med penger. Mindst to ganger i de sisste aarene hadde Sigurd maattet skaffe et større beløp i en hast, og Nathalie hadde skjønt at det var broren, endda de ikke snakket direkte om det. Blandt annet hadde nok Asmund forkjøpt sig grundig paa det huset —.

Hun begyndte at længte efter at Sonja skulde gaa — i længden blev hun svært trættende at være paa tomands haand med. Hun fortalte i det vide og det brede om folk som Nathalie kjendte litet eller intet til — og rett som det var vendte hun tilbake til sit yndlingstema om hvor vanskelig det var at være henne. Samtidig kjendte Nathalie noe som et haab — hvis Sonja blev sittende saa længe som hun pleiet kom kanske Sigurd hjem forinnen —.

— Klokken var blitt næsten tre da Sonja omsider brøt op, og det var bare fordi de ikke hadde flere cigaretter. At hun hadde noen stykker i etuiet i haandvæsken skulde Nathalie nok vokte sig for at røbe. Det var akkurat saa hun hadde til imorgen tidlig.

Hun fulgte svigerinnen ned for at laase op porten. Det var paa et hængende haar at Sonja hadde glemt paraplyen sin nu ogsaa. Hun var noksaa sluddret — Nathalie hadde været nødt til at ta frem den sherryen hun hadde oppe. «Du skal ikke tro at jeg gjør noe galt, Thali — tror du vel det om mig? — Igrunden saa er jeg saa forfærdelig glad i dig — forfærdelig glad i dig — jeg trænger saa skrækkelig til at noen er snilde mot mig skal jeg si dig — for Asmund er slet ikke saa lett at være gift med som dere tror — nehei det er han ikke det! For jeg føler mig saa ung skal jeg si dig — men det kan ikke han skjønne. Uf jeg syns det er saa fælt at jeg har fyldt tredve aar, og saa er det likesom jeg aldrig skal faa lov til at ha noen ungdom — du maa være snild mot mig, Thali — du maa! Ja du maa ikke tro at jeg er fuld fordi om jeg sier alt dette til dig.»

«Neida, snilde dig, de smaa skvettene jeg hadde kunde da ingen bli — jada, jada, Sonja — jeg har sandelig aldrig tænkt at være slem mot dig. Men slipp armen min nu da, porten er litt trang at faa op skal jeg si dig.»

Det hadde frosset paa, saa meget saa sølen knastret og gav efter trægt under føtterne, da hun fulgte Sonja gjennem den lille forhaven. I det gule skjæret fra gaslygten stod syrinbuskene perlende fulde av knopper. Spiræahækken var saa utsprunget saa den lyste irrgrøn og lugtet syrlig i den kuldeklare natteluft.

«Godnatt, godnatt, og takk for at du kom indom. Og hils —.» Chaufføren smeldte igjen bildøren. Nathalie blev staaende paa fortauget efterat de var kjørt bort.

Det var temmelig lyst allerede og himmelen skjært dæmringsblaa, med faa bleke stjerner høit over hustakene. I gaarden midt imot brændte det endda lys i to vinduer bak gulbrune rullegardiner. Ellers saa de morgengraa facaderne ut som de sov, med blek gjenglans i ruterne av den lysnende himmel. Husene laa litt høiere paa den andre siden av gaten — det var gammeldags treetagers villaer med bladløs vildvin opefter verandaernes støpejernssøiler. Forhaverne skraanet nedover, gustne av rim paa plænerne. De hadde bodd i denne gaten helt siden de giftet sig.

Skritt klang skarpt og likevel dempet paa fortaugsfliserne i Bogstadveien, men de gikk nedover mot byen. Det var aldeles stille, og saa lydt. Langt borte hørtes en bil, men den kom ikke hit. — Nathalie gik ind og laaste porten.

Luften i stuen var saa stappa av tobakksrøk saa det gikk ikke an at lægge sig mindst paa en halv time —. Nathalie slog verandadøren paa vid vægg. Hun tømte de toppfulde askebegere i ovnen, bar ut glas og asjetter. Da hun kom ind i stuen igjen begyndte hun langsomt at gjøre divanen istand til natten.

Øverst oppaa sengklærne i understellet laa rene laken og putevaar. Nathalie betænkte sig litt — nei det var jo sandt, de skulde ha vaskekone paa mandag. Saa hadde Vera nok tatt med det brukte sengetøiet da hun la i bløt. — En for en tok Nathalie de fire puterne ut av dagtrækkene og slapp dem ned i de glatte, kjølige linhylstere. Naar hun lot verandadøren staa aapen til hun var færdig med at klæ av sig, blev sengen deilig og kold at lægge sig i.

I det sterke lyset inne paa badeværelset studerte hun sit utseende med uvanlig opmerksomhet, mens hun satte klemmerne i sit gyldenbrune haar til natten. Han maatte snart til friserdamen igjen, kunde hun se —. Hun var aldrig blitt rigtig enig med sig selv — om det ikke hadde vært dumt at hun lot haaret sit gjøre lysere —? Saan som moten hadde vært da hun var ung pike hadde det sett pent ut med det næsten sorte haaret hennes til de lyse graa øinene og den hvite huden — det langsmale, regelmæssige ansigtet hennes fikk noget madonnaagtig over sig naar hun skilte haaret rett over panden og hadde de løse smaakrøllerne i klaser ved ørerne. Men blandt annet av hensyn til forretningen var hun jo nødt til at se ut som andre folk. Og da hun opdaget de første graa haarene sine lot hun det farve gyldenbrunt og klippe. Graa haar syner saa forfærdelig naar en er mørk. — Skjønt saant graatt og svartstripet haar som tante Nannas for eksempel var vakkert — det virket helt jernfarvet. Men tante Nanna hadde vist ogsaa gjort noget med haaret sit saalænge manden hennes levet — hun begyndte ialfald ikke at bli graa=sprengt før efter hans død —. Naar hun selv blev ældre skulde hun ønske at hun kom til at ligne tante Nanna — Nanna var pen.

Man maatte da si at hun hadde holdt sig godt, det syntes hun virkelig. Rart — naar hun ikke netop stod foran et speil og saa paa sig, tænkte hun vist altid paa sig selv som hun skulde se ut endda som da hun var ung pike. Uten den lille make=up'en som hun var nødt til at anlægge, siden man nu en=gang maa se ungdommelig og frisk ut, naar man har en stilling som gjør at man stadig træffer fremmede mennesker. Ikke var hun vel saa forandret heller — bare litt avbleket. Litt falmet — hun kunde se selv, at det var hun.

Figuren hennes var aldeles ung — Nathalie stram=met den grønne silkekimonoen omkring sig et øie=blikk — helt pikelig ung var den endda. Grønt — alle kan finne en eller annen nuance i grønt som de klær. Hun blev nødt til at faa sig ny kjole til Els=beths bryllup — mon hun skulde ta grønt —? Men noe som var varmere i farven — brunagtig grønt —. Og hvis Sverre giftet sig — Sigurd skulde kanske være forlover da. Hvis det gaar an at ha gift for=lover — hun var ikke sikker paa det —.

Saa snodig at Sigurd aldrig hadde nævnt dette pikebarnet, Adinda Gaarder, naar Sverre var saa meget sammen med henne. — Sommetider var hun ikke sikker paa at det var saa lurt med denne overens-komsten deres — at den ene skulde ikke være nødt til at dyrke den annens bekjendtskapskreds længer end sympatien rakk. Det blev lett til det at de kom for det meste til at gaa ut hver paa sin kant. Hennes familie for eksempel — noen av dem saa hun jo ikke saa sjelden, men Sigurd var næsten bare sam=

men med dem naar det var selskaper. Men naturligvis, han hadde endda flere bekjendte som hun bare saavidt hadde truffet, og mange som hun slet ikke kjendte. — De menneskene som hun hadde møtt i gamle dager paa Rafstad, mens svigerfar levet, de hadde jo næsten alle sammen vært tiltalende folk — ialfald hadde de hatt et tiltalende væsen — en fast livsstil likesom. Og kameraterne til Sigurd hjemmefra, som de var sammen med i bygdelaget, hadde hun ogsaa likt. Men det var gaatt med dem som med Sigurd — de hadde hatt sit hjem og sit arbeide i byen saa længe saa de var ikke rigtig landsmennesker længer, men ikke ordentlig byfolk heller. De hadde hørt at i byen kan en gjøre en hel del som ikke gaar an hjemme i bygda. Men de hadde ikke opdaget at indfødte bymennesker har ogsaa sine egne begreper om hvad som er god skikk og hvad som ikke er det. De hadde emancipert sig fra den opdragelsen som de hadde faatt hjemmefra og de skjønte likesom ikke principperne i noen annen. Mange av dem var blitt noksaa utiltalende efterhvert — Sigurd ogsaa syntes det, han kunde godt skjønne at hun ikke trivdes videre sammen med dem nu. Men de var altsaa hans kjenninger fra guttedagene og ungdomsaarene. Gaarders for eksempel var vel saanne —.

Inde i stuen var det dagslyst. Nathalie blev staaende litt i verandadøren — spurvene var vaakne og skvaldret i vildvinen. Der var saanne masser av dem bestandig i alle de smaa forhaverne bortigjennem gaten. — Huff nei, det blev koldt at staa her i bare nattkjolen. — Hun stængte døren. Saa deilig søvnig som hun var, og litt frossen, kom hun nok til at sovne med det samme —.

Næste morgen da hun kom listende for at gaa gjennem Sigurds soveværelse ind paa badet blev hun litt paff — sengen hans stod opslaatt og urørt. Han var ikke kommet hjem endda. Klokken var over elleve.

Hun vilde ikke være tøiset og gi sig til at spekulere ut alle de ulykker som kunde ha hændt. Likevel gikk hun og var noksaa nervøs en times tid, indtil telefonen kimet. Hun var virkelig litt rædd da hun tok den — saa var det gudskelov Sigurd selv.

Han hørtes litt flau. «Du har ikke vært ængstelig vel?» Han var ute i Asker. De hadde tatt op til en hytte, men da de skulde kjøre nedover hadde de hatt et uheld med en av bilerne, og saa var det saa sent saa han syntes, han kunde likegodt bli der han var som ringe efter en annen bil for at reise hjem.

«Aa ikke ængstelig netop. Men du vet, en ser jo saa meget i aviserne hver dag saa —. Saa det er jo bra ialfald at faa høre, du er i live —»

2.

Fredagen efter ringte Sigurd til henne i forretningen og sa at han kunde desværre ikke komme hjem til middag idag heller, «men jeg kommer sikkert til aftens. Det kan være at det blir litt sent. Men jeg kommer sikkert. Saa hvis du vil vente med at spise til jeg kommer saa vilde jeg nok gjerne det.»

Der hadde vært noe i stemmen hans som opmuntret Nathalie. Hun hadde skjønt at han hadde ubehageligheter av en eller annen art om dagene — han hadde vært svært litet hjemme og denne uken. Men naar han ikke sa noe vilde ikke hun spørre. Som oftest fortalte han henne det bakefter — ialfald hvis det var noe med forretningen. Hvis det var noe med Asmund for eksempel sa han jo svært litet om det. Det var en av de tingene hun likte saa godt ved Sigurd — helt fra det første hun blev kjendt med ham hadde hun lagt merke til at han fortalte aldrig andre folks historier.

Hun sa til sig selv, mens hun satt hjemme om kvelden og ventet paa ham, at det kunde jo godt være han bare hadde bestemt, at nu vilde han faa være i fred hjemme en aften. Han hadde hørtes saa fornøiet i telefonen. Men det var naturligvis ikke sikkert at det betød han hadde faatt slutt paa de affærerne som gjorde ham forstemt og optok ham —.

Men hun saa det paa ham med det samme han kom ind — han virket likesom lettet. Og han hadde en stor bukett blaa iris med til henne — det var hennes yndlingsblomst. Eller en av dem, for hun hadde mange —.

«Saa pragtfulde, Sigurd! Hvad skal jeg nu finne og sætte dem i tro.»

«Skal jeg gjøre det for dig?» Han ordnet blomsterne i det gamle kobberspandet. «Se hit — tror du ikke de tar sig godt ut her.» Han stillet spandet paa den dragkisten som stod tvert ut fra væggen og dannet hodegjerde for divanen.

Nathalie smilte. «Du.» Hun smøg sig ind til ham da han kom bort og vilde kysse henne. «— De maa ha vand, stakkar —» Hun tok blomstersprøiten og gikk ut for at fylde den.

De satt ved aftensbordet, da spurte Sigurd:

«Hvad syns du, om vi tok opover med hurtigtoget, til Harestuen for eksempel? Føret skal være bra opover der endda. Syns du ikke det var ganske godt paa det hotellet hvor vi var dengangen ifjor vinter?»

«Det kunde jeg ha god lyst til.»

Manden reiste sig, kom bort og stod bak stolen hennes. Han la den flate haanden sin mot hennes nakke og klemte til — saa tok han med den andre haanden under haken hennes og bøiet hodet bakover, saa han kunde se ned i hennes ansigt: «Aa du Thali min —.»

«Hvad er det som gaar av dig —?» Nathalie saa litt forskrækket op paa ham. «Er det noe som staar paa, Sigurd?»

«Jeg vilde bare se paa dig. Det er nu likevel ingen som dig da.»

«Jamen sætt dig og spis da gutt.» — Hun lo sagte som et barn der glæder sig til noe.

Nathalie laa og fingret kjælende paa Sigurds bryst indunder pyjamasjakken. Han hadde saan god glatt hud. «Vi burde lægge os og sove du.» Men de blev liggende og snakket om turen sin. Han fikk ta en bil ned til stationen imorgen tidlig med skierne og haandkufferterne deres, og saa skulde de møtes og spise middag i byen. De behøvet ikke reise ind før med første tog mandag morgen — Nathalie kunde godt ta sig fri fra forretningen det par timerne. «Bare vi fikk sol —.»

Hun saa op paa de blaa blomsterne som buet sig utover deres hoder. «Det er næsten synd — iris staar saa kort. De er forbi paa mandag.»

«Jeg skal ta med iris til dig snart igjen — bare jeg kan huske det saa.»

«Jamen jeg syns det er synd likevel at reise fra blomsterne dine. Alt som jeg har faatt av dig blir jeg saa glad i, skal jeg si dig —.»

Sigurd stod færdig til at ta avsted næste morgen, da telefonen kimet. «Det er telegram — til dig Thali.»

«Aa vil du ta det — du har tid. Det er noe jeg har glemt.» Et øieblikk efter kom han ut til henne paa kjøkkenet. «Gud — Sigurd hvad er det!»

Han viste frem papirlappen som han holdt i haanden. «Det er fra din søster. Det er nok desværre noe sørgelig du —.»

«Det er da ikke — er det mamma —?»

«Nei da.» Vera, hushjelpen, hadde uvilkaarlig

lagt fra sig det hun stod med og saa interessert paa de to. «Det er om din far,» sa Sigurd fort. «Det er bedre du kommer ind» — og han vinket med lappen igjen.

Turen vor, det kommer da vel ikke noe iveien for den, var det første hun tænkte paa, idet hun fulgte ham ind i stuen.

«Stakkars dig, det er sørgelig dette, Thali» — hun læste paa lappen: Far døde plutselig hjertelammelse igaaraftes. Kom straks hvis du kan. Ragna.

Pappa. Pappa var død. Hun var ikke istand til at føle noe — kunde ikke tro at det var virkelig. — Sigurd stod og saa ut som han anstrengte sig for at finne ut hvad han burde si eller gjøre nu. Hun maatte undertrykke lysten til at le av ham — og tænkte fortvilet, i alverden, hvordan er det vi bærer os. Hvorfor kan jeg ikke bli bedrøvet — pappa er jo død jo!

«Stakkars Thali min, saa vondt dette var da! Og saa uventet. Han virket da saa kjekk her i høst da de var inne. Og din mor stakkars — det er jo et frygtelig slag for henne. Undres hvordan hun tar det —.»

Mamma ja, hvordan hun tok det. Frygtelig vel — hun som var saa voldsom i alting. Det begyndte at klarne frem som en virkelighet i Nathalies sind, hvad det betød som stod paa blokkbladet. Naturligvis maatte hun skynde sig hjem naar pappa var død. Stakkars mamma, hun maatte være aldeles fortvilet og raadløs. Pappa og mamma — de hadde jo aldrig kunnet undvære hverandre. Hun hadde ikke skjønt det ordentlig før hun selv blev gift med Sigurd: de evindelige stormfulde scenerne deres som hadde pint henne saa skrækkelig da hun var barn og ung pike hjemme — naar mamma og pappa hadde trættet, eller disputert som de kaldte det, til det endte med at han for ut og smeldte igjen døren efter sig, mens mamma satt igjen og brystet sig, for=

nøiet fordi hun atter en gang hadde faatt det sisste ordet, og lettet, for det var jo altid et eller annet hun var indignert over, og nu hadde hun faatt ut=løsning — det var deres form for kjærlighet. Den lignet ikke hennes egen — men de to var lykkelige sammen paa den maaten. Aa stakkars lille mamma, nu hadde hun ikke noen pappa at slaass med mere —.

Der kom klump i halsen hennes, taarene strøm=met til øinene — lettet kjendte hun at nu kom sor=gen, god og varm. Hun længtet efter at ta sin mor i armene sine og trøste henne, være rigtig inderlig snild mot henne og pappa. Og saa var pappa død og borte — naar hun kom hjem til ham laa han stille og død, aldrig mere kunde hun faa snakke med ham. Hjertens bedrøvet, men resignert, for det kunde jo likevel ikke ha vært anderledes, følte Nathalie hvor længe det var siden det gamle hjemmet hadde betydd annet for henne end enslags bakgrund som hen=nes eget liv var grodd ut fra. Hun hadde glemt hver gang hun skrev til sin mor at be om at de skulde sende henne avisen — siden nyttaar hadde hun ikke faatt den, det var kanske nye folk i ekspeditionen. Nu var det som det skulde ha vært en ukjærlig=het mot pappa at hun ingenting hadde gjort med det. Men igrunden hadde hun jo holdt op at in=teressere sig for nyheterne hjemmefra for længe siden, og hun læste næsten aldrig pappas artikler —.

Hun graat godt og stille ind til Sigurd som hadde lagt armene sine omkring henne.

«Ja det er vondt for dig dette, Thali min, jeg skjønner nok det. — Hvad tror du, skal jeg bli med dig nedover inatt?»

«Jeg er ikke viss paa om det passer for dem du.» Hun hadde en uklar følelse av at hun burde først møte dem hjemme alene. Fordi hun efterhvert var kommet til at leve med hele sit væsen flettet om=kring Sigurd maatte hun først løse sig fra ham litt, mens hun forsøkte at bli bare datteren som kom hjem til sine egne — en liten stund, saalænge den friske sorgen over faren som var død og hjemmet som skulde opløses samlet alle de skilte voksne menneskene som engang hadde hørt saa tætt sammen —.

«Vi faar snakke med dem først ialfald. Vi faar ta en riks med det samme. Ragna er sikkert hjemme — det er bedre du ringer dit end til Adlersborg.»

«Jeg ringer begge steder jeg,» sa Sigurd bestemt. Han foretok sig noe nu, — nu var han hennes trøst og støtte, skjønte Nathalie, og igjen kom den hysteriske latterlysten over henne. «Det blir vel bedst at jeg snakker med Mads ogsaa i alle tilfælde. Det er altid godt ved en saan leilighet at faa snakke med et mandfolk —.»

Da de omsider satt i bilen sent om kvelden og kjørte nedover til bryggen kunde ikke Nathalie for at hun følte velvære først og fremst. Men hun var saa trætt. Hele dagen hadde gaatt med mas og rend i butikker. Hun hadde ordnet sig saa hun kunde bli borte fra forretningen indtil efter begravelsen, og avtalt alt om husstellet med Vera saa længe. — Baade Mads og Ragna syntes at Sigurd burde ikke komme ned før til begravelsen.

Pappa hadde sagt altid at han vilde brændes, men der var ikke noe skriftlig efter ham om det, trodde Mads. Og mamma vilde ha begravelsen hjemme. Gud hvor det var likt henne. I krematoriet hadde det vel bare blitt en middelsstor affære, men hjemme blev det nok flagg paa halv stang over hele byen og saan —.

Det hadde virkelig lykkedes Sigurd at opdrive et eksemplar av pappas avis da han kom hjem til kvelds. Der var sort ramme omkring hele førstesiden, og under et stort sort kors det billedet av pappa som han saa at si hadde godkjendt som det officielle av sig.

Nekrolog av stortingsmand Sørbye. Dagbladet hadde ogsaa et litet billede av pappa. I de andre aviserne stod det bare en notis om at redaktør Thomas von Westen Søegaard var avgaatt ved døden, treogsytti aar gammel, og saa noen pene ord —.

«Ja jeg skal gaa ned og lægge mig med en gang,» lovet Nathalie. «Ja jeg skal ring dig op hver dag. — Ja takk i like maate, til vi sees igjen —.»

Og hun sovnet næsten med det samme hun hadde lagt sig i køien.

Da hun kom paa dækk næste morgen saa hun at de var allerede i sundet mellem Gaasøia og Fardal. Nei saa grønt det var — vaaren var kommet meget længer her end inde omkring Oslo. Hun hadde rent glemt hvor vakkert her var paa denne tiden. Hun blev øm i brystet av gjenkjennelsen. Hun hadde ikke været hjemme en vaar paa — hun visste ikke hvor mange aar —.

Sundet laa blikkende stille og speilet den morgenlyse himmel og grønne strender som svalerne kom skjærende ut fra i bueflugt. Terna kredset skrikende over Gaasøias lave rygg. I fjæren stod hvite fugler paa rullestener som den gyldne tarebremmen rørte sig næsten umerkelig omkring.

Nu saa hun Fardal kirke. Mot den mørke skogaasen som laa lik en karm vidt omkring bygden tegnet kirkehaugen sig lysegraa av nakne løvtrær, med den hvitkalkede kampestensbygningen og litt av prestegaardens røde uthus paa toppen. Bakom laa Langvandet — men det kan en ikke se fra sundet, ikke Gusslund heller. Hun kom til at tænke paa den store salen paa Gusslund hvor de skulde ligge bestandig, naar de blev budne til at være der noen dager om sommeren. De syntes at de fire store himmelsengene med stivete hvite forhæng helt rundt saa saa uhyggelige ut saa hun og Gerda og Ragna krøp altid sammen i én seng; stakkars Nikolai, han maatte ligge alene han. Nu blomstret vel de smaa røde auriklerne foran den raatne verandatrappen paa Gusslund. — Ja det var længe siden —.

Fardalselven som randt i det brede flatbundede søkket mellem engene saa ut som vandet stod aldeles stille i den. Sivskogen langs bredderne var hvit og vissen, men seljetrærne som bugnet utover strømmen skinnet guldgule av utsprungne gaasunger. Sletten bredte sig og bølget svakt paa begge sider av elven. Nathalie husket hvad alle de gaardene het som laa indi klynger av store gamle trær. Toppene som gittret sig høit over hustakene var luftige og lette endda; de lyste saa fint i morgensolen.

Hun gikk til den andre rælingen for at se paa Gaasøia. De var rett utfor kløften hvor kilden var. Heggebærtrærne oppe ved ollen var aldeles grønne alt og her og der hvitnet det paa det store slaapetornskrattet under skrenten. Aa hun husket vel den stien indover der, naar de gikk og skulde hente kokevand. Om sommeren var det tusmørkt og grønt og de gled i svart søle som var fuld av sauelort og avtrykk av smaa klover og deres egne nakne fotspor — de løp i bare badedragterne. Iskold puslet kilden inderst i kløften, og løv og rusk som fløt oppaa det runde vandhullet sittret svakt og blev vugget utover mot kanten.

Ut paa Gaasøia vilde hun forsøke at komme, naar hun nu først var her. Sisst hun var hjemme var det vinter, det var i julen for to aar siden. Ja herregud, det var fire aar siden hun var hjemme en sommer. Hun hadde jo tænkt, hit kunde hun da komme naar det skulde være. At det gamle hjemmet ikke kunde bli ved at bestaa til evig tid, det hadde hun jo nok visst. Men hun hadde aldrig ventet at det skulde holde op at være der —.

Aa jo visst var hun da glad i dem alle sammen. Og siden hun hadde faatt sit eget hjem hadde hun aldrig syntes annet end at det var deilig hjemme. At mamma og pappa aldrig kunde la være at kjekle var blitt en snodighet ved dem som hun nærmest holdt av: de nød disse styrkeprøverne sine saa in= tenst saa de kunde ikke bare sig for at ta et tak rett som det var — akkurat som noen elskende maa kjæle for hverandre selv om der er fremmede tilstede. Det var vist noe hun hadde læst forresten — hos Fielding trodde hun — men det passet paa mamma og pappa. Nu da hun selv var lykkelig undte hun dem det saa inderlig vel. Hun følte sig saa meget voksnere end forældrene. Naar de kom til Oslo var det saa morro at kunne hygge rigtig for dem. Men egentlig var det paa samme maaten som naar hun hadde Ragnas unger paa besøk og moret sig selv ogsaa ved alt som hun fandt paa for at gjøre byturen rigtig festlig for Jenta og Manden.

Hun kunde slet ikke forestille sig at pappa var død og mamma enke og sønderknust. Hun gruet sig litt til at komme midt op i det — det var saan vidunderlig morgen, bare til at være glad i. Det hadde vært saa uhyggelig da Sigurds far blev be= gravet, men det kom meget av at de ikke fikk se ham, han hadde ligget saa længe i elven før han blev funnet. I det hele, et ulykkestilfælde var vel helt anderledes. Og noe annet dødsfald blandt sine nærmeste hadde hun ikke oplevet, ikke siden Lille= bror døde, og det husket hun bare noksaa utyde= lig. —

Hun opdaget Ragna og Jenta nede paa kaien. Ragna hadde sørgebind om ermet paa den graa spa= serdragten sin, men Jenta var i himmelblaa strikket kaape og baskerlue. Men forresten, de bruker vist ikke mere at la barn gaa i sorg. — Synd at hun skal ha de brillerne —. Søstrene vinket høitidelig til hver= andre, og Nathalie saa at Ragna begyndte at graate.

Mads dukket op — med det samme landgangen blev lagt kom han løpende op ombord. «Du kom=

mer rigtig med det pene veiret du. Hatt god reise vel —? Er de dine, alle de eskerne — det var ikke smaatteri heller!» Han kom vel i tanker om at han burde si noe om det annet ogsaa. «Godt at du kunde komme saa fort. Svigermor stakkar er svært nedfor —.»

Søstrene omfavnet og kysset hverandre — litt ta=fatt; kjærtegn hadde ikke vært meget brukt der i familien. «Det er likesom jeg ikke kan fatte det endda,» sa Nathalie sandfærdig. «Tænk pappa — han var saa kjekk da de var inde i høst. Stakkars mamma, hvordan tar hun det? Og hvordan h a r hun det, Ragna? Hun som har vært saa litet bra i det sisste —.»

«Aa det — tænk det er det akkurat som hun har glemt. Hun er faktisk blitt aldeles frisk legemlig, nu da hun har faatt alt dette at tænke paa.» De nikket til kjendte ansigter paa kaien mens de skyndte sig bort til doktor Adlers bil.

«Men saa stor som Jenta er blitt du.» Sørgelig at hun skal være saa litet pen, tænkte Nathalie. «Tænk jeg tror næsten ikke at jeg hadde kjendt dig igjen jeg, Jenta!»

«Ja syns du ikke hun har vokset svært i vin=ter —.»

De kjørte. Mens Nathalie hørte paa søsteren som fortalte merket hun sig halvbevisst de sisste for=andringerne i det kjendte gatebilledet. Det var søn=dag ja, det var sandt — det var derfor at gaten laa næsten utdødd i morgensolen. Endda noen flere av de gamle trægaarderne hadde faatt satt ind store speilglasruter i første etage. En flott ny rutebil, gul og lysegrøn, kom imot dem. Solstrand — aaja, det var det nye pensionatet i Holmekilen, saa det var blitt bilrute dit nu. Kjøbmand Gibøen hadde faatt bensinstation. Der var kommet ny drikkefontæne i kirkeparken —.

«— du kan ikke tro hvor frygtelig det var; jeg

saa jo det hele som jeg fortalte dig i telefonen, jeg stod inde i spisestuen. Mamma gjorde tusen ind-vendinger naturligvis, men stykket har jo faatt saa god kritikk, og saa vet du at naar det er noen fra Det norske Teatret som kommer hit saa er jo pappa begeistret av principp bestandig og forlanger at vi skal troppe op mandsterke. Men mamma hadde vondt baade hist og her og kom paa tusen ting som hun maatte gjøre akkurat den kvelden — hun gad ikke gaa op og klæ sig om skjønner du. Men saa tilslutt saa sier hun altsaa jada Thomas, du gir dig jo aldrig før du faar din vilje — og saa blev han saa glad! Nu var du hyggelig sier han og gaar bort og tar henne i armen og sier saan rigtig muntert, op med dig da kone, vi har liten tid, og dermed saa hører jeg et brak og en rammel og stakkars mamma skrek! Jeg styrtet ind, og Margit hadde hørt det helt ut paa kjøkkenet og kom flyende, og vi fikk ham op paa sofaen — tænk Thali at jeg tror jeg skjønte med en gang hvad det var, men mamma kastet sig over ham og skrek i vilden sky, aa Thomas, Thomas kjære dig, du er da vel ikke syk skrek hun, stakkar hun var rent som vanvittig, og Mads hadde altsaa denne fødselen ute paa Ekenes saa ham visste jeg at vi ikke kunde faa tak i, og da doktor Sæther kom var det altsaa forbi allerede —.»

Søndagspyntede barn stod utenfor de nymalte havestakitterne oppe i Mortenskleiva. Kleiva hadde altid vært saant hyggelig strøk — det var ordens-mennesker som bodde der. Det lyste av guldgule paaskeliljer og blaa scilla over de nystelte muld-sengene i alle smaahaverne. Gjennemsigtige røde og hvite tulipankalker svevet paa høie stengler, og kan-terne av sedum og gravmyrt var saa jevne og grønne. Da hun var barn hadde hun altid misundt dem som bodde i disse nette gamle smaahusene — det saa ut som alle hadde det saa ordentlig og fredelig hos sig.

Bilen stanset foran deres egen havegrind. Nathalie blev hjerteklemt ved synet av den rødbrune tømmer=villaen med alle verandaerne og dragehoderne. Den laa og saa ut som altid ellers, uflidd og utrivelig. Malingen var ikke blitt fornyet paa mangfoldige aar, det nederste av væggen var graatt av søleskvett. Det manglet flere spiler i trappegelenderet op til indgangs=døren. Og gjennem det aapne kjøkkenvinduet saa en ind paa kjøkkenbænkens opmarsjering av uvaskede kopper og mugger – som altid.

Gangdøren gikk op i det samme, og gamle Søn=nichsen kom nedover trappen. De møttes paa gaards=plassen. «Nathalie!» Han grep begge hennes hænder og gav sig til at pumpe op og ned med dem. «Gud ske lov at du kom! Din stakkars mor, hun er helt, helt nedbrutt. – Ja din far ja, det er nok mange som sørger ham kan du tro –.» Taarerne begyndte at rende ut av de blaableke gammelmandsøinene til Sønnichsen. «Han ser saa vakker ut der han ligger – saan fred over ham.»

Haven var der ikke blitt gjort noe ved endda, saa Nathalie. Hvite skeletter av blomster fra ifjor laa klisset ned paa den stivskorpede jorden i bedene, og de nye grønne skuddene av stauder og ugræss tytet op midt i rusk og visne stengler. Men den store forsythiabusken ved hushjørnet var fuldhængt med citrongule blomsterklokker. Nikolai hadde plantet den mens han var gutt og hadde stelt saan med den. Hun længtet pludselig heftig efter broren – de visste ikke sikkert endda, naar han kunde komme. –

«Dere maa ikke la mamma vente,» hvisket doktor Adler, og Nathalie maatte avbryte Sønnichsen. Han stod og fortalte – han skulde skrive noen erin=dringer om pappa og hadde været inde for at faa et billede, hvor han stod sammen med Bjørnstjerne Bjørnson «– du husker nok den gangen da Bjørn=son var her –»

«Vi var noksaa smaa vet du, Sønnichsen. Vi fikk

ikke lov til at være med tilbords. Men jeg husker at jeg var og hørte paa foredraget.»

«Nei nu maa dere komme,» mindet Mads utaalmodig.

Nathalie blev staaende et øieblikk i døren ind til dagligstuen. Rummet svømmet i guldbrunt lys — rullegardinerne var trukket ned for morgensolen stod paa her, og det blev likesom noget undersjøisk ved det, med alt det blaagrønne plysch i møbler og portierer. Det var som hun maatte samle sig, før hun hoppet ut i det. Fra hjørnesofaen borte under palmerne reiste moren sig, sortklædd og bred og liten kom hun roende fremover med de korte tykke armerne. Da de møttes styrtet hun sig ind i datterens omfavnelse. Hun naadde Nathalie til skulderen saavidt, og hun gav sig til at hulke høit og la det bustede graa hodet til hvile paa den annens bryst. — Saa satt de sammen i sofaen. Nathalie holdt omkring morens skulder og klappet hennes brede overarm. «Stakkars lille mamsen min. —»

«— han var jo mit ett og alt paa jorden,» klaget fru Søegaard. «Men Gud ske lov, han fikk saan lett død. Lille kona mi — det var det sisste han sa, Thali, han klappet mig saan inderlig godt paa kindet da ser du. Du maa skynde dig ven min, sier han og klapper mig, og dermed saa tar han et forfærdelig tak i armen min, men før jeg fikk grepet ham bryter han sammen og synker baklængs ned mellem sofaen og bordet her. —»

Nathalie saa paa det mørkblomstrede gulvteppet foran sine føtter, hvor et solstreif fra indunder rullegardinet fikk farverne til at funkle rødt og grønt. Der altsaa hadde pappa ligget —.

«Jeg var jo saa viss paa at jeg skulde faa vandre først,» sukket fru Søegaard. «Men saan skulde det altsaa ikke være da. Og det faar en jo bøie sig for. Men Gud ske lov, jeg har den tro at saa svært mange aarene blir det nok ikke før jeg faar lov til at følge efter.»

Nathalie klappet morens haand. Saa bitte smaa hænder som mamma hadde —. De var gamle nu og pløsne, med dokker og folder i leddene, men man kunde godt se at de hadde været nydelige engang. Hun var pen i ansigtet paa en maate endda. Hovent og fortutet som det var, med hængende kinder og side tvehaker, sprang trækkene fra morens ungdom frem som en stridbar skibsbaug — den høie og trange panden, ørnenæsen hennes som raget ut av de alderdommelige fettavleiringer. Mundens grundform, med amorbuet overlæbe og et litet rødt bær til underlæbe, hadde furerne ikke faatt bugt med. Og de gulgraa øinene hadde noe merkelig vakkert i snittet paa øieaapningerne, men nu var de jo rødkantet av graat og de brune poserne under dem svulne.

Hvor rart, tænkte Nathalie, at hun absolutt ikke kunde huske hvordan moren hadde sett ut før hun blev seende ut saan som hun nu var. Hun maatte jo ha vært vældig pen endda mens de var store barn — hun var det paa fotografierne fra den tiden. Men hos henne ialfald hadde aldrig noget erindringsbillede av forældrene fæstet sig — det var saaatsi blitt retuschert fra dag til dag, saa hun kunde aldrig huske dem anderledes end de var naar hun saa dem.

«Du kan tro pappa er s k j ø n i døden,» sukket fru Søegaard og reiste sig. «Vi skal gaa ind til ham nu, Thali, ikke sandt?» Hun gav datterens arm en klem, og saa hængte hun sig tungt paa den, leiet henne ut i gangen — den lange gulmalte gangen med brunt panel som altid hadde faatt Nathalie til at tænke paa en skolekorridor; der var noe saa kjedelig ved den. — Fru Søegaard strøk haanden sin over mandens ytterfrakk som hang der: «jeg skjønner ikke hvordan jeg skal faa hjerte til at rydde vækk Thomas' ting du. Paa soveværelset staar ogsaa alting efter ham endda —.» Og saa lukket hun op døren til kontoret.

Likkisten fyldte utrolig i det langsmale lille rummet — den stod paa noen stoler. Der var en brunagtig skumring inde; rullegardinet var trukket ned her og, og værelset laa til skyggesiden.

Nathalie kjendte sig kold omkring munden, det prikket saa rart i ansigtshuden hennes: pappa. Han var forandret — likesom døden hadde forenklet ham. Eller, som om faren i hennes liv, faren i pappas egen levende verden, alt hun husket om ham og alt hun husket fra dette gamle hjemmet, det var allerede blitt saa forfærdelig længe siden. Den døde i kisten, det var en annen ting end pappa da han levet. — Uvilkaarlig formet det sig til et billede i hennes sind: hun satt i en jernbanekupé — toget kjørte likesom ut fra stationen i en by hvor hun hadde levet lenge. Fort farer det sisste av gaterne og husene forbi vinduet. Saa med en gang kjører de gjennem et aapent landskap — jorder, trær, gaarder hist og her, — her har hun aldrig været før. Byen er kommet saa langt bakut saa det er vanskelig at huske den allerede. — Hun syntes hun hadde alt glemt hvordan pappa var da han levet —.

Hun rakte ut haanden og rørte ved den dødes kind. Saa iskold han var, kold paa en annen maate end alle saanne kolde ting som aldrig noensinde har været varme av liv. Med en gang saa hun — der var noe ved pappas ansigtsbygning som minnet om mammas. Han ogsaa hadde saan høi og trang pande og dype øienhuler, hvor øieeplerne laa som kuler under hinnetynne visne laakk, men der var noe pent ved formen. Under den store kroknæsen saa hun munden hans ordentlig for første gang — den lange gul- og graastripede knebelsbarten som pleiet at hænge utover var børstet til siderne — pappa hadde jo hatt en vakker, finttegnet mund i virkeligheten. Nu skjønte hun at barten, sammen med de buskede truende øienbryn og den gammeldags graa kunstnermanken som han kjemmet bakover, og de lave snipperne hans som lot strupen og adamseplet staa fritt frem — det hadde likesom hørt til det bil=ledet av sig selv som Thomas Søegaard vilde at folk skulde se: radikal redaktør av den gamle skolen, en saan en som har været i Amerika og saa er kommet hjem med frigjørelse og oplysning, likesom folkene i de gamle bøkerne til Bjørnson og Ibsen —.

«Er han ikke vakker, Nathalie?»

Hun tok den graatende moren ind til sig og kysset henne ømt og trøstende: «Jo, han er vakker, mamma.» Mamma ogsaa hadde jo hatt et saant idealbillede av sig selv — en frigjort foregangskvinne i spissen for bevegelser og tiltak. Aaja, nu skjønte hun hvor lykkelig og godt de to hadde marsjert sammen mot høie og straalende fremtidsmaal, som var saapas uklare saa de hadde kunnet disputere om veien og trætte om hvordan maalet egentlig saa ut. Uenig hadde de vært om alt mulig underveis, bare aldrig om hovedsaken — at de vandret mot frem=skritt og frihet.

«Og saa stolt som han var av dig, Thali. Du kan tro at han snakket om dig ofte — du var jo den av barna hans som hadde realisert noe av det som vi kjempet for altid, med en stor og lands=gavnlig virksomhet som du staar i spissen for. Det er synd du ingen barn har selv, Thali — da kan du vist umulig sætte dig ind i forældres følelser — hvor glad vi er i dere —.»

«Lille mamma.» Nathalie strøk over likets is=kolde gigtknudrede hænder. De var foldet over en bukett avskaarne potteblomster — roser, geranium og myrtekvister.

«Fra Ragna og de smaa,» forklarte moren. «Hun vilde at pappa skulde faa med sig noe fra vin=duerne paa Adlersborg. Pappa var saa interessert i Ragnas blomster altid. Hun har saant held med dem. — Det er kjedelig at det er søndag idag, for du vilde vel gjerne at han skulde faatt med sig litt fra dig og i kisten» — moren saa bebreidende paa henne, og Nathalie skjønte hvor galt det var at hun hadde glemt at kjøpe med sig blomster fra Oslo. «Men kanske du kan faa noen hos noen bekjendte — fru Olsvig i Meieribakken, hun har altid saa nydelige —»

Ragna gløttet paa døren:

«Mamma — nu tror jeg at du skal la Thali faa gaa op og stelle sig litt. Du vet hvor ekkel man blir efter den dampbaatturen —.»

Da Nathalie kom ned fra rummet sit var Ragna i hallen og ventet paa henne. Hun tok søsteren om livet:

«Du som ikke har spist endda. Kom og faa frokost naa da. Du maa da være skrækkelig sulten.»

Det var hun ogsaa. Her lugtet saa deilig av noe nybakt.

«Margit har ferske horn til dig — det er hennes specialitet. Du kan tro at Margit lager storartet mat. Er det ikke pussig at mamma sætter saa skrækkelig pris paa god mat nu da hun er blitt for gammel til at være med i alt dette komitevæsnet sit. Husker du hvor rædsom maten var hjemme altid i gamle dager?» Ragna lo høit.

«Det var vel kanske fordi pappa ikke brød sig noe om hvad han spiste.»

«Kjære dig, pappa var igrunden ikke saa lite av en matkrok han — husker du ikke naar han skulde i torskeaften paa klubben. Og naar han fikk noe godt ute i selskaper. Men hjemme, da var det likesom altfor materialistisk da at bry sig om hvordan maten var. Han turde pinedø ikke si til mamma at hun fikk ta sig tid, fra alt det høiere hun for med, og se litt efter huset sit ogsaa —.»

Inde i stuerne laa Nathalies bagage utover. Kaffen var deilig, og Margits horn smakte storartet.

Eggene laa i en eggekurv som ikke var skitten, og de var glohete. Der var hjemmelaget paalægg og skaaler med klar gul og rubinrød gelé. Ragna og mamma vilde ta en kop kaffe med for selskaps skyld, og de løp frem og tilbake mellem bordet og papp=eskerne med hatter og kjoler og kaaper og krepslør i lag paa lag av knittrende hvitt silkepapir. — Over sorgen i sørgehuset dannet der sig som et skum av interessert aktivitet, og over Nathalies sanser la vel=været og mættheten en lys, god fred.

Midt i det alt sammen snakket Ragna med ube=sværet sindsro om at jo, der var ingen mening i at ombestemme sig, kisten burde ubetinget føres til kapellet iaften: «og saa spiser dere hos os, som av=talt. Det sier Mads ogsaa, det er virkelig ordentlig varmt om dagene skal jeg si dig. — Kjære søte mamsen min, nu ligger han og ser saa pen ut — saan vil vi huske ham, ikke sandt? Ikke faa det skjønne indtrykket forstyrret vel? Det kan da ikke være nogen glæde for Nikolai og Gerda at se ham hvis han har forandret sig til den tid, og Mads sier —»

Nathalie satt og tænkte paa at helt siden hun flyt=tet hjemmefra hadde hun altid syntes det var hygge=lig i denne stuen, endda det var da vist verdens uhyggeligste spisestue, — med overdrivelse, uten over=drivelse var den snodig stygg. Tømmerstokkerne i væggene var malt glinsende blaagrønne og bryst=panelet mysostrødt. Møblerne var maskingjorte i en slags dragestil, og buffeten var simpelthen et mi=rakel av rarhet — underskapet lignet en liten sports=hytte og overskapet et miniaturstabbur med altaner paa siderne, hvor alle mammas elektriske kaffekander og eggekokere og andre basargevinster stod og gul=net. De slaskete husflidsgardinerne med blaa og røde border hadde Gerda vævet til sølvbryllupet, og paa væggene hang med langt imellem de falmete væggtepper i aaklæmønstere som alle døttrene hadde brodert flere stykker av mens de endda gikk hjemme.

«Joda mamma, naar ermerne blir løftet op saa skal du se. Og saa maa den lægges op. Er det ikke merkelig – færdige kjoler i store nummer de er altid som de var beregnet til kjempedamer med en skulderbredde og en armlængde som jeg vet ikke hvad, og ikke paa ganske almindelige kvindfolk som har faatt alderstillæggene midtskibs. Jo mamma, jeg forsikrer dig – ikke sandt Thali, syns ikke du og=saa at mamma skal ta georgettekjolen — saant deli=kat stoff da –»

Endda engang vilde hun se sin far, men alene. Nede fra byen ringet det til aftensang, da Nathalie gikk gjennem haven deres for at finne ett eller annet som hun kunde lægge i kisten til faren. Det var litt sentimentalt – men hun hadde opdaget, at litt sentimentalitet følger altid med dødsfald, og det en=ten sorgen er tung eller lett.

Mamma var svært optatt av at begravelsen skulde finne sted fra kirken. Det var noksaa rart: hun husket godt den tiden da faren aldrig hadde latt noen leilighet til angrep paa presterne og statskir=ken gaa unyttet. Rigtignok hadde han støttet de liberale teologerne og alt saant som kaldte sig fri=lynt kristendom, hvergang de kom i brudulje med rettroenheten. Men det var vist bare fordi han trodde at alt som kaldte sig liberalt og frisindet maatte høre til hans parti. Og mamma hadde san=delig ikke vært for kirkelig hun heller – den historiske Jesus holdt hun paa, fordi hun paastod at han hadde vært en av kvinnesakens pionérer, men prestene og kirken hadde aldrig gjort annet end underkue kvinnerne. – Nu snakket hun som hun skulde ha vært ortodoks menighetsdame hele sit liv. Og hun var rørende lykkelig fordi pappa skulde begraves fra kirken.

Solskinnet var eftermiddagsgult og varmt, og det lugtet saa deilig av lunken muld og syrlig gror nede mellem stikkelsbærbuskene. Haven deres laa saa vakkert — en saa utover hele fjorden og øiene og holmerne, og under laa byen, gamle rødbrune tak og nye graa skifertak som glinset i solen. Trætop=pene flimret vaarlig brune og blaaskyggete. — Men finne noe som en kunde lage bukett av var ikke lett. Sneklokkerne foran verandaen var aldeles forbi, og stikkelsbærkvister gikk det vel ikke an at lægge paa en død — endda de var saa nydelige med nye krusete blader og ørsmaa grøngule blomster som duftet emment søtt.

Det endte med at hun brøt noen grener av forsythiabusken — det kunde likesom være en hil=sen baade fra Nikolai og henne.

Rullegardinet klappret litt i luftdraget da hun aapnet kontordøren. Lyset herinne var ravgult nu, solen var kommet hit. Men endda vinduet stod aapent kunde hun kjenne en svak, ubehagelig lugt, som av harsk voks og noe annet. — Men han var ikke noe forandret at se paa endda. Ragnas blom=ster mellem de foldede hænderne var visnet.

Nathalie la blomstergrenen sin over den dødes bryst, bøiet sig fort og kysset let det kolde voks=kindet: «Farvel da, pappa. Snille kjære pappa, farvel.»

Stakkars pappa. Kontoret hans var det uhygge=ligste værelset i hele huset. Langt og smalt som et penal, og mørkt — det hadde bare det eneste vin=duet øverst paa den ene langvæggen hvor skrive=bordet hans stod. Ellers var det møblert med reo=ler fulde av gamle bøker og støvete mapper og esker. Paa væggene hang gustne fotografier og en rad store graableke xylografier av Bjørnson og Sars og statsminister Steen og Sivle og Aasen; de var ind=rammet i noen lortbrune flate lister med presset drageornamentikk. — Naa, pappa hadde jo aldrig brukt dette kontoret noe videre; naar han arbeidet pleiet han at sitte nede paa redaktionen.

Landsgavnlig virksomhet — aa lille pappa, saa troskyldig og overdreven og begeistret altid. Ja det hadde nok vært noe stort og romantisk i hans øine at hun bestyrte en forretning som het Hytter og Hus. — Hytter og hus og ingen borge, og Norge, Norge. — Men hver en stygg ting i dette gamle hjemmet hadde betydd noe i forældrenes øine — den grove og døde efterligning av træskurd paa møblerne, de gloende farverne og de broderte aaklærne hadde sett ut for dem som norskdom og national kultur, alt det som de var begeistret for. De hadde aldrig klart sett hvordan de tingene saa ut som de bruste avgaarde i begeistring for. Hun husket farens henrykkelse i gamle dager, naar de kom ind i en gammel stue paa landet. Det var aldrig gaatt op for ham at det var sammænhengen mellem tingene i den som gjorde alting vakkert, eller at stilen kom av en arbeidsmaate som ikke kunde gjøres efter fabrikkmæssig. Men dette var likesom et billede paa pappas og mammas forhold til alle de ideer og saker som de lot sig opgløde av. De hadde vært saa uskyldige bestandig — Nathalie fikk taarer i øinene pludselig. Men de hadde da levet et lykkelig liv, netop fordi de var slik — lettroende, godtroende. Likevel kom hun paa graaten av at tænke paa det —.

Det samme billedet som hadde hildret for henne imorges dukket op igjen. Sorgen var likesom et mørkt vand, og oppaa det et skum av alle de underholdende og stimulerende sysler som et dødsfald i familien uvilkaarlig fører med sig. Men nu var det som skummet blev blaast tilside et øieblikk, og hun saa ned i den svarte sorgen — hvor dypt og mørkt det var tilbunds kunde ingen øine. Kanske hvis hun hadde hatt barn selv, som mamma sa. For det var det sørgelige — i det verdensbillede som forældrene bar indeni sig færdedes blandt annet fire mennesker som var deres barn. Nathalie, Nikolai, Gerda, Ragna —. De hadde vært glade og bekym=rede, opfyldt av haab og ængstelse, skam og stolt=het for sine barns skyld. Og Nathalie, Nikolai, Gerda, Ragna, hadde levet hver sit liv, ikke synderlig likt det som de levet i sine forældres tanker. For=ældrene og det gamle hjemmet hadde vært saa — — aa nei, ikke likegyldig, men enhver er sig selv nærmest, det gjælder saa frygtelig i barns forhold til sine forældre. Men hun hadde altid indbildt sig, at hvis hun hadde hatt et barn saa maatte det ha vært henne endda nærmere end alt annet som hun bar indi sig — saan som moren sier i den skotske visen Gerda pleiet at synge i gamle dager:

— I was once as full of Gil Morrice
as the berry of the stane —

«Aa pappa, pappa pappa min.» Hun kysset den døde for sisste gang. «Om forladelse, pappa. Men jeg var da glad i dig, det vet du —.»

Hun fikk se at skrivebordsskuffen stod halvt ut=trukket. Det var vel siden Sønnichsen var her idag tidlig. Men det saa saa uordentlig ut herinde hvor han laa lik. Nathalie gikk bort for at lukke skuffen. Øverst laa et kabinettsfotografi av henne selv. Med knipper av krøller ved ørene — i atten=tyveaars alderen altsaa. Nathalie saa paa det, først med et litet uvilkaarlig velbehag: tænk hvor pen jeg var —. Noksaa lubben i ansigtet — det var den tiden pappa kaldte henne Natty Bumpy for at erte henne. Øinene var store og smilende — og det var likesom smilet strømmet ut fra hele det bløte ungpikeansigtet. Gud vet hvad hun hadde smilt saan av. Hun hadde jo forsikret sig selv, og trodd det ogsaa: først da hun fikk Sigurd hadde hun lært at smile ordentlig —.

Paa en maate var det vel sandt og. For henne

hadde den mandens kjærlighet som hun elsket virkelig vært alt det som menes med saanne gode gamle billedord — indvielse, solopgang, vaarbrudd. — Hun hadde ikke visst hvad det er at være glad før, syntes hun. Men det unge smilet paa billedet her saa ut som det gjaldt alt og ingenting i særdeleshet — det smilet som en smiler bare fordi man e r t i l. Hun syntes da hun var ung endda — hun saa ung ut, hun følte sig ung —. Men de pur unge aarenes ungdom — en kan ikke huske den ordentlig naar den er gaatt, den kan ikke tas igjen, den kan ikke gjøres efter —.

3.

Sigurd og Nathalie skulde ha reist hjem søndagen efter begravelsen, men fredag morgen ringte Mads Adler op. Ragna var blitt daarlig om natten og maatte nok holde sengen en ukes tid mindst. Nikolai var nødt til at ta hjem allerede lørdag aften, og Gerda — naaja, Gerda kunde likesom v æ r e saa litet for moren. Nathalie maatte prøve om hun kunde ordne sig saa hun blev ialfald et par dager ind i næste uke.

«Nei du skjønner, det tok for sterkt paa mig allikevel,» sa Ragna fornøiet, da Nathalie satt oppe hos henne om formiddagen. Hun laa og saa ut som hun hadde det aldeles glimrende, nett og nydelig i en sengejakke av gammelrosa kniplingsstoff som stod udmerket til hennes kobberrøde haar og lyse hud. Sengene var rykket fra hverandre, saa Ragna hadde et nattbord med blomster og bøker og slikkeri paa hver side. «Jo gid! Tænk at du ikke har sett det — først i september —. Nei mamma? Hun ser aldrig slikt hun før det er saa det roper halvvei. En skulde tro hun har funnet barna sine tilfældigvis i papirkurven efter et styremøte engang imellem. — Nu vilde jeg jo frygtelig nødig at det skulde gaa galt, men jeg var rasende ærgerlig til at begynde med. Men vi som har raad og plass og alting — Mads har aldeles rett i det, det skulde bare mangle at ikke vi tok imot et barn til og takket attpaa. Og de andre er jamen saa store og begynder at bli saa vidtløftige saa — nu glæder jeg mig vildt du, til at faa en liten igjen som ordentlig kan være ungen min længe, længe endda. Men du m a a bli til tirsdag ialfald, Thali — du vet takkekortene og alt det der. Og mamma e r noksaa anstrengende da om dagene —.»

Ragna saa nyfiken paa søsteren:

«Du Thali — har aldrig d u hatt lyst til at faa barn?»

Langsomt blev Nathalie rød. «Du kan skjønne det. Baade Sigurd og jeg vilde nok gjerne det.»

«Jasaa,» sa Ragna forundret. «Jeg trodde virkelig — ja mamma og trodde det — at det var fordi dere ikke v i l d e.»

Nathalie rystet paa hodet.

«Du har jo saant selvstændig arbeide som jeg syns maa være saa rasende interessant. Jeg tænkte du hadde ikke lyst til at bli saa bundet. Jeg er jo heldigvis et ganske almindelig litet nurk — du husker det var mammas sorg bestandig at jeg var saa ubegavet og ikke hadde noen ærgjerrighet da jeg var ung pike.»

«Du er da vældig flink, Ragna — i dit kald om jeg saa maa si. Og du er nu vel den som pappa og mamma har hatt mest glæde av. Mamma sier jo selv at hun ikke vil flytte her fra byen for alt i verden — det er dig og barna dine hun har at leve for nu, sier hun.»

«Ja og saa er hun da altfor gammel til at bli plantet om — selv om det ikke var denne sykeligheten som jeg forresten ikke tror noe paa; det er mest indbildning, det sier Mads ogsaa. Og saa vet du at her er hun enslags størrelse. Hvem i Oslo vet noe om alt det som fru Minda Søegaard har utrettet —? Men naturligvis, hun er svært glad i barna ogsaa, og saa er Mads saa flink til at ta henne. Og hun kommer naturligvis til at bli henrykt over den nye da —»

«Ja naturligvis —» sa Nathalie aandsfraværende.

«Hun er vældig stolt av dig naturligvis, men hun vet jo godt at dere har en omgangskreds som hun ikke kjenner og at du er optatt hele dagen. Tror du forresten ikke at det vilde ha været noksaa upraktisk for dig med et barn — eller etpar stykker?»

«Du vet at da vi giftet os,» sa Nathalie uvillig, «var det jo nødvendig at vi begge hadde vort arbeide. Men det er snart længe siden nu — at vi behøvet tænke paa det —»

«Du, tror du det er d e t det kommer av?» spurte Ragna interessert. «At du ikke faar noen nu?»

Søsteren trakk paa skuldrene. Hun talte motstræbende: «Lægerne sier at de kan ikke si noe om det. De kan ikke konstatere noen grund. Ikke hos noen av os. Saa det er ikke noe at snakke mere om, Ragna.»

«Stakkar, er du frygtelig lei for det?» Ragna saa deltagende paa henne. «Vet du hvad du — vil du ikke tale med Mads om det? Netop saant er han saa glimrende til — kvinnesykdommer og slikt —»

Nathalie saa paa den annen og smilte litt. «Jeg h a r talt med Mads ogsaa, Ragnamor.»

«Du sier ikke det!» Ragna stirret op paa søsteren i kolossal forundring. «Tænk at det har jeg ikke hatt en anelse om! Ja naturligvis han har taushetspligt og alt det derre, men naar det likesom angaar familien da —!» Hun laa stille og saa litt fornærmet og svært forbauset ut, indtil Nathalie maatte le høit.

«Ja man har jo hørt saa galt før,» funderte Ragna. «At to friske normale mennesker faar ingen sammen. Og naar de siden gifter sig igjen hver paa sin kant saa kan de begge faa barn med den nye —»

«Da vilde jeg nu likevel foretrække at faa beholde Sigurd. Og ikke forlange mere.»

«Nei du vet, naar dere er saa lykkelige sammen.» Ragna saa dypsindig ut for sig. «Og det vil jeg si dig — en mand blir mindst like saa forandret av at faa barn som konen. Hvis han har anlægg for at være far da. Han blir saa realistisk likesom. Ja ikke pappa for eksempel» — hun lo høit. «Men han skjønte da heller aldrig en døit av hvordan unger er, — hvor faktiske de er og hvor god greie de har paa hvad som er realiteter og hvad som er bare paa lissom og for morros skyld. Du kan tro at Mads er storartet med ungerne du. Men det er netop fordi han vet bestandig precis hvad som er virkelig og naar det er lek og hvadslags regler barn har for alle lekene sine og saan —

Det er ikke sikkert, Thali, at Sigurd ikke vilde ha blitt noksaa forandret — det hadde kommet til at bli noksaa anderledes mellem dere hvis dere hadde faatt barn. Ja du og. Du ogsaa hadde blitt noe annet for ham. Saa jeg vet ikke om du skal være saa bedrøvet for det likevel.»

Om en stund sa Nathalie sagte, uten at se op:

«Vi har snakket tilmed om at ta til os et. Jeg vet ikke om du husker — jeg nævnte det vist i et brev — en fru Baarsrud i Aursund som var en kusine av Sigurd. Manden var ordfører og landhandler ogsaavidere. De kjørte sig ihjel her for etpar aar siden. Der var en liten smaapike efter dem, paa en tre aar. Det yndigste barn du kan tænke dig. Men hans forældre vilde ikke gi henne fra sig.»

«Saa trist». Ragna rystet litt paa hodet nede i puterne. «Du skal faa den ene av mig, hvis det blir tvillinger, Thali,» sa hun leende.

Nathalie smilte litt hun ogsaa. «Det løftet vilde du nok ikke holde hvis det gaar slik at du kunde det.»

«Nei det vilde jeg nok ikke.»

Nikolai gikk og hørte absolutt ikke til her mere. Han var vist den som var kommet længst bort fra alting hjemme. Han hadde forresten begyndt at bli svært fremmed for forældrene og alt deres væsen allerede før han blev voksen. Men han hadde noen venner fra guttedagene nede i byen, og dem gikk han og besøkte. De saa noksaa litet til ham oppe paa Sumarlide.

Og Gerda. — Ragna sa paa sin barduse maate, uf hun ser ut som hun parfumerer sig med Fleurs du Mal. Hun saa ialfald ikke bra ut. I og for sig var det jo ikke noe merkelig ved et ansigt som var retuschert og overmalt, selv ganske sterkt, men det var som om Gerda hadde bestemt at den masken hun viste verden skulde ikke faa overta ett eneste trækk fra hennes gamle ansigt. Øienbryn og læber hadde hun flyttet og forandret form paa — selv næsen sin hadde hun faatt til at anta en ny façon, det kom av den maaten hun sminket sig paa. Bare hvad haarfarven angikk hadde hun gaatt ut fra den oprindelige lyse med et stikk i rødt — men nu var det gyldent, med en aparte rosarød tone som vist ikke fandtes i naturen. Figuren hennes var nydelig, smidig og i form. Men hun virket ikke ung — tvertimot. Det faldt Nathalie ind naar hun saa paa søsteren, at det motsatte av ung er ikke gammel, ungdom og alderdom er bare faser av en og samme process — det er ingen alder at ha. Det var umulig at gjette hvor mange aar Gerda hadde sett ut saan som hun gjorde nu, eller hvor længe hun hadde be-stemt sig for at bli uforandret.

Flink måtte hun være. Nu hadde hun og denne svenske veninnen hennes hatt sit gymnastikkinstitut i London i syv aar, og det gikk aapenbart godt for dem. Før den tiden, som nurse i Amerika og rundt om i Europa, hadde hun nok faatt prøve litt av hvert. Men begyndelsen til den utvikling som hadde gjort den bløteste og mest impulsive av dem til dette maskerte og likesom blanke mennesket, det var den motbydelige historien med Kai Seehusen — og den maaten som forældrene, og moren især, hadde tatt den paa. Nathalie tvilte ikke paa det. Da de sendte Gerda ind til henne efter skandalen hadde hun hatt sine togter, hvor hun snakket natt efter natt, til Nathalie ikke visste sin arme raad med henne, — Gerda orket ikke tie. Men Nathalie hadde aldrig trodd at Gerda skulde greie at gjennemføre de forsætter som hun luftet i de desperate nætterne — bli slik saa ingenting gikk ind paa henne. Hvordan det saa ut indeni Gerda nu visste Nathalie ikke, naturligvis — hun var sikkert vokset langt vække fra den gamle trangen til fortrolighet. Og det var jo bra. Der var noe i hennes væsen overfor Nathalie som kanske betød at hun husket, hvad de to engang hadde gaatt igjennem sammen — enslags forbeholden varme. Men det var ikke til at røre ved med ord — og Gerda kom sikkert ikke til at gjøre det hun heller.

Hun var svært opmerksom mot moren. Men der ogsaa laa noe gjemt under hennes jevne, behagelige væsen. Gerda hadde sikkert ingenting glemt og ingenting tilgitt der heller, trodde Nathalie at skjønne.

Nathalie hadde saan grænseløs lyst til at faa med sig Sigurd ut paa Gaasøia. Men det gikk ikke an at de to strøk avsted slik alene, nu da alle søskendene igjen var samlet her hjemme noen faa dager — for sisste gang sagtens. — Men denne fredagen, da hun hadde vært oppe hos Ragna om formiddagen, længtet hun saa efter at faa være rigtig intimt sammen med Sigurd — efter alle former og avskygninger av intimitet, saa det rent gjorde vondt i henne. Hun vilde faa ligge og knuge sig indtil ham i hele natt, hun vilde gaa side om side med ham en hel lang dag i solskin paa et øde sted. — Og om eftermiddagen, da hun satt sammen med Gerda ute paa verandaen og saa paa ryggen til Sigurd — han og Nikolai stod nede ved flaggstangen — slapp det ut av henne:

«Jeg skulde ønske vi kunde komme en tur over paa Gaasøia mens Sigurd er her.»

«Jamen det lar sig da lett gjøre. Stillesen har sagt til Nikolai at vi kan laane motorbaaten hans saa meget vi vil.»

«Jeg mente — jeg hadde mest lyst til at Sigurd og jeg skulde ta ditut alene. Men jeg syns ikke vi kan det, naar Nikolai er her saa kort.»

«Men kunde dere ikke reise søndag da, like efter frokost. Mamma vil i kirken. Jeg kan jo bli med henne, og saa gaar vi vel op til Ragna efterpaa.»

«Ja hvis du syns det gaar an saa,» sa Nathalie glad.

Naar de var hjemme laa hun og Sigurd altid paa det værelset som hadde vært hennes og Gerdas — «jomfruburet» kaldte pappa det.

Den natten var rummet fuldt av maaneskin — drømmeagtig mildt og svakt, for mainatten var saa lys i sig selv. De hvitlakerte flaterne paa møblerne glinset som vand. Sigurd holdt paa at sovne vist, — de laa tætt indtil hverandre, for den gamle ungpikesengen hennes var ordentlig smal. Men da hun forsigtig flyttet hans haand fra sin skulder og satte en fot ned paa gulvet, mumlet han halvvaaken: «hvad er det — skal jeg gaa over til mig selv —.»

«Neinei, ligg du. Jeg vil bare se ut — det er saa pent.» — Der gikk et søtt gys av lykke gjennem henne da den søvntunge haanden hans trevet bortover hennes kropp saa hun kjendte varmen av den gjennem den tynde nattkjolen. Saa sank den ned ved siden av henne. Han sov vist.

Nathalie listet sig bort til vinduet. Da maaneskinnet faldt paa hennes nakne armer, indbildte hun sig at hun kunde f ø l e det, som kjøling. Livsvarmen i henne likesom blev suget indover, hun kjendte at den samlet sig, som hete og styrke i hjertet, i indvoldene.

Fjorden strakte sig utover i det stille, fulde maane-skin, og glinset, med smaa mørkeflekker av holmerne og skjærene. Tvelyset av maanen og vaarnattens egen lyshet oversvømmet hele verden med svaling og lugt av kold, raa muld. De smaa røde lysprikkerne av fyrlygterne skinnet saa tilbaketrængt; der var noe trofast og menneskelig ved dem i alt dette bleke og blaanende og vidaapne rum. — Nathalie saa paa dem og følte at de førte henne indpaa noen forestillinger — om liv og smaa menneskeskjebner, ensomme, men utholdende og varme — men hun gad ikke tænke ut tankerne; hun bare stod og følte lykken i sig. Det var deilig at leve.

Noen næsten usynlige skyflokker kom drivende, blev tydeligere, som om de fastnet, og gyldne i kanten idet de gled hen under maanen. Nathalie kom til at tænke paa eggehvite som stivner i stekepannen — det var en dum lignelse forresten, hun lo, og saa i det samme bort mot sengen. Sigurd rørte sig i mørket inde under skraataket, men han spurte ikke hvad hun lo av.

Hun var blitt saa deilig frisk og kold paa huden, hun vilde skynde sig tilbake til sengen og varmen av ham. Da reiste han sig, strakte sig og gjespet. Saa smatt han over i den andre sengen — Gerdas seng kaldte hun den endda. «Nei vi faar vel lægge os og sove nu da. Godnatt da, Thali min.»

«Godnatt,» sa hun muntert.

«— Hvad var det du lo av forresten,» spurte han litt vaaknere.

«Aa ingenting. — Jeg kom bare til at huske paa engang vi var ute paa Gaasøia. Da jeg var liten alt-saa. Da jeg skulde klæ paa mig holdt ternerne et leven som de var aldeles rasende, de fløi omkring hodet mit og bar sig og skrek. Jeg var vist noksaa liten, for jeg blev saa rædd og skrek, og pappa kom springende nedover bakken med bukseselerne da-skende nedpaa bena, og endda saa liten som jeg var saa saa jeg at han saa komisk ut med haaret og al=ting som flagret —. Vi hadde badet, skjønner du, og da pappa skulde hjelpe mig og faa paa mig klærne, saa opdaget vi at en ternunge var kommet ind i buksen min, det var det som fuglene var saa ophidset for. —

— Sover du?» spurte hun, da han ikke svarte noe paa historien hennes.

«Jeg var vist næsten —.» Han rakte ut armen. Sengene stod slik saa de kunde akkurat naa at ta hverandre i haanden. «Godnatt da — sov godt da — kjæresten min.»

Ofte hadde de lagt sig til at sove haand i haand — men det var umakelig, selv naar de lot hænderne sine hvile paa den lille kisten som stod mellem sen=gene og tjente for nattbord, — og da kom de gjerne til at rive ned noe, glass eller lysestaker, og vækket sig selv med levenet. Men nu tok Sigurd haanden sin til sig og rullet sig sammen under dynen.

Der var sluppet sau paa Gaasøia alt. Rosagraa klippete søier og bittesmaa hvite lam stod stimlet sammen øverst paa bakkekanten mot den blaa him=melen, da de kom opover. Saa gjorde hele flokken omkring og strømmet skrævende og tyndbente ned=over den andre siden av høiden. Da Nathalie og Sigurd kom op paa toppen saa de sauene gaa rolig og græsse langt nede paa den grønne volden. — Der var et leven av terner som skrek i luften over dem, kredset og skar utover det blanke lyse sund.

Gaasøia var lav, og næsten det hele av den var græssbakke som kuvet og sænket sig i smaa dokker hvor det var læ for vinden og solvarmen var ste=kende. Der var ingen huser paa den, men et gam=melt stengjerde gikk tversover hele øia, for det var to gaarder inde i Fardal som eiet den.

Nathalie og Sigurd drev langsomt nedover ved stengjerdet og lot solen steke sig i ryggen. De gikk saa nær hverandre saa rett som det var saa støtte de litt sammen. Det var godt at gaa paa den snaue, faste græssvolden og kjenne solen varme, saa de tidde stille og bare nød det. Nathalie bar den lille sørgehatten sin i haanden; hun hadde plukket den fuld av harelabb og vaarmure og de smaa bleke violer som grodde i bremmer overalt hvor stener stakk op av torven.

«De er jeg saa glad i.» Hun viste Sigurd en tufs mure. «Hvis jeg skulde si hvad som er min yndlingsblomst saa tror jeg næsten det er den.»

Han koppet haanden sin under hennes med blomsterne i: «Det var naa beskedent da — til yndlingsblomst.» Hvert av de hjerteformede gule kronbladene var merket med en liten brandrød flekk. Sigurd tok kjælende omkring hele hennes haand. «Men at du skal plukke jordbærblomster, det kan jeg ikke like.»

«Aa de tørker saa før de blir modne allikevel. Saa her i solbakken.»

Han nikket. «Ja det er deilig idag. Rene sommeren.»

Sundet paa denne siden av Gaasøia var noksaa smalt. Den høie skogklædde Ramberøia midt imot laa og suget til sig solskin med alle de falmede furukronene. «Dit pleiet vi at kapsvømme — over til den store stenen som du ser med den hvite stripen nedover. Det gaar forresten noksaa sterk strøm her.»

Sigurd nikket igjen. «Ja det kunde være fristende. At faa sig et bad. Det er ordentlig varmt idag.»

«Det er vist ikke mere end en otte-ti grader i sjøen. Men det gikk an naturligvis — at duppe sig saavidt.»

Da han rystet paa hodet lo hun litt. «Men hvad vi kunde ha gjort —. Det angrer jeg paa at vi ikke gjorde du. Vi kunde tatt med os mat og kokt kaffe nede ved ollen. Da kunde vi ha blitt her like til klokken seks. Eller syv — du har jo pakket.»

«De vilde vel ikke ha likt at vi ikke kom hjem til middag. Men det kunde vært gjildt forresten —. — du er saa nydelig i sort, Thali.» Han strøk nedover hennes skulder og brystet. «Det er ingen-ting som klær dig saa godt som sort.»

Nathalie lo lykkelig. Sort klædde henne slet ikke noe videre — men Sigurd skjønte sig ikke et gran paa slikt. Det var vel derfor at hun ikke var mere interessert i klær end hun var. Hun tok sig bedst ut i bløte pastelfarver, men Sigurd kunde ikke se det, han mislikte det som han kaldte blasse farver. Den peneste kjolen hun noensinde hadde eiet var en stilkjole av dueblaatt tykt silkekrep. Sigurd trodde at den var falmet, da han saa den første gang.

«Nei vi burde ha stelt os saa vi kunde blitt her i hele dag», sa han igjen; de satte sig i en mose-grop indmed stengjerdet. «Du, det skulde ikke vært værst at ha et litet sommerhus her paa denne øia du.»

«Vilde du likt det?»

«Nikolai og jeg snakket om det. At det kunde vært morro. En saan liten bungalow her paa disse kanter. Men saa blir en jo saa svært bundet da, med hensyn til ferien. Og det vilde bli altfor langt for Nikolai i virkeligheten.»

Hvor rart det var, tænkte Nathalie. Saa længe det gamle hjemmet bestod hadde ingen av dem hatt lyst til noe slikt. Nu da det skulde opløses følte hun meget sterkere længselen efter at komme til alle de stederne hvor hun hadde færdedes i sin barn-dom. Mon Nikolai hadde det paa samme maaten —?

«Apropos sommerhus forresten. — Nu skal du høre, Sverre Reistad skal laane Asmund og Sonja dette stedet sit inde i Bundefjorden isommer. Dok-toren syns at ungerne kunde ha godt av at være paa landet saa længe som mulig, saa de flytter vist ut i juni allerede. Men naturligvis vil ikke Sonja sitte derute alene hele sommeren. Saa hun og Asmund drar avgaarde med bilen naar han kan ta sig ferie, og siden vil Sonja selvfølgelig ett eller annet sted hen hvor det gaar livlig for sig. Nu var det altsaa spørsmaal om vi vilde være der mens de er borte. Det kunde være noksaa bra, syns jeg. — Men du vet, det blir at staa fælt tidlig op om morgenen da. Baaten gaar vist indover ved halvottetiden — og det er et kvarters vei til bryggen —.»

«Vilde du ogsaa reise ind og ut hver dag da —.»

«Aa ja da.» Han saa ned i bakken, og hun opdaget forundret at han blev rød i ansigtet. «Jeg skal si dig, Nathalie» — han tok efter haanden hennes. «Det er jo mange ting som en ikke gaar og tænker paa saan til daglig, forstaar du. Saa pludselig, av en eller annen grund, saa blir det levende for en igjen. For eksempel saant som at igrunden saa er det da ikke mange mennesker som har hatt det saa godt sammen som du og jeg. Jeg kunde ha god lyst til at vi skulde bo derute en stund isommer. — Hvis altsaa ikke du syns det blir for slitsomt —?»

Hun rystet paa hodet.

«Vi kan bade hver eftermiddag vet du. — Og ungerne de er all right de naar bare ikke Sonja eller Asmund er i nærheten. Men vi kan jo tænke paa det — det haster ikke med at bestemme sig —».

«Jeg vil gjerne», sa hun fort. De saa paa hverandre og lo litt. Men da han tok henne heftig ind til sig virret hun med hodet mot hans bryst: «Uf Sigurd, du buster mig saa fælt. — Gi mig heller et stykke chokolade til da, hvis du har, og en cigarett —».

Hun undret sig selv — hvorfor var de begge slik saa de blev brydd ved alt som lignet høitidelighet og kjærtegn for alvor. Om dagen altsaa, tænkte hun og smilte. Men de var slik. Kanske det var bra saan. Har en først begyndt med at lægge sin kjærlighet for dagen i ord og tegn saa blir det gjerne til at en syns en maa gjøre det, selv om en ikke er oplagt — den andre venter det, tror man. Saa blir det lett forlorent efterhvert, selv om det var aldrig saa egte fra først av. Hun hadde sett det gaa istykker mellem mennesker som hadde holdt av hverandre, bare, fordi det som engang hadde været utbrudd blev skikk og bruk mellem dem.

«Jasaa, saa Sverre vil ikke være paa Stranna selv isommer,» sa hun om litt.

«Nei han har ikke tid, sier han.»

«Naa.» Hun klorte sig paa smallæggen saa det knittret i silkestrømpen. «Uf, jeg har brændt mig saa væmmelig paa noen nesler —».

«Stakkar, har du det.» Han tok omkring den smale ankelen hennes.

Nathalie røkte. Uten at se paa ham — hun var borte i en annen tankerække — «Du, denne Adinda Gaarder du», sa hun. «Hvad er hun egentlig for en —? Jeg vet du kjenner henne —»

Sigurd tok til sig haanden saa braatt saa hun saa bort paa ham. Og da hun saa, hvor rød og rar han blev i ansigtet, kjendte hun en underlig ubehagelig overraskelse.

«Hvem har sagt det —? Hvad er det du mener —?»

«Jeg —! Ingenting vel. Jeg bare spurte —. Er det noe rart i det da? Det var Sonja som snakket om henne her forleden. Hun sa at Sverre svermet vist for henne. Og at du ogsaa kjendte henne.»

«Den fordømte noksagten! Begriper du virkelig ikke at Sonja flyr og slarver om alle mennesker, fordi hun ikke har rent mel i posen selv —? Det er akkurat saan hun e r — s a a fortæller hun at den og den drikker, og det er vist noe mellem den og den —».

Nathalie saa paa ham, overvældet. Og hun kjendte noe i sig som gjorde vondt — noe skræmmende var like indpaa henne.

«Sonja!» sa manden rasende. «Hvad er det hun har fortalt dig?»

«Ingen ting. Ikke noe som du behøver at ta slik paa vei for», sa hun uvillig. «Jeg husker ikke — det var her for fjorten dager siden da dere skulde være sammen med disse Gaarders. Sonja nævnte at Sverre holdt vist paa at forlove sig med en frøken Gaarder, og at du ogsaa kjendte henne.»

«Du skal aldri tro noe paa det som Sonja fortæller. Hun bare farer med tøis. Det der med Sverre er ikke sandt, det vet jeg.»

«Neinei da.» De blev sittende og tidde stille. Nathalie følte sig meningsløst ilde ved. — Men da hun om en stund saa bort paa sin mand saa hun at han var like ute av humør som hun selv.

«Sonja». Han grinte stygt. «Si mig, har du aldrig lagt merke til det, at folk som selv drikker mere end de har godt av, de snakker altid om at andre drikker, og naar de selv har historier som ikke taaler dagens lys saa fortæller de andres historier. Jeg vet ikke om de indbilder sig at de bortleder opmerksomheten fra sine egne bedrifter paa den maaten. Eller om det er enslags bekjendelsestrang som driver dem — at folk sladdrer, fordi de ikke har noen som de kan skrifte for, men de maa snakke allikevel om sine synder — dem som de har bedrevet og dem som de ønsker at de turde bedrive. Saa gjør de det paa den maaten at de sladdrer om andre.»

«Jeg vilde da ikke kalde det at Sonja sladdret», sa Nathalie forstemt. «Det var da ikke noe galt i det som hun sa om Sverre og dette pikebarnet —».

«Var det ikke det —?» spurte Sigurd litt efter.

Nathalie rystet paa hodet.

«Er det noen andre da, som har snakket til dig om — frøken Gaarder —?»

«Nei — hvorfor det?»

«Det var rart, da, at du husket navnet hennes», sa Sigurd mistroisk.

Nathalie lo, en liten nervøs latter. «Nei — det er da saant rart navn saa? — Og ganske pent paa en maate.»

Sigurd satt litt, som han tænkte sig om.

«Jeg har vært endel sammen med henne — i vinter altsaa. Hun er hjemmefra — vi er litt i familie ogsaa. Langt ute — men vi er skyldt da som de sier hjemme. Saa hun kom op til mig paa kontoret en dag, like efter at hun var kommet til byen i høst. Det var noe hun vilde ha raad om, og saan. Men nu har hun jo faatt bekjendte selv i Oslo — saa i det sisste har jeg ikke sett saa meget til henne. Jeg traff henne den kvelden altsaa, da skulde hun reise nordover —.»

«Jaja. — Men som sagt, der var da ingen grund til at bli saa gæren paa Sonja for det. Det behøver da ikke absolutt at være kompromitterende for en dame, om Sverre har svermet litt for henne.»

«Bare at det er løgn. — Men den Sonja. — Asmund stakkar, for en tosk han er. Men hun er noe av det frækkeste —.»

Nathalie reiste sig: «Uf nei du — det blir koldt i længden at sitte paa bakken.» Hun huttret.

Han reiste sig ogsaa. De sa ingenting til hverandre mens de langsomt gikk opover mot toppen av øia igjen.

Alting var forvirring inde i henne — hun kjendte sig som overvældet, men hun visste ikke av hvad. Det stygge som han pludselig hadde gitt sig til at si om Sonja — det hadde vært akkurat som naar en raa skurrende støi braatt skjærer i og river en op av en saan deilig halvblund. Sigurd — Sigurd, som aldrig snakket vondt om et menneske —.

— Hun har da vel aldrig gjort noe som Sigurd vet om —. Det vilde ikke forbause Nathalie et gran — endda hun altid hadde vært sikker paa at Sonja vilde ikke gjøre noe virkelig galt. Hun mente nok at være bra, stakkar. Men hvis noen fikk lyst til at overrumple henne saa vilde det vist være den letteste sak av verden. Naar hun hadde drukket mere end hun taalte. Eller om hun kom ut paa glatt is under dette evindelige maset sit for at dyrke bekjendtskaper som hun trodde at hun kunde opnaa morro og fordeler av. Noen av disse veninderne og vennerne hennes saa ut til litt av hvert. Og Sonja var saa dum —.

Men det var klart, i Sigurds øine maatte det ta sig ganske anderledes ut hvis han visste noet om sin brors kone — naaja. Det vilde ikke være det mindste rart om Asmunds affærer begyndte at gaa ham paa nerverne tilslutt. Kanske det var nerver simpelthen. Ett eller annet som plaget ham hadde han hatt i det sisste — noe som han ikke hadde lyst til at snakke med henne om.

— Og han hadde vært saa glad i Louise. Sigurd reiste endda ned en eller to ganger i aaret og saa til henne paa den gaarden i Lier hvor hun var bortsatt. Der var vist ingen andre som besøkte Louise mere. Sigurd trodde fuldt og fast at hun hadde kunnet bli frisk, men saa fikk hun vite at hun var blitt skilt, og da hadde hun ikke mod til at vende tilbake og prøve at ta op livet mellem normale mennesker. Naar hun skulde staa helt alene —.

«Nathalie, du ser saa trist ut» sa manden pludselig. «Hvad er det med dig?» Da hun ikke svarte stakk han armen sin ind under hennes og stanset henne. «Du har ingen grund til det. Du kan tro mig naar jeg sier det.»

Hjertet hennes tok til at banke haardt — han sa det saa alvorlig. Men hun svarte: «Jeg kom til at tænke paa din svigerinne — den første altsaa, Louise.»

Hun maatte ha ventet at han skulde spørre, hvordan kommer du til at tænke paa henne, for hun kjendte det som en skuffelse da han svarte:

«Ja Asmund han bytte da kjærring som lommen bytte bein —»

Hun hadde vist ment at nytte leiligheten til at si noe saant som Louise, hun var jo ogsaa oppe fra Aasbygden — og saa vilde hun ha faatt samtalen bort paa disse Gaarders, og pikebarnet, Adinda. Istedet spurte hun: «Hvad betyr det —?»

«Aa det er noe de sier oppe paa vore kanter. Det er vel en historie da om at lommen byttet bein med en annen fugl og snøt sig selv paa det. Jeg kan ikke huske aassen det var —.»

«Louise, hun var ogsaa derifra —»

«Ja du vet, faren fikk jo kald nordpaa han, men Louise blev igjen, fordi hun var blitt lærerinne i hovedbygda. Hun var ikke barnefødt der.»

«Hvorfor har du igrunden aldrig villet ha at jeg blev med dig, naar du reiser ned og hilser paa henne?»

«Hun vil ikke se fremmede. Og desuten, naar du ikke har kjendt henne den tiden hun var sig selv saa vet jeg ikke — rent ut sagt, jeg har ikke lyst til at du skal se henne n u. Du vet, hun var jo et menneske som — jeg kan gjerne si at jeg hadde enslags ærbødighet for Louise.»

Aa ja, Sigurd er trofast, tænkte hun. De andre har glemt henne. Men han er trofast. — Og hun syntes ikke det passet at snakke om det andre nu. —

Men om natten laa hun og kunde ikke falde isøvn oppe paa det maaneskinslyse ungpikerummet sit. Den andre sengen stod smal og svulmet høit opredd under et hvitt stripet sengeteppe. Det var satt sammen av heklede længder og broderte længder og saa var det foret med lyseblaa satin. Tante Ragna hadde arbeidet to slike og hun hadde sagt at bror=

døttrene fikk trække lodd om hvem som skulde ha dem, naar de giftet sig. Og saa vilde ingen av dem eie eller ha dem.

De kunde næsten være som et symbol paa den tidens egteskaper. Parsenger med haandarbeidede hvite tepper over, to ens vaskestel, to ens broderte pyntehaandklær til at hænge over de klamme, krøllete brukshaandklærne. Spisestue i lys ek og jugendstil — dagligstuen imitert empiremøblement med skapsofa. Høi staalampe med kolossal rød eller gul, perlefrynset silkeskjerm. Womans own world, som det endda stod over damesiden i engelske aviser. Og allikevel —.

Likevel var det sikkert mere værd end hun hadde ant da hun var ung at hjemmet var en saan lilleverden som en kvinne skapte ut av det materiale som hennes mand bar til henne. — Hvis de bare hadde hatt barn skulde hun gjerne ha gitt op sin stilling og brukt saa godt hun kunde al sin arbeidsevne paa at forvalte hvad Sigurd kunde fortjene. Men nu fikk de altsaa ikke barn. Og da vilde det jo være meningsløst. Og de hadde da levet lykkelig i seksten aar, med kjærligheten som eneste baand mellem dem.

De hørte sammen sikkert og trygt, endda de levet saa stor del av sit liv hver for sig. For det gjorde de. Arbeidet deres var to verdner hvor den ene holdt paa med noe som den annen ikke skjønte noe av. Sigurd skjønte sig like litet paa brukskunst som bønder flest gjør naar de ikke længer er haandverkere selv. Og i den første tiden de var gifte hadde han forsøkt at gi henne kursus i elektroteknikk — det var komisk, sa han, at her gikk hun og alverdens kvinnfolk og kneppet paa brytere og strøk og sydde og støvsuget og kokte med elektricitet, og saa visste de igrunden ingenting om det. Rørt over hans iver satt hun og kunde ikke se sig mætt paa ham, og det som han sa lot hun gaa ind av det ene øret og ut av det andre.

Naturligvis talte de sammen om den rent økonomiske siden av saken, de betalte jo ind i den fælles husholdningskassen. Og naar de hadde oplevet noe i dagens løp som det var umaken værd at fortælle fortalte de det. De kjendte hverandres arbeidskamerater av navn, og noen av dem personlig. Men arbeidet deres var beliggende saa langt utenfor deres fællesskap, saa det gav dem igrunden ikke meget samtalestoff engang.

At der var en side ved manden som hun paa den maaten sandsynligvis næsten ikke kjendte var hun nok paa det rene med. Men anderledes var det vel ikke for en masse gifte kvinner heller som hadde hele arbeidet sit i hjemmet. Skjønt, hvor der er barn lærte sikkert en normalt begavet kone det meste som et menneske kan faa vite om et annet, av at se den maaten manden reagerer overfor sine egne unger paa. Stakkars Sigurd, han skulde hatt barn. De hadde nok kommet til at bli glade og trygge hos ham.

Det gjaldt naturligvis det samme for henne — en stor del av hennes liv faldt jo ogsaa utenfor Sigurds synsfelt. Men det var en del som var saa forholdsvis uvæsentlig, saa Sigurd blev for eksempel ikke engang sjalu, selv om hun i forretningen mange ganger fikk en hel del at gjøre med mennesker som var baade indtagende og morsomme. Saan som da de hadde utstilling i Bergen for noen aar siden — hun reiste ditbort i følge med Martin Ringve, keramikeren; hun var sammen med ham og den unge islendingen Ásgeirsson hver dag, de spiste sammen og var budne ut til folk sammen, baade Ringve og Ásgeirsson var straalende søte gutter. Og Sigurd lot bare til at være glad fordi turen var blitt en succes. Men hun gikk da ikke heller og var skinsyk fordi om Sigurd var ute paa egen haand en hel del —.

Nei, egentlig sjalusi var det ikke som hadde gjort henne urolig i det sisste. Men hun hadde kjendt uro — eller en ubestemt følelse av at det holdt paa at bli noe utilfredsstillende i forholdet mellem dem.

Det var jo ingen nytte til, ikke at ville indrømme det — de sisste aarene hadde bragt enslags slapphet eller hvad hun skulde kalle det. Det var vel naturlig, saa længe som de hadde vært gifte nu. —

Forholdet mellem dem hadde altid vært helt og holdent legemlig. Det er bare saant som man ikke kan si, fordi det er saa faa mennesker som vet hvad det betyr, og de som indbilder sig at de har elsket med kroppen sin vet gjerne mindst om det. — Hun hadde for eksempel altid vært paa det rene med at Sigurd var ikke det som folk mener med et intelligent menneske, Endda han altid hadde tatt udmerkede eksamener altsaa. Han hadde et godt lærehode. Men tankerne hans arbeidet langsomt, og enslags mangel paa selvtillit, eller beskedenhet, gjorde at hans meninger ofte var likesom uskarpe i kanten. Han kunde ikke fordrage at uttale sig om noe som han ikke skjønte sig paa — og han visste selv godt naar han ikke skjønte en ting. Saan var han svært klok. Forresten var han ikke glad i at snakke — endda han godt kunde like at sitte og smaaprate paa tomands haand, eller noen faa sammen —.

Men hænderne hans, med dem kunde han si — ja uttrykke hvordan han var i sin natur. De var saa vakre — smaa og noksaa brede, og haandleddene hans var runde og sterke. Det var saanne g o d e hænder, faste og altid passe varme, likesom fulde av dyrisk fredelig sundhet. De kunde kjæle henne saa lekent haardhændt og djervt, og de kunde være saa snilde og forsigtige som et barns hænder, naar det vil lokke til sig et dyr — ja han kunde være, med hænderne og hele kroppen sin, saa stilfærdig kjærlig som et snildt barn er, naar det har faatt en kalv eller en gjetekilling til at komme til sig. Derfor klædde det ham igrunden ogsaa at han var blitt — ja ikke tykk, men mere rund og myk i muskulaturen; det passet sammen med alt det som han bedre kunde uttrykke med kroppen sin end med ord: sit retsindige, gode lynde. For selv naar de svimlet ind i enslags bevisstløs henrykkelse sammen saa pulset det gjennem henne i lyksalighetsmørket at han vilde aldrig, aldrig annet end være snild mot henne —.

Og hun visste at han visste om henne paa den samme maaten — han saa og han sanset hvad som gjorde henne glad eller uglad. I Bibelen kalles det at to mennesker «kjenner» hverandre, naar de er gifte. Det var saant vakkert uttryk — og saa godt. Naar en mand og en kvinne kjenner hverandre saan at de forstaar hverandre, saa meget som trænges mellem to mennesker, uten alle de ordene som mest fører til misforstaaelser, da er det godt.

Ja det var godt, og hun vilde ikke være dum, men bare tænke paa at nu i den aller sisste tiden igjen hadde det vært mellem dem som i gamle dager. Siden forrige lørdagen da han kom hjem og vilde at de skulde reise paa tur sammen, hadde hun følt, at Sigurd var blitt kvitt noe som hadde plaget ham i lang tid. Og disse dagene de hadde vært sammen her, paa det lille gamle værelset hennes — han var kommet til henne som om han vendte tilbake fra et fremmed sted og var glad for at være hjemme igjen.

Morgenlyset hadde helt slukt op maaneskinnet de hvitlakerte møblene stod og saa saa anemiske og magre ut. Fuglene hadde sunget længe — nu var det en kjøttmeise som holdt paa like utenfor vinduet med sit klingende titity, titity. — Nathalie snudde hodeputen, la sig tilrette paanytt — gid hun kunde sovnet nu, hun var saa trætt —.

Hvis det var noe med Asmund, som han var saa ute av humør for, var det jo til at forstaa ogsaa, at han hadde kunnet fare slik op mot Sonja. Og det kunde saamen godt være at denne Adinda Gaar=

der ogsaa hadde brydd ham — siden hun altsaa hadde søkt ham op paa kontoret med det samme hun kom til byen. Sigurd blev altid bedt om at gjøre noe for noen. —

— For den saks skyld —. Nathalie smilte ned i hodeputen. Det var slik hennes og Sigurds bekjendtskap hadde begyndt ogsaa. Ja Gud hvor lik sig han hadde vært i alle aarene — fra første stund hun satte øinene sine paa ham, der han dukket op i bratte sæterveien bakom en blakk hest foran en kjerre og tok igjen henne og Hildur. Hvor de skulde hen, spurte han, og saa tilbød han straks at de kunde lægge ryggsækkene sine paa kjerra, han skulde like forbi Sandtrøsæteren saa —.

Naar hun vilde kunde hun se ham for sig. Han stanset og hilste med etpar fingrer op til luen. Han hadde paa sig en lyseblaa skjorte og en saan gammeldags østerdalslue, smekklue kaldte han den. Hun hadde aldrig sett en saan før, den lignet en engelsk jockeylue med forfærdelig overdrevet skygge — men saa godt som den klædde ham. Det var en som han hadde funnet paa stabbursloftet hjemme. Han var midt oppe i det med leikarringen og alt det der netop den tiden — allerede mens de laa paa Sandtrøsæteren hadde han villet lære henne at danse springdans. — Igrunden hadde de forresten hatt en masse morro i det der bygdelaget hans som de var med i de første aarene de var gifte. —

Sigurd ogsaa husket præcis h v o r i den gamle kjerreveien de hadde sett hverandre første gang. Han vilde altid at de skulde raste der naar de gikk op til Rafstadsæteren. Det var nede i tykkeste granskogen, men paa nordsiden av veien hellet en grøn vold nedover mot aaen; peispipen efter en nedlagt husmandsplass stod igjen der. Det var sent paa eftermiddagen, solen gyllet i trætoppene og la skyggerne lange bortover volden, like ved i skogen klonket kubjeller — det var derfor at de gikk langsomt da de hørte at noen kom kjørende bak dem nede i veien. Hildur var saa rædd for bølinger.

Da han kjørte fra dem oppe hvor stigningen blev slakkere, husket hun at de drøftet, hvem den pene gutten kunde være. Søn paa en av de større gaarderne, gjettet Hildur, men han hadde sikkert gaatt paa byskole og tatt noenslags eksamen. Hun var vældig kry av at hun hadde truffet det rette, da han sa sit navn ute i baaten — ingeniør Nordgaard.

Solen holdt paa at gaa ned da de kom saa langt saa de saa vandet, og sætrene paa den andre siden. Da kom han springende, vinket og hauket — de skulde ta av paa en sti som førte ned til sjøen. Saa viste det sig at han hadde rodd over for at møte dem — det var for galt, sa han, at ikke Lars Sandtrøen hadde sørget for baatskyss over vandet til dem. Det blev seks kilometer længer at gaa, hvis de skulde utenom østenden og myrerne, de rakk ikke frem i lyse —.

«Jeg gjorde det fordi jeg hadde lyst til at se litt mere paa dig vel,» sa Sigurd siden, da hun snakket om hvor snild han hadde vært den gangen. «Jeg syntes du var noe av det vakreste jeg hadde sett.»

Da de kom opover fra baatstøen, gikk den lysegule hesten hans paa volden utenfor det lille sæterhuset som de hadde leiet. Det saa saa hjemlig ut. Og det var slet ikke sandt engang at det var paa veien hans — Rafstadsæteren laa helt oppe ved østenden av vandet, men før han red tilbake igjen, vilde han vite om det ikke var noe mere som han kunde hjelpe dem med. — Det var saa skumt allerede saa volden var dypt mørkegrøn, og det glinset hvitt av vand allerede indpaa vidda, ringer av fisk som vaket brøt skyggen i sjøen indunder land, og Sigurd gikk med vassbøtterne og viste henne hvor den dype kulpen i bækken var —.

— Saa det var ikke noe rart om hun sprang og banket paa vinduet hans den natten da Hildur blev saa syk og gav sig til at fantasere og skrike. Og Sigurd op og i klærne med det samme, kastet sig paa Blakken — Herregud, endda saa rædd og ulykkelig som hun var, hun hadde syntes at det var frydefuldt romantisk med gutten som svang sig i sadelen og red bort i den svarte stjernegnistrende høstnatten. Fra den første gaarden, hvor de hadde telefon, fikk han budsendt doktoren og ringt til apoteket ved stationen. Og hele tiden mens Hildur laa syk, kom han bortom dem morgen og kveld for at se, hvad han kunde hjelpe dem med: han skaffet dem Malena, han hadde med ørret — og to ganger kom han med ryper som han selv hadde stekt, saa hun skulde slippe at gjøre det. Han kom bærende med dem i et blikkfat som han hadde knyttet ind i et blomstret tørklæ. Det var første gangen han kom anstigende med dette knyttet at de blev dus — uten at de selv merket det; de opdaget at de sa du til hverandre —.

— Solen skinnet ute, og Nathalie laa vaaken endda. Hun saa paa gardinerne som rørte sig i morgenbrisen, men hun gad ikke staa op og gaa til vinduet — endda morgenen var saa vakker. Og saan fuglesang som her var. — Undres om noen av de gamle fuglekasserne til Nikolai hang der endda —.

Hun kunde jo ligge saa længe hun vilde imorgen; mamma fikk altid frokost paa sengen. Saa det gjorde ikke noe at hun ikke hadde faatt sove. — Det gjorde ikke noe —.

4.

Mandag aften var fru Søegaard og døttrene budne til prestens i Fardal.

Pastor Andreassen og frue var alene nu, den yngste datteren hadde giftet sig ifjor. Nini, den ældste, var journalist inde i Oslo, hun var kommet ganske langt bort fra prestegaardsmiljøet. Det var kanske en av grundene til at fru Andreassen tok Gerda med ro: før i tiden sa hun om damer som brukte kosmetikk, at de saa ut som kalkede graver, men Nini var jo noksaa overkalket nu saa —. Og det var gaatt mange aar siden dengang Gerda Søe-gaard forsynte byen med en heidundrende skandale — der var flyttet saa mange nye folk til byen siden den tid, badelivet hadde utviklet sig, og det ene med det andre — Nathalie hadde faatt indtryk av at der var bare sparsomme rester igjen av det gamle mo-ralske regime og de gjennemsigtige forholdene.

Gerda blev forresten næsten komisk forandret naar hun satte paa sig de store hornbrillerne sine. Hun saa ut som bare yrkesmæssighet og sydde paa et bitte litet korsstingsbroderi i silke. «Gerda har altid været saa flink med hænderne sine,» sa fru An-dreassen opmuntrende. «Væve, det faar du vel ikke tid til derborte —?»

Nathalie strikket og kjedet sig grundig. Den nye prestegaarden var ikke det mindste hyggelig. Hun hadde ikke været her siden branden. Ilden hadde dræpt slyngroserne og de store thujarne utenfor, som lugtet saa rart og godt naar de satt i den gamle have-stuen om kvelden. Heldigvis var fru Andreassen henrykt over den nye villaen — hun hadde vist dem rundt i den fra kjeller til kvist.

Presten trakk sig tilbake med det samme de hadde spist, og prestefruen og mamma begyndte at si om-igjen det samme som de hadde sagt før de gikk til-bords. Om pappa og begravelsen, om de fraværende barna og barnebarna sine, om Ragnas tilstand og om Bergljot som ogsaa skulde ha en liten. «Jeg syns det er saa fornuftig at de ikke vil vente, men tar barnet nu alt,» sa fru Andreassen. «Forholdene deroppe er jo helt anderledes end i vor tid naturligvis, nu er der jo glimrende dampbaatforbindelser, og Halfdan har en prægtig stor motorbaat. Men allikevel blir

Bergljot noksaa meget alene i huset da. Og da vet De at et litet barn er der en masse selskap i — og beskjeftigelse —»

Gerda rullet sammen haandarbeidet sit: «Vet De, fru Andreassen — hvis De ikke har noe imot det, saa kunde Nathalie og jeg ha lyst til at gaa en liten tur. Det er ikke godt at vite naar jeg næste gang kommer paa gamle tomter igjen —»

Det var saa rimelig, syntes fru Andreassen. «Bare ikke gaa for langt saa. Bilen er bestilt til tolv, var det ikke saa, fru Søegaard? Og et litet glas vin skulde vi da ha før dere drager. Ja det er nok bare min egen hjemmelavede, men iaar h a r jeg virkelig en rabarbravin som er g a n s k e vellykket. Ja, min svigersøn tok den for at være egte sherry første gang han smakte den —»

De kunde kanske gaa bortom Gusslund og hilse paa, mente Nathalie. Men fru Andreassen erklærte med det selsomme smilet sit — til alt hun sa smilte hun som hun i al elskværdighet rettet en misforstaaelse — at paa Gusslund hadde de nok alt lagt sig. Det var jo midt i vaaronnen, og da gaar landsens folk i seng endda tidligere end ellers. «Fru Nordgaard har nok bodd saa længe i Oslo saa hun har glemt alt saant,» undskyldte hun smilende Nathalie.

Uthusene hadde ikke strøket med da det brændte. Lave og vidtløftige, med svære utoverhængende gamle tegltak bredte de sig i vaarkveldens halvlys og lugtet varmt av høi og fjøs som i gamle dager. Og da søstrene kom til grinden med de store asketrærne, satt maanen gul og rund, litt skakk alt, indi gitteret av leddede nakne kvister.

Der var mygg alt ved dammen nede i søkket. Sikkert var det fuldt av paddespy i den ogsaa, Søegaards barn hadde studert rumpetrollenes liv i den. Og bortenfor dammen stakk granittgrunden frem med sitteplasser i det glatskurte berget, der hadde de ligget og læst Mauritz Hansens noveller om sommereftermiddagene. Nathalie hadde aldrig støtt paa andre som hadde Mauritz Hansens fortællinger end prosten Wingfeldt. «Hvor mye morro vi hadde her du, i Wingfeldts tid,» sa Gerda, som om hun var kommet til at tænke paa det samme.

«Ja, det var noen søte mennesker. Vet du noe om hvor det er blitt av dem?» I det samme kom Nathalie paa at Melanchton Wingfeldt var jo blitt gift med Valborg Seehusens søster. Men Gerda svarte ganske rolig:

«Aa jo da, jeg hører da om dem av og til. Av Kai. Han besøker mig altid naar han er i London.»

Nathalie ante ikke hvad hun skulde si. – Til venstre for veien steg den steile siden av kirkehaugen rett tilveirs med nakne steinvægger og busker og græss i sprekkerne. De og Wingfeldts barn hadde lekt at de kløv i Jotunheimen her. Vand sippret nedover, saa veien var sølet. Disse vandsigene hadde de trodd kom fra kirkegaarden oppe paa høiden, saa der var noe gruopvækkende og romantisk ved dem. Ikke for alt i verden vilde de spise den sisselroten som grodde her i massevis.

Paa den andre siden av veien glinset Langvannet blekt bakom krattet. Krap krap, sa det søvnig inde fra sivskogen – det var ænder her nu og. Og det første nølende svake glitter av gyldent paa vandet hvor det kruste sig, bar forbud om at snart skulde maaneskinnet lægge sin lysende bro over hele sjøen.

«Du vet at jeg vet,» sa Gerda sagte, «for mig var det heldigst at det gikk som det gikk – saa avskyelig som det var mens det stod paa. Og selv om jeg syns jeg kunde gjerne faatt slippe noen av detaljerne. Men jeg antar at jeg var paa det rene med det alt dengangen, underbevisst ialfald, noe at gifte sig med, det har Kai aldrig været. Skjønt dengangen vilde jeg ha giftet mig med ham saa gjerne som jeg vilde leve. Og den dag idag – jeg kan ikke si annet end at jeg blir noksaa glad, hver gang han kommer. Især naar jeg ikke har sett ham paa ett aars tid.»

«Ærlig talt, Gerda, jeg synes livet har vært noksaa lumpent mot dig da,» sa Nathalie.

«Naa livet.» Gerda trakk litt i de lange ruskindshanskerne som hun gikk og slog efter myggen med. «Det er naa saant høitidelig ord.»

«Folk da. Og Kai især. Hvis han har blitt ved i alle disse aarene — at han ikke har kunnet la dig i fred, mener jeg. Det maatte da ha vært meget bedre om du var blitt færdig med h a m da du reiste din vei ut av landet.»

«Det tror jeg ikke. Da var jeg blitt ved at idealisere ham, tænker jeg. Nu tar jeg ham for det han er og finner mig i faktum — at endda jeg har kjendt mange som var bedre og mange som var værre end Kai indimellem, saa er jeg blitt færdig med dem alle sammen, paa kortere eller længre tid. Men absolutt ikke med Kai. Hvad det nu kan komme av.»

«Aldrig tror jeg at jeg hadde kunnet tilgi. — Men du er vist i det hele uendelig meget snildere end os andre. Jeg beundrer dig som kan være saa snild og søt mot mamma. Jeg tror ikke jeg hadde klart at tilgi hverken henne eller pappa. Jo kanske pappa. Men mamma, nei!»

«Aa mamma, stakkar. Nu bakefter skjønner jeg jo hvor skrækkelig den historien maatte være netop for henne. Og saa forvirrende. Der hadde hun gaatt i alle aarene og drevet og maset — eller kjempet, som hun sier — for en ny moral og moderne skilsmisselover og kvinnens rett til at raade suverænt over sin egen person og alt det der. Og saa opdage da at jeg hadde raadet fritt over min person, bare paa en maate som hun slet ikke hadde tænkt paa. For du vet, hadde jeg satt alle seil til for at faa Kai og Valborg skilt og opbevart min dyd til jeg kunde bli fru Seehusen nummer to, saa hadde det vært saa all right saa — mamma hadde vært parat til at forsvare mig mot hele verden — mot hele byen ihvertfald. Sikkert syntes hun da forresten ærlig og redelig at det var simpelt og umoralsk og synd mot det hun kalder sanddruhet at jeg tok forholdene som de var, naar jeg visste at skille sig kunde ikke Kai. Ja du vet, jeg haabet naturligvis — at der skulde ske et mirakel. Men selv om det skulde ha hændt — at Kai hadde funnet ut en maate saa han kunde greie sig uten Valborgs penger, saa var der jo barna da. Han kunde ikke skille sig og overlate dem helt og holdent til det hysteriske mennesket — det vilde ha været helt samvittighetsløst. Ingen kunde vite hvad ikke hun kunde funnet paa hvis Kai kom og sa at nu vilde han gaa sin vei. For den saks skyld, det som hun gjorde mot Kai og mig, det kunde da heller aldrig et menneske ha tænkt sig —.

Men jeg forstaar godt mamma og pappa, Nathalie. Jeg har kanske mere fantasi saan end du. Det kan være fordi jeg er kommet til at skjønne, hvor meget disse barna til Kai betyr for ham. For hensynet til dem har virkelig altid været noe av det vigtigste for ham — det næst vigtigste kan jeg godt si, i alle forhold.» Gerda lo spotsk. «Jaja, san. Det var en fæl historie, og fælt for mamma og pappa som skulde gaa og se paa mig — jeg var jo aldeles knust og tilintetgjort. Og det efter alle de overdrevne ideerne de hadde gjort sig om vor begavelse og alt de gikk og fablet om at vi skulde drive det til av storartet og selvstændig — i deres linje. Saa lar deres datter sig attrapere, av Valborg med vidner, i en situation som nu engang er latterlig, naar man lar sig overraske i den. Dem styrtet jo skandalen ned over — bare tænk paa alle de motstanderne de hadde i sine diverse offentlige virksomheter, nu fikk de vand paa sin mølle. De hadde det nok saa vondt saa. Og saa maatte de atpaa til vite hvor vondt jeg hadde det. Kan du ikke skjønne — de maatte føle det som en hensynsløshet av mig, at jeg skulde gaa bort og bli saa bundløst fortvilet netop naar de kunde ha nok i at bære sine egne byrder. Endda det altsaa var skjebnens infame paahitt at deres kvaler var en følge av mine kvaler —»

«Aldrig kan jeg tænke mig at jeg kunde ha opført mig som de gjorde. Hvis det hadde vært min datter —»

«Pus, du har ingen datter! Naar en hører om at forældre har jaget datteren sin hjemmefra fordi hun er kommet i uløkka — eller slaar haanden av en søn for noen historier han har lavet og bare tænker paa at faa ham ekspedert saa langt vækk som mulig —. Ja stakkar, det har de altsaa vanskelig for nu da, men du vet, endda i vor ungdom, familiens sorte faar! Det er sikkert ikke fordi de ikke er glad i barna sine, tvertimot — de har saa vondt selv i den delen av sig som barnet er, saa de forsøker i ren panikk at bite av sig det lemmet som sitter knust i saksen.»

«Alle forældre er da ikke slik,» sa Nathalie uvillig.

«Mange er saa primitive. Naar galt skal være, saa foretrækker jeg da dem fremfor saanne som Ragna eller Bergljot Andreassen. Som bare tar det som et spørsmaal om hvordan man skal montere sin tilværelse — her kunde det passe at anbringe en baby. Saa installerer de en baby.»

«Ragna er da saa glad i barna sine,» protesterte Nathalie svakt. «Og jeg syns virkelig at hun er flink med dem. Jenta og Thomas er da saa sunde og velstelte —»

«Det skulde bare mangle! Men jeg vet ikke noget saa raatt i virkeligheten som saanne mennesker som anskaffer sig barn bare for sin egen fornøielses skyld. Takke mig for mamma da, som syntes hun var en martyr fordi hun hadde maattet gaa igjennem den historien seks ganger, men naar hun først hadde faatt os saa var hun fortvilet for dem som hun mistet og desperat naar det gikk vrangt for os som var igjen.»

«Tror du virkelig at folk noengang har faatt barn annet end for sin egen fornøielses skyld! Selv disse fruerne i forna dar, som syntes det var saant martyrium at finne sig i en egtemands omfavnelser. Eller lot som de syntes det. — Husker du Marianne — mamma pleiet at bruke henne som et eksempel paa hvor frygtelig mange koner hadde det. Ja, hun hadde det fælt, det skal være visst. Men selv sa hun bestandig, hvis jeg bare hadde hørt paa alle dem som raadet mig ifra dengangen. Men dengangen syntes hun altsaa at hun orket ikke leve hvis ikke hun fikk denne Kristoffern sin. Eller moren til Valborg, som ogsaa var ett av mammas nummer. Jeg sier ikke noe om at hun fikk en saan motbydelighet for manden sin tilslutt saa hun blev halvgæren av det. H u n ventet sig fornøielsen av pengene hans. Men hun visste da hun giftet sig med ham at han var en flaaer og sjofel i pengesaker. Hun kunde vel ikke tro at en saan brutal forretningsmand skulde være sommerfuglen som bestøver den spede lilje naar de kom paa kammerset. Nei du, folk har nok altid faatt barn fordi de indlot sig paa noe som de hadde lyst til. Selv om barna sommetider kom som et ubehagelig tillægg til det ønskemaal de sigtet paa —.

— Forresten — jeg tror ikke paa at der var saa mange som følte det slik. Da hadde det vært fysisk umulig at der kunde være saa mange lykkelige egteskaper dengang. Og det er netop det man faar indtrykk av — av brever og dagbøker og alt slikt, fra forrige aarhundrede. At der var flere mennesker da end nu som klarte at faa noe ordentlig fyldig og tilfredsstillende ut av livet sammen. Men de som ikke klarte det, det var de interessante og rørende som det var umaken værd for digterne at avsløre. Og naar mamma og hennes likesindede skulde ta op en sak saa maatte det bli de ulykkeliges og tyranni=sertes, det er klart. De andre trængte saavisst ikke til sakfører.»

Maanen var kommet op saa høit over granaasen nu saa den var blitt hvit og skinnende og la en lang glittrende lysstripe over sjøen. Borte paa den andre siden tindret maaneskinnet draapevis paa et tak av mørkglasserte teglsten — det var Gusslund.

«Det er mørkt derborte,» sa Gerda. «Skal vi gaa saa langt allikevel saa vi kan titte ind i haven—?

—Jeg mener,» tok hun op igjen, «hvis jeg for eks=empel hadde faatt et barn dengangen med Kai. Jeg maatte sagt, naturligvis, som Horatii datter Mette. Jeg har fornøiet mig — og pappa og mamma hadde nok blitt like røde som Horats blev, efter Wessels sigende, over fortsættelsen—og gavnet Rom og dig—. Men det hadde da ialfald ikke vært et beregnings=barn — og det var ikke Mettes lille romer heller. Det hadde kommet til verden under naturens lov, og ikke det anarki som menneskers forgodtbefin=nende er.»

«Nei gi dig nu Gerda. Det var galt nok som det var, det andre det hadde da vært værre end værst.»

«Jada, det vet jeg. N u vilde jeg aldrig i verden vaage at sætte et barn ind i den. Og du kan være glad til at ikke du heller har gjort det.»

«Men det e r jeg ikke,» sa Nathalie sagte.

«Da er du jamen letsindig. Faa barn i vore da=ger, det bør man overlate til dem som tror paa Gud og tør haabe at han paa en eller annen ubegripelig maate skal klare at faa snudd alt som sker til det bedste, trods alt. De andre, de har fortjent at op=leve den tid som kommer — naar de unge og ar=beidsføre blir i saan minoritet saa de for alvor maa til at tænke paa forældrefordrivelse.»

«Jeg har aldrig hørt paa make til uttrykk — !»

«Da kan du vist trygt banne paa at baade du og jeg faar se det praktisert. Du, du kjenner nu noksaa litet til livet utenfor vore egne cirkler da — og der har gjerne gamle folk lagt sig op litt, eller de har pension, eller en ugift datter med post som forsørger dem. Gud vet om du aner hvad det koster av penger og bryderi at holde liv i et gammelt menneske som ikke kan arbeide længer — i en ti eller tolv eller tyve aar. Jeg vet endel om det jeg, skal jeg si dig — jeg har reist som nurse med rike gamle damer, og jeg har arbeidet paa asyler og hospitaler for hjemløse gamle. Det er et stræv — og saa er de endda næsten aldrig fornøiet paa saanne institutioner. Det eneste som virkelig er noen tilfredsstillelse for gamle folk, det er at de kan bli ved at føle sig nyttige og betydningsfulde — med indsigt og erfaringer som de yngre har godt av at faa stadige doser av. Men paa saanne gamlehjem gaar alle med sine gode raad og har ingen som de kan gi dem til. Før i verden var familierne slik beskafne saa barn og barnebarn tok imot raadene med taalmodighet — blandt annet fordi de ofte var svært glad i sine gamle. Ellers saa hadde de en viss pietetsfølelse — de trodde at slegtslivet, det var noe lovmæssig. — Gud, eller naturen, eller hvad de nu kaldte det, hadde ordnet det slik og slik, forældrene hadde været under loven, og de var selv under loven. Kan du ikke skjønne at det der maa bli anderledes, naar alle barn som vokser op v e t at de er blitt anskaffet for at passe ind i en plan som noen andre mennesker har lagt for sit liv? Hvorfor i alverden skulde saanne beregningsbarn synes at de har et dugg av forpligtelse mot sine forældre. De kan være saa glad i barna sine som de bare vil — barna kan svare med fuld rett, ja det er pokkern saa rimelig at folk er glad i noe som de faar fordi de bestemte sig til at denne tingen vil vi ha. Vi har ikke bedt om at bli satt ind i verden — det har barn sagt bestandig, naar de var misfornøiet med livet. Men da kunde forældrene svare at det er Guds vilje ogsaavidere. Nu vet barn hvis vilje de kan takke for det, hvis de er kommet ind i en verden som de ikke liker sig i. De er her, fordi forældrene har bestemt det slik og ikke om-bestemte sig mens de var underveis.»

Nathalie grøsset litt. «Jeg syns du snakker fælt jeg —.»

«Jeg syns det e r fælt. Hvis unge menesker skal bli malt mellem møllestener av krig og revolutioner og dyrtid og epidemier — eller trækkes med nevrasthenier og avmagtsbevissthet fordi de er ufri og ikke selv kan bestemme noe om hvad de vil gjøre med sit liv —. Og det ansvaret sier menneskene ganske letfærdig at de gjerne skal ta paa sig selv alene. Men da har de ialfald ingen rett til at vente pietet av barna sine. Og da vil det nok falde ganske naturlig at de unge ræsonnerer som saa: gamle folk har likevel saa liten glæde av at leve. Hvorfor skal vi betale i dyre dommer for at holde liv i unyttige og utilfredse mennesker som bare blir mindre værdifulde for samfundet for hver dag de lever —.»

«Det er stygt at si slik, Gerda. Forresten, det er da netop de gamle som gjerne vil leve, bare leve for at være til saa længe som mulig —.»

«Det er det. Men de unge kan aldrig skjønne hvorfor de vil det. De synes altid, det kan da ikke være noe at leve naar en er gammel —.»

De var kommet til broen hvor Fardalselven randt ut av Langvannet. Nedover mot Gaasøisundet laa bygden i lysdæmring under maanen, men skyggegroperne syntes utvisket fordi der intet mørke var i luften. Bare hvor elven fløt i skyggen av lerfalbsbakkerne tætnet dunkelheten under bredden, men det fjorgamle sivet langs strømmen blev rent selvlysende i maaneskinnet.

«Det dugger — kjend!» sa Nathalie, hun hadde lagt hænderne paa broens rækkverk. Stilheten var overvældende — knattringen av en motorbaat ute mellem øerne og duns av hestehover inde i en havnehage gjorde det bare mere hørlig at her var saa stilt.

«Jeg tror du tar feil Gerda,» sa hun sagte. «Menneskene er da ikke bare — hvis de var saan som du forutsætter, saa var de jo aldeles perverse. Det kan nok være at barn i vore dager ikke føler at de har pligter mot sine forældre akkurat paa den samme maaten som i gamle dager, da alle gikk ut fra at man blev født fordi det var Guds vilje. Men jeg tror at de fleste forældre gjør sig meget mere umake for at vinde sine barns hengivenhet, saan rent menneskelig, netop fordi de vet at de undskyldningerne fra gamle dager gjels ikke mere. Naar en maa bære ansvaret sit selv — ikke har noen saan sten som de før kaldte Guds vilje eller naturens orden til at læne ryggen med oppakningen imot, saa maa man da vel tro at forældrene blir mere samvittighetsfulde.»

«Ja du tror vel det og du,» sa Gerda spotsk.

«Ialfald har da folk aldrig før snakket saa meget om at de maa skape en tryggere og retfærdigere verden for dem som kommer efter os —.»

«Som pappa og mamma pleiet at si. Derfor maa autoritetstroen nedkjæmpes, sa pappa — en friere, selvstændigere slegt. Og saa er den nye slegten saa forsulten paa autoritet saa de sverger gjerne Fan selv troskap til døden, bare fordi han jo unegtelig er en førerpersonlighet. Kvinnernes frigjørelse, sa mamma. Hun mente jo i virkeligheten frigjørelse fra alt dette med kjøn — for selv om hun ikke kunde undvære pappa saa regnet hun det selv for en svakhet, litt flaut. Det var derfor hun bestandig skulde hevde sig overfor ham og trættet med ham selv naar hun var enig med ham i grunden. Men hun drømte om den gode tiden som skulde komme — naar alle damer var selvbergede og hadde saa gode stillinger saa hver mand maatte kunne skjønne for en naade det var naar en kvinne nedlot sig til at gifte sig med ham. Saa tænkte mamma at frierne skulde staa i kø fremfor alle kvinner og de kunde diktere sine betingelser — bestemme hvor smaa rationer egteskap de vilde sætte manden paa. — Ja der er kommet det samme ut av deres kampanje som av alle andre reformationer og revolutioner i verden. Noe annet nemlig.»

«Du er bitter mot dem likevel, Gerda,» sa Nathalie sagte. «Mere end du vil være ved.»

«Ikke akkurat bitter, tror jeg. Jeg er da glad i dem. Jeg syns det er trist at jeg ikke fikk se pappa i live. Og trist at han skulde dø allerede nu, for han hadde sikkert faatt mange glæder ut av livet i mange aar endda. Han skjønte saa litet av den tiden som er nu, saa han vilde bare ha trodd at det er noe forbigaaende, naar det ser ut som færre og færre tror paa de ideerne som han kjempet for. Og jeg syns synd paa mamma naturligvis. Men det er ikke *bare* fordi vi vet at mamma hun klarer sig nok — hun faar sikkert en ny livsinteresse ut av det at være enke og gaa op i Ragnas barn og opdage noe som hun har bruk for i religionen — det er ikke bare derfor at vi tar mammas sorg med ro. Det er ikke bare fordi de hadde saan grusom smak at det ikke gjør os noe om Sumarlide skal sælges nu og alle møblerne sendes paa auktion. Men det er det, ser du, at forældres kjærlighet er oftest ukritisk, men barns er det sjelden. Saa det kommer mere an paa hvordan forældre er i sig selv end hvordan de er imot os. Ærlig talt syns jeg ikke de var videre flinke til at være forældre, men jeg ser godt at de har gjort sit bedste for at være det. Og jeg er glad i dem, fordi de er etpar søte og troskyldige og varme mennesker som altid har hatt en god vilje —.

— Nikolai og jeg kom til at snakke om det her om dagen. Han nævnte at en av de erindringerne han har om pappa, det var en gang da han holdt og bygget sig kano. Saa kom pappa ned og vilde endelig være med og hjelpe ham. Imens fortalte han Nikko en hel del da forstaar du — om forskjellige slags kanoer som ville folk bruker og hvordan de bygger og manøvrerer dem. Alt saant som han hadde læst litt om i konversationsleksikon og populærvidenskapelige bøker, saa han visste litt om det paa en saan tilnærmelsesvis og journalistisk maate. Du kan begripe at alt det der hadde Nikko mye bedre greie paa end pappa. Men netop derfor følte han det saa sterkt akkurat da, at han var vældig glad i pappa.»

De hoppet over veigrøften. Spireahækken duftet duggvaat og syrlig op i ansigtene paa dem mens de stod og holdt i stakittsprosserne. Indi den gamle bondehaven faldt skyggen av epletrærne bortover de vaarvisne uflidde græssplæner. Nathalie kunde se at den tykke kransen av aurikler var der endda omkring bedene foran verandatrappen. Men verandaen saa ut som den var blitt endda skakkere og mere raatten, der den laa og sank sammen under tætte matter av naken vildvin.

Maanen stod over huset, de mørke glasserte takpanner glittret, men de stederne som var blitt lappet med almindelig røde taksten var vist flere nu. Den lave facaden laa og blundet med svarte ruter indunder skyggen av det tunge valmtak. Det var en nydelig liten empirebyggning — det skulde være en officer som hadde opført den engang i tiden, men i en halvhundrede aar hadde bønder eiet Gusslund, og stuehuset var daarlig vedlikeholdt.

«Jeg er lei for vi ikke kommer indom dem,» sa Gerda. «Marie Gusslund maa være nære paa de femogsytti nu vel —? Hun var snil mot os du Thali?»

Det lille ottekantete lysthuset med spisst tak stod endda i det hjørnet av haven hvor grinden var ut til gaasedammen. Det var saa umalt saa det var ganske mørkt; de glassløse svarte vindushuller stod tilgittret av sprossernes rester, og vindfløien paa tak⸗toppen var blitt vækk.

«Haven vor du,» sa Gerda, «den var nu forresten ogsaa deilig, ikke sandt? Endda de aldrig gjorde et gran ut av den. Nikko forsøkte — husker du som han strævet. Men det var deilig at gjemme sig bort nederst i den med en bok — ligge i græsset og se ned paa byen og ut over hele fjorden og øiene —.»

De hoppet ut paa landeveien igjen og begyndte at gaa tilbake mot broen. Paa den andre siden av vandet glinset kirkehaugens bratte vaate stup i maane⸗skinnet. Den hvitkalkete kirken paa toppen lyste, men kronerne av de gamle kjempetrærne omkring den dæmret ind i den nattblaa himmelen som luftige graa skyer.

«Men da kan du jo selv se,» sa Nathalie. «Jeg ogsaa er glad i dem fordi de er to gode mennesker, og ikke fordi jeg syns de har vært særlig vellykkede i forholdet til os. Da jeg var liten blev jeg rædd be⸗standig naar de feiret de store scenerne sine — jeg skrek på mammas vegne naar pappa raste og vice versa. Og siden jeg var livende rædd for at de skulde skilles — pikerne sa det, vet du, da mamma reiste rundt og holdt disse foredragene sine om skils⸗misse, at det var nok fordi hun selv vilde skilles, og det var ikke noe rart, saa grov som redaktøren var mot henne bestandig. Men jeg vilde ikke at de skulde skilles — for jeg var glad i dem begge, og saa syntes jeg det var en skam. Desuten hadde jeg en følelse av at de holdt hverandre i sjakk. Vi fikk likesom mere fred til at stelle med vort, naar de huserte med sitt. For jeg kunde ikke fordrage det, naar de fikk disse anfaldene da de skulde ta sig av os og være kamerater og fortrolige med os —.»

Gerda nikket: «Det var fælt og flaut. Det syntes vi vist alle, undtagen Ragna. Hun hadde likesom ikke noe videre kropssensibilitet, eller hvad jeg skal kalle det. For det er vist rent kropslig, det som faar os til at reise bust naar forældre eller lærere eller folk av de ældre aldersklasserne vil være kamerater med os mens vi er barn. Jeg tror simpelthen det kommer av motsætningen mellem organismer som er i vekst og saanne som er fuldmodne eller saa smaatt begynder at forberede sig paa opløsningen. De har saa forskjellig livsrytme, saa det blir falsk naar de forsøker at leve i kor. Derfor tror jeg ogsaa at det blir værre — ungdommen endda mere ubarmhjertig mot ophavet sit, naar forholdet mellem dem blir basert paa forutsætninger som verden aldrig har sett før. Naar det saa atpaa til gaar den veien at det blir lærere og statsansatte funktionærer som barna skal være utlevert til størstepartens av tiden. Forældre, de sanser ialfald sommetider den der somatiske oppositionen og har vett til at holde en viss avstand — selv om de kaller det at de holder paa sin værdighet og gjør det paa en dum og komisk maate ofte. Men lærere og funktionærer har naa aldrig instinkt, det jeg har sett da. Og det maatte sandt at si være noen merkelige mennesker som vilde plage sig selv og offre noe av sine egne bekvemmeligheter for at fø paa massevis av gamle folk, naar de mest har kjendt den foregaaende generation i egenskap av klasseforstandere og foresatte og ungdomsledere.»

Nathalie rystet paa hodet. «Jeg tror du tar feil allikevel. Teoretisk kan det være noe i det som du sier. Men naar du tænker paa det enkelte bestemte tilfældet —. Kan du tro at barna til Mads og Ragna for eksempel vilde gaa ind for forældrefordrivelse eller hvad du kaldte det —?»

«Lille-Minda og Thomas skulde ialfald ikke ha grund til at bli av de værste. Mads er en grei mand, og Ragna er der jo svært meget søtt ved — naturligvis, som hun pleier at si. Og de ser saa meget til dem saa de lærer at kjenne dem helt rundt, ikke bare naar de lægger ansigtene i de rette folder for at være sammen med barna sine. De værste, det blir sikkert de som aldrig faar se forældrene sine annet end en face — fordi de er saa optatt med andre ting saa de kommer til at gi sig direkte av med barna sine al den tiden de kan være sammen med dem. Hvis de bryr sig om dem da Det er det jo ikke alle som gjør.»

«Det er ikke saan allikevel, nei det er ikke, Gerda. — Menneskene er nok feige og griske og egoistiske og alt det, og vi har noen upræsentable motiver ogsaa for det meste som vi gjør av godt ogsaa. Men vi gjør det gode sommetider, og vil gjerne være reale og retfærdige og gode ogsaa, saa meget som vi orker og tør. Det er likesom opsiden og undersiden av et blad det. Den siden som vender op er glatt og grøn med fine aarer, undersiden er ru og grovnervet, og det er gjerne paa den at lusene sitter. Det som vi kaller vore gode sider er sagtens ikke annet end det i vort væsen som det er naturlig og en livsbetingelse for os at vi vender mot lyset. Kanske det at folk i fremtiden maa anstrenge sig litt mere for at vinne sine barns respekt kan faa dem til at bli mere naturlige igjen — saa de holder litt maate med dette moralhykleriet som forlanger at i sandhetens navn skal alle trærne staa og gro med vrangsiden vendt op bestandig. —.»

«De vender vrangen av bladene ut i uveir. Og om høsten naar de fælder løvet falder bladene med undersiden op.»

«Aa du da! Dyd og last er naturprodukter som vitriol og sukker, husker du ikke det? Vet du hvem som citerte det for mig første gang? Kan du huske Haakon Stenersen — han var kadett og kom hjem paa besøk, knusende pen i uniformen sin, og jeg var litt forelsket i ham, saa smigret var jeg fordi han foretrakk mig fremfor de andre jentungerne. Saa satt vi inde paa bakværelset hos konditor Svendsen en dag og Haakon skulde imponere mig med at bruke frisinnet kjeft. Da citerte han det der — og akkurat i det samme hadde han sukkerbeter op i kaffen sin — fem stykker tesmers. Han kunde ikke begripe hvorfor jeg lo saa skrækkelig — men da han begrep det saa var den kjærlighetshistorien ute.»

«Du er en søt liten nonne igrunden.» Gerda smilte. «Jo det er sandt, Thali. Naar du snakker slik saa minner du mig om saanne robuste og optimistiske søstrer som jeg har truffet paa de anglikanske og katolske sykehusene derover. De ogsaa negter plent at gi op haabet paa menneskehetens vegne. Mot dig ialfald var det vist synd at pappa og mamma fødde os op paa religionsløs diæt — litt religion vilde nok ha gjort dig litt mere lubben paa sjælen. Nu er du like alvorlig som en søster i slør og kappe, men du mangler den humoristiske sansen som de pleier at ha.»

Nathalie lo høit: «Jeg! Kjære dig — det som jeg savnet da vi var barn og unge, det fikk jeg da jeg blev kjendt med Sigurd. Jeg tror ikke at noen religion kunde ha fyldt ut det savnet. Og siden jeg fikk ham har jeg aldrig følt noe savn av —. Selv om jeg har ønsket mig ett og annet som jeg ikke kunde faa, men det gjør vel alle, det samme hvor meget de har, ønskerne deres flyr videre utover. Men jeg har kjendt mig mætt av lykke saa mange ganger, og mere kan et menneske ikke forlange —.»

Gerda nikket: «Det skjønte jeg alt den tiden i Oslo. At for dig var kjærligheten et religionssurrogat.»

Nathalie lo ved minnet: «Du ser ut som du hadde vært til alters husker jeg at du sa en natt, jeg kom sent hjem.»

«Det er heldig at Sigurd er saan saa det kanske er relativt ufarlig at gjøre sig en husgud av ham. Menneskedyrkelse pleier ellers at bli dyrest i længden av al religion —»

«Husgud — det høres da frygtelig. Pss, du skal nu altid være saa fæl i kjeften du —»

«Jamen han virker litt saan som han skulde ha vært husgud baade længe og vel. — Ja nei spøk tilside, Thali — Sigurd er all right han, til at være saa forkjælet som han er blitt.»

Mot dem paa veien kom lyskjeglerne av en bil farende; den svinget op i indkjørslen til prestegaarden.

«Saa slipper vi med ett glas av denne vinen hennes,» sa Gerda.

De blev staaende og saa utover sjøen. Nu var maanestripen bred og blank, med dryss av smaaglitter utover til siderne. En ensom svart prikk av en villand svømmet utpaa og rørte op i sølvbeltet — og indi sivene blev det pludselig basking og skrapping.

«Tænk om vi aldrig kommer hit mere.» Gerda sukket. «Og saa har vi brukt den sisste kvelden til at gaa og gjøre op dødsbo —»

«— Ungdommen har nok ordentlig vært ute og svermet i maaneskinnet,» sa fru Andreassen undskyldende. «Ja deres mamma og jeg vi har saamen ogsaa nydt det, vi satt ute paa verandaen og saa paa maanen, en god stund, med akkompagnement av den deiligste radiokonsert —»

Nathalie vaagnet næste morgen under indtrykket av en drøm —. Hun lukket øinene og forsøkte at lokke drømmesynerne frem, før minnet om dem bleknet helt — noen av dem hadde vært saa vakre —

— Hun hadde kjørt paa et tog som det var gaatt galt med paa en eller annen maate. I følge med en hel del folk som hun ikke kjendte — passagerer vel — var hun ute paa en bro; under sig kunde hun gjennem et gitter av jernbjelker se ned paa vand og sandmæler, og mot syd var der utsigt utover et bredt dalføre fyldt av lys skodde som solen holdt paa at bryte igjennem. Op av taaken dukket mørke koller og lave aaser. — Saa skiftet billedet. Hun og alle de fremmede menneskene var inne i en jernbaneskjæring, de begyndte at krabbe opover den ene skrenten. Der grodde tyndt græss og høstlig mørk røslyng.

— Saa var de et sted i Østerdalen — det lignet furumoen i dalbunden som de maatte over naar de skulde fra Rafstad og op i den andre aassiden hvor sæterveien gikk. Hun krysset jernbanesporene ogsaa i drømmen, men elven saa hun ikke. Inne paa furumoen kom de til et stort lyst træhus med masser av verandaer og taarn, og hun visste at det var stationshotellet. Men inne var der høie rum med marmorsøiler og forgyldning og prismekroner overalt, og store speiler i væggene — det lignet saanne teaterfoyerer fra sytti-ottiaarene. Sigurd skulde være her, visste hun, men hun kunde ikke finne ham i drømmen. — Og med en gang var hun inne paa et annet hotel, et rigtig norsk landsens ett: der var et rum fuldt av smaaborder med rødrutete bomuldsduker paa, og der stod blikkbrett med tomflasker og glass paa bordene, og reisetøi laa utover paa pinnestolerne. Hun lette efter Sigurd her og, og saa kom hun op paa et soveværelse med umalte bordvægger og smale høit opredde senger indunder skyggen av skraataket. Gerda stod der og hængte kaapen sin op paa en saan knaggerekke som omreisende kramkarer gaar og selger — et brett trukket med rød fløil og med hvite porcelænsknotter til at hænge tøiet paa. — Saa var det vist at hun vaagnet.

Nathalie strakte sig av velvære. Hun likte saa godt at drømme saanne drømme med tydelige billeder som skiftet. Hun skulde reise hjem ikveld, og hun glædet sig. – Det skulde bli godt at komme tilbake til arbeidet igjen, og til Sigurd. – Det var vel derfor at hun hadde drømt at hun lette efter ham.

5.

Nathalie fikk det travelt en stund utover da hun kom tilbake fra det uforutsett lange besøket hjemme. Heldigvis var det noksaa stille i forretningen, men de maatte jo ruste sig til turistsæsongen. Som oftest var Sigurd kommet hjem naar hun laaste sig ind om kvelden. Sommetider hadde han satt over vand for henne og dækket bordet. Hver gang blev hun like glad for det. Hun gikk og nynnet mens hun gjorde færdig aftensmaten og satte paa bordet alt det som han hadde glemt.

«Se Sigurd, er de ikke skjønne!» Hun frydet sig over det gamle damaskes dækketøiet som moren hadde gitt henne da hun reiste tilbake. Det skrev sig fra fru Søegaards bedstemors brudekiste, men det hadde sjelden vært brukt. Ellers var det ikke mange ting fra Sumarlide som barna brød sig om at faa. Mads og Sigurd hadde tatt ut endel bøker. Og Nikolai hadde forbauset dem alle med at be om de fæle xylografierne av Bjørnson og Steen og de andre gubberne fra pappas kontor. «De har da historisk interesse,» sa han med et tvetydig smil.

En søndag reiste de ut i flokk og følge for at se paa huset i Bundefjorden, Sigurd og Nathalie og Asmund og Sonja med begge barna.

Nathalie hadde vært paa Stranna mange ganger, men hun hadde aldrig sett paa stedet ut fra den forutsætning at hun skulde føre husholdning her. Brønden pleiet at holde vand hele sommeren, sa Sverre, men sommetider var det daarlig. Maiken og Gary viste en uhyggelig interesse for det lille grønmalte træteltet. Men Sonja vilde ikke høre om at brønden kunde være farlig, der var jo hengelaas for lemmen. Og foran huset var der en yndig liten skjelfjære; barna kunde bade fra stranden og vasse i det grunne vandet. Naturligvis maatte de passes, saa de ikke kløv ut paa svaberget og faldt i hvor det var dypt. Maiken kunde forresten nesten svømme, hun lærte det sikkert ordentlig isommer, mente Sonja.

«Hun vil altsaa aapenbart hit,» sa Nathalie til Sigurd.

«Kan skjønne det. Det vil si, hun vil ha ungerne her og saa reise bort og faa os til at bo her og se efter dem. Ja jeg har ikke noe imot det —.»

Saa var det ikke mere at snakke om da. Hun fikk se til at faa et paalitelig menneske som kunde se efter barna mens hun var i byen. Hadde Sigurd lyst til at være her saa hadde hun ogsaa. Sommerhuset var ikke værst upraktisk — der var ialfald forbausende god plass. To ganske store soveværelser ovenpaa. Gjesteværelse paa uthusloftet. En sjekte hørte til stedet.

Der var en ødslig stemning over det lille huset som hadde staatt tomt hele vinteren. Innestængt kulde i stuerne, endda de hadde lukket op vinduerne med det samme de kom og solen stod paa. Døde insekter i vinduskarmene. Maiken gav sig til at sørge vellystig henført over liket av en brun og rød sommerfugl.

I den store peisestuen nedenunder var væggfaste bænker og et gammelt barokkbord i det ene hjørnet. Noen skrøpelige kurvstoler stod utover, men alt som gjorde huset beboelig og hyggelig var gjemt bort.

Den reverøde komfyren paa kjøkkenet røk saa det var syndig, da Nathalie skulde koke kaffe. Hun sa neitak til Sonjas tilbud om at hjelpe, og var likevel mildt forarget da svigerinnen trakk sig tilbake uten protest — endda hun visste godt at det var adskillig lettere at gjøre alting selv end ha Sonja vimsende i skjørtene paa sig. Hun hadde været paa hyttetur med Sonja før.

Sigurd kom, kastet jakken og rullet op skjorteermerne. Han vasket av serviset som hun hadde funnet i hjørneskapet. De snakket ikke stort — det var bare saa hyggelig at gaa her sammen og rusle. — Og komfyren røk ikke saa ilde nu da den var blitt varm. «Jeg tror den er ganske bra jeg,» sa Nathalie. — «Skulde det være noe iveien med den saa kan vel du rette paa den —?»

«Jeg tænker da det. — Du, burde ikke disse ungerne ha melk tro? Du vet, Sverre kjøper melken her like oppe paa Braaten. Tror du jeg skulde fly op og høre om vi kan faa etpar liter?»

«Blaas.» Nathalie stanset ved siden av ham og saa ut av kjøkkenvinduet. Den lille plassen bakom huset var glatt og brun av nedfaldne barnaaler. Der stod etpar gamle furuer. Det gikk an at faa op en huske mellem dem. Vedskjulet stod indtil en bratt bergvægg med ener og sisselrot i sprekkerne. Her var da vakkert. «Ungerne blir saa glade saa naar de faar lov til at faa kaffe.»

Han snudde hodet og smilte fort til henne: «Vel.»

«Det var leit at ikke Sverre kunde bli med utover. Det er en evighet siden vi saa noe til ham snart. Har du sett ham nylig?»

Sigurd betænkte sig litt. «Nei.»

«Du sier det saa rart? — Dere er da ikke blitt uvenner vel?»

«Nei — hvorfor skulde vi det? Han er noksaa meget borte fra byen om dagen. De er i fuld sving med arbeidet paa dette sanatoriet nede i Holmekilen blandt annet.»

Hun var kommet til at tænke paa at hun kunde gaa med den gamle bunaden sin ute paa Stranna isommer. Det var synd at den laa der og aldrig blev brukt. De sisste aarene hadde hun ikke engang hatt nede bondedragterne deres naar hun luftet gangklærne vaar og høst. Uf saa ærgerlig, hvis møllen hadde været paa dem —.

En eftermiddag da hun var alene hjemme gikk hun op paa loftsboden for at hente den. Aftensolen skinnet guldgul ind gjennem sprekkerne i bordvæggen og støvet danset i lysstripen. Nathalie kjendte sig meningsløst rørt da hun knælte foran den likkisteformede kufferten med overtrækk av hvitdroplet kalveskind. Den hadde staatt paa et stabbursloft paa Rafstad — svigerfar lo av Sigurd da han bad om at faa den. Den var fuld med papirer og bøker efter gammellensmanden, og de hadde sittet flere kvelder og sett igjennem dem. Sommetider fortalte Sigurd, naar de støtte paa navner som minnet ham om noe han hadde hørt — det var en oldefar av ham som hadde været med i krigen, og noen berømte storvildtjægere, og flere tatere som han kunde noen fæle historier om. Og han fortalte om et frygtelig mord paa Sandtrøen i gamle dager — en ung jente og hennes stedfar hadde tatt livet av den gamle moren; de blev henrettet da Sigurds farfar var smaagutt, han hadde været og sett paa det. — Men saa sendte Sigurd alle papirerne til et arkiv — stiftsarkivet paa Hamar var det vist.

Over sakerne i kufferten laa et sammenbrettet wienersjal. Det var endel stoppet, men ualmindelig pent ellers. Hun vilde ta det med ned — kanske sy ringer i det og bruke det til dørforhæng —.

— Og der, i en flatklemt pappeske, var plaggene. De var blitt gule av at ligge, men saant deilig lin det var i dem. Nathalie tok op stykke for stykke av dragterne — kamferlugten blev intens, og hun svettet. Det var frygtelig hett her oppe under taket og luften kvalm og mætt av støv. — Det saa ikke ut som tingene hadde tatt skade. — Der var skoene, indtullet i lyserødt silkepapir. Sølvspenderne skulde en av Sigurds forfædre paa Tangen ha gjort — han maatte ha været flink. Mønsteret med de flettede baandene var tatt fra franske rokokkospender, hun hadde sett lignende paa museer. Men de var ordentlig fint opfattet og eftergjort.

I en eske av neverfletning laa silketørklærne og søljerne. — Nei at hun hadde latt dem ligge her paa loftet i alle disse aarene, det var nu en stor skam. Sigurd kunde hatt grund til at bi ærgerlig paa henne for det, for tørklærne og den store søljen hadde været hans mors, og hun hadde arvet dem efter moren sin. Og en saan henrivende sølje — ringen var hjerteformet, med en krone og to fugler paa toppen, og ned fra den rislet en regn av sølvløv og noen hængeornamenter som lignet speilmonogrammer. Den var anløpen nu av at ligge, men naar den var nyvasket med sølvsaape hadde smykket den mildeste hvite glans.

Den blaa halsekluten med grønne border var Sigurds.

Nathalie tok op mandsdragten. Var det ikke idiotisk at hun kom til at tænke paa den scenen i Brand hvor Agnes ser paa barnetøiet efter den døde gutten sin —. Hun hadde tutet slik paa skolen engang da hun skulde læse Agnes' rolle, saa hun blev sendt paa gangen tilslutt «for at falde til ro». Og siden fikk hun altid taarer i øinene naar hun sa de replikkerne indi sig. —

Smekkluen var flatklemt stakkar og skyggen brukket, men en hattemaker kunde da vist sætte nytt indlægg i den —. To graa vadmelsjakker — stutttrøien med tinknapper og sidtrøien med sølvknapper og grønne kantninger i sømmene. En vest av rødstripet verken — brystduk kaldtes den forresten. Herregud saa vakker og saa kjekk som gutten hennes hadde været i den dragten —!

Hun tok de sammenrullede strømpeparrene i fanget, der var et par røde og to par sauhvite. Nathalie drog strømpe efter strømpe indpaa armen sin. Hul paa en hæl — noen var tyndslitte og. Hun fikk ta dem med ned — de hadde samme garnet i forretningen —.

Nathalie la mandsklærne sammen igjen og puttet omhyggelig kamferkulerne paa plass. Saa tok hun sine egne ting og gikk ned.

Hun kjendte sig saa lystig tilmode da hun stod i underkjole foran det høie empirespeilet i stuen — det var det største speilet de hadde i huset. Først skoene paa — nei saa pent det var med de store buete spenderne over en høi vrist. Saa var det plagget. Nu saa hun at Sigurds skjorter laa i samme esken. Hun tok en og la kinden sin indtil — aa saa morro som det hadde vært igrunden i det laget, naar de danset sammen. — Egentlig gikk de gamle folkedansene ut paa at en kar skulde faa syne sig frem — saan var de uskyldigere, likesom mere naturlig seksuelle end moderne dans. Ja for i naturen er det da gjerne hannens sak at kro sig og lokke. Og Gud saa spræk og — ja lokkende — som Sigurd hadde vært naar han danset. Naar han tok henne haardt i midjen med begge hænder tilslutt og vippet henne høit op fra gulvet —.

Linermerne var saa gode og kjølige indpaa huden. Stakklinningen var blitt for vid —. Nathalie svinget sig fort rundt noen ganger, saa skjørtet stod ut om henne som en mørkeblaa klokke —. Der skulde vært en understakk av ildrødt verken husket hun nu, tro hvor den var kommet hen. Vitsen var at det røde synte indunder, naar damen snurret rundt —.

Forklædet skulde knyttes paa først, for livet blev knappet utenpaa. Sigurd hadde travet rundt i butikker og lett efter et stykke silke som passet til forklæ — for storrutet skulde det være, og mørkt, men med høirødt i. Endelig, i Silkehuset, opdaget de dette brune og sorte med lakkrødt som han sa var i den rigtige stilen —.

Han hadde skrevet til landhandleren hjemme efter det blanke løvgrønne verken som livet var sydd av. Det var Louise som hadde faatt dem til at væve slikt stoff igjen deroppe. — Hun maatte være blitt noksaa meget tyndere, kjendte Nathalie, da hun knappet det foran. For egentlig skulde det sitte glatt efter figu=ren fra skuldrene til midt ned paa hofterne. Igrun=den, saa raffinert som denne dragten var — ærbart klædde den kvinnen fra topp til taa, og likevel røbet den om hun hadde en sterk og velskapt kropp, du=gelig til slitet i en heim der i fjeldbygden og til at føde kraftige barn —.

Koketteriet, det laa i silkeklutene —.

Nathalie bandt paa sig svartluen mens hun lo. Han forlangte bestemt at med det samme de hadde vært hos byfogden skulde hun bytte den blomstrede luen med en svart. «Du kan da skjønne, jeg vil at alle skal se du er kjærring naa — naar det er mig som har faatt saan pen kjærring.»

Det mørke silketørklædet var til at rulle sammen og knytte utenpaa luen, med snipperne arrangert høit over pannen — ordentlig fikst! Og det falmete lyse=røde med indvævede violbuketter var halsekluten. De gamle silketørklærne var saa myke saa myke — og tvers igjennem kamferlugten ante en endda en gammel duft av kvinne og skap og noenslags kryd=derposer. Halsekluten skulde knyttes bak i nak=ken —.

Nathalie snudde sig foran speilet saa stakken bøl=get og søljen rislet og klirret spedt. Hun glædet sig — hun nynnet en stubb av en slaatt som hun ikke hadde tænkt paa i aarevis — hun glædet sig til at se Sigurds ansigt naar han fikk øie paa henne i buna=den inde paa bryggen. Hun vilde ta den paa første gang en lørdagskveld naar hun kunde reise ut med halvtrebaaten, og saa vilde hun gaa paa bryggen og møte ham. Saa skulde de gaa hjem sammen langs stranden og opover gjennem furuskogen, og nedover den bratte beten til huset kunde han godt faa holde henne om livet og være staven og støtten —.

Da hørte hun at han satte nøkkelen i entredøren. Hun blev meningsløst forvirret med det samme — hun rødmet voldsomt og famlet over knapperne i livet, men der var jo ikke tid til at bytte. — Da han kom ind i stuen, stod hun, litt flau, litt smilende, og tuklet med fingrene langs forklækanten.

«Men i alverden!» Han braastanset, og han ogsaa blev rød. «Har du faatt paa dig den! — I Herrens navn, hvad skal det bety —?»

«Liker du det ikke?» spurte hun forundret.

Han betænkte sig et øieblikk. «Jo det gjør jeg vel. Den klær dig pokkern saa —. Jeg syntes bare det var saa rart.»

«Jeg har tænkt at jeg kunde bruke den paa landet i sommer» — hun var en liten smule saaret fordi han ikke viste sig mere begeistret.

«Aa naa. Jeg begyndte virkelig at tro» — han smaalo — «at du skulde være med i noenslags optog. Eller at det var en eller annen utstilling som dere skulde ha nede i forretningen.»

«Nei det var saamen bare til ære for dig,» sa hun tørt. «Men at du kommer hjem nu da —?»

«Ja jeg ombestemte mig. Jeg traff tilfældigvis Asmund i byen. Han skal til Hamar imorgen og da faar jeg kjøre med ham. Han kjører opom kraftstationen da og sætter mig av.»

«Vil du ha mat?»

«Neitak du, vi var indom et sted og fikk os en matbete. Men vet du om vi har selters? Da kan du sætte whiskyen ut paa altanen, mens jeg stikker ned efter —.»

Hun holdt paa og vandet blomsterkasserne sine, da han kom op med seltersflaskerne.

«Hvordan har du forresten tænkt at ordne det

med blomsterne dine mens du er borte?» Han stod ved siden av henne og fingret paa en av de store hvite petuniarne, men tok til sig haanden — stilken var klisset. «Skal jeg stikke opom av og til og gi dem vand?»

«Nei ellers tak! Den ordningen forsøker vi ikke omigjen, min kjære ven. Nei jeg skal da faa et menneske til at gaa her og stelle dem.»

Han tok whiskykaraflen. «Hvor mye?» og hun gikk bort og holdt fingeren paa glasset sit, fordi det var en skikk de hadde; hun tok altid samme maal, hverken mere eller mindre. «Vet du hvad, Thali, igrunden er det noksaa ydmykende — at du tror mig ikke til saapas engang som at vande blomsterne dine mens du er paa landet.»

«Men snilde dig!» Nathalie var mest forundret over den tonen han sa det i, — som det skulde være mere end bare hans spøk. «Naar du nu engang er saa glemsom i saanne smaatterier. Det er da ikke noe som — som jeg lægger dig til last.» Men hun syntes selv at det lød klosset.

«Nei det skal være visst — at du har det ikke med at lægge mig noe til last som du sier. Sommetider undres jeg paa om du virkelig —.» Han taug.

«— om jeg virkelig hvad?» sa hun spændt. «Hvad var det du vilde si —?»

«Tja. — Der er da meget som du kunde ha grund til at være misfornøiet med. For eksempel, da det gikk ut med forretningen — og jeg gikk her tre fjerdingaar og slang. Og maatte være glad til at jeg kunde faa en stilling hos andre, i et selskap. Og nu vet du like godt som jeg at det er ytterlig usandsynlig at jeg noensinde blir annet end ansatt hos andre. Naturligvis kunde jeg faa en mere selvstændig stilling — men det maatte bli utenbys da. Men for det første er det jo saa mange om hvert bein nufortiden, og jeg tror ikke at jeg er den typen som vilde ha held med mig om jeg forsøkte —. Noe bedre i økonomisk henseende vilde det vel vanskelig kunne bli heller. Naar du maatte opgi din stilling.»

«Er det d e t?» spurte Nathalie langsomt. Hun satt og glattet silkeforklædet over sit fang. «At du vantrives — med arbeidet dit? Eller arbeidsforholdene —?»

«Vantrives og vantrives. — Paa en maate har jeg jo rigtig bra forhold at arbeide under. Saan som tiderne er faar jeg vel snarere være glad til at jeg har det som jeg har det. Det er ikke akkurat d e t. Men du vet at da vi giftet os var det jo ikke d e t jeg hadde tænkt. At det skulde bli ved bestandig paa den samme maaten. Saan at jeg hadde mit arbeide og du dit som vi gikk til hver morgen og middag og kom hjem fra, og ellers saa bare bor vi sammen og lever sammen saan at — ja hvis det ikke hadde vært for folks skyld. Saa kunde vi jo likegodt ha levet sammen uten at være offentlig gift.»

«Det var ikke mig som maste paa at vi skulde gifte os.»

«Nei jeg husker nok det. Det var mig — for jeg tænkte, om det skulde gaa saan saa blev vi nødt til at gifte os, som folk sier. Jeg syntes det var en utaalelig tanke rent om noen skulde faa et paaskudd til at prate skittprat om dig. Jeg var saa — overvældet — over at noen kvinne kunde være saan — stolt og fri og aldeles uten baktanker, i den maaten som du viste det paa, at du var glad i mig og stolte paa mig. Helt ut. Du forstaar, jeg hadde jo altid trodd, skjønt Gud vet hvorfor, men vi som kommer ind til byen uten at kjenne noen der, det er jo mest en annen sort byjenter vi træffer da vet du. Jeg hadde aldrig trodd at en ung pike som lot en mand faa sig, uten at forlange et eneste ord til garanti, at hun kunde være annet end letsindig. — Jeg orket ikke at noen skulde faa snusen i det som var mellem os, som kunde snakke sjofelt om os —.

Men jeg hadde jo aldrig tænkt annet end at det skulde bare være midlertidig. Jeg gikk ut fra at forretningen vor skulde gaa saa bra saa du kunde slutte i Hytter og Hus. Og saa skulde vi leve sammen som gifte folk paa ganske almindelig gammeldags maate.»

«Er du saa misfornøiet da med den maaten som vi har levet paa i alle disse aarene?» spurte Nathalie sagte.

Han rystet sørgmodig paa hodet. «Ikke akkurat det. Men sommetider syns jeg allikevel at —. Naturligvis, vi kan unde os en masse som vi ikke kunde tænke paa dengangen og saan. Men allikevel — paa en maate er det da bare det samme forholdet som den første vinteren da du kom op til mig der jeg bodde — med den forskjellen at nu er det altsaa legitimt i andre folks øine ogsaa.»

Nathalie hadde foldet hænderne i fanget. Hun sa sagte:

«Gud vet om du virkelig husker den vinteren, Sigurd. Naar vi maatte staa op og klæ paa os saan ved to-tre tiden om natten — og det var koldt og utdødd paa gaterne naar du fulgte mig hjem, og saa maatte vi si farvel til hverandre i porten min.»

«Aa jo da. Jeg husker det nok. Jeg tænkte paa det og da jeg endelig vilde at vi skulde gifte os straks. At da kunde vi ligge og sove sammen like til morgens — og vi kunde gaa nedover til byen i følge, det raket ingen hvad vi gjorde saan. Vist husker jeg — hvor gjildt vi syntes det var da vi flyttet ind i den lille leiligheten her nedenunder. Naar vi gikk og stelte og du hængte kjolerne dine ind i mit skap. Og vi kunde be vore bekjendte hjem til os —.»

«End den første gangen da vi var nede og bestilte køie — til ingeniør Nordgaard og frue. Du saa saa komisk ut — det var vist ingen paa kontoret som trodde at du hadde hatt frue i mere end to timer.»

Han ogsaa smilte. «Nei du vet. Saan er det jo

en masse. Vi var hjemme sammen og vi tok ned til dine forældre og vi kunde reise og bo paa hoteller sammen uten at tænke paa noe. Kan du huske den første vinteren — vi snakket om at reise til Kjøbenhavn i paasken men saa turde vi ikke, for vi visste ikke hvordan det var med anmeldelse av reisende paa hotellerne —.»

«Aa nei Sigurd. Det betyr nok en hel del annet allikevel at være gifte end bare at et saant — elskovsforhold — er blitt legitimt i folks øine som du sier. Selv om vi altsaa ikke har faatt barn. Mere end vi vet, antar jeg — av gode og glade ting som vi har oplevet sammen uten at vi la merke til det engang. Saa længe vi altsaa holder av hinannen,» sa hun sagte. «Uten det vilde der jo ikke være noen stas ved dem.»

Igjen bøiet han hodet samtykkende. «Det har du nok rett i. — Men. Si mig, tænker aldrig du paa at der er saa mange andre slags liv som et menneske kunde ha levet? Saan at du føler det som noe — ja rent ut harmelig, at det livet en har valgt, eller den skjebnen som en nu engang har faatt sig tildelt, den skal staa iveien for alle de andre en kan tænke sig muligheten av?»

Nathalie taug, mest av forbauselse. Hun hadde ikke drømt om at Sigurd kunde gaa og spekulere paa noe saant.

«Hvis jeg hadde gjort forsøk paa at ta gaarden for eksempel. Ja ikke for det, bønderne har det sgu ikke for søtt om dagen, og saan som det stod efter far — bare slik han hadde fart med skogen, og det er jo den som skal faa det til at bære sig paa Rafstad. Eller jeg kunde blitt forstmand jeg og. Jeg snakket med Nikolai endel. Det er ikke noe fett levebrød det heller, men —. Eller om jeg hadde gjort som Martin Komperud og reist min vei jeg og da det bar overende med os. Jeg skal si dig, jeg traff noen som hadde spurt til ham fornylig. Han er altsaa i

Australien endda. Ja han har det vist ikke for glimrende, men det slarker da og gaar paa en maate. — Jeg hadde lyst jeg og til at utvandre den gangen. Da var det jo endda steder som en kunde utvandre til. Sydamerika for eksempel. Eller til Australien jeg og.»

«Det har du aldrig før sagt et ord om til mig —»

«Nei. Jeg maatte jo ha reist ut i forveien. Og jeg kunde likesom ikke saa godt tænke mig dig heller i saanne — røffe — forhold. La dig bli igjen her i byen alene — naar jeg ikke engang kunde gjøre noe for dig men maatte la dig klare dig selv som før vi giftet os — ja det har du jo gjort hele tiden siden ogsaa da forresten. Ung og vakker som du var og vant til at ha en mand, og noksaa lidenska=pelig saan. Vi hadde været gifte i to aar akkurat, hvis vi regner med den første uofficielle tiden. Jeg syntes simpelthen det var for risikabelt at reise fra dig saan paa ubestemt tid.»

«Det hadde du ikke behøvet at tænke paa,» sa Nathalie heftig. «Hvis du hadde yttret ett ord til mig om at det var noe saant du hadde lyst til.»

«Jeg vet godt hvad du vilde svart ja. Og ogsaa at du er trofast av naturen. Jeg har aldrig trodd — ialfald har jeg da aldrig kunnet forestille mig det — at du skulde lægge merke til andre mænd paa den maaten naar du levet sammen med en som du var glad i. Men det er noe annet naar omstændig=heterne gjør at man blir skilt fra hinannen. Jeg mener ikke det der med ute av øie, ute av sind. Men naar to som er glad i hverandre er sammen hver dag —. Alle de tilfældige smaa berøringerne i dagens løp — ikke bare kjærtegn og slikt men det at man rækker ut haanden efter den samme tingen og sier omforladelse, eller man skomper indpaa hin=annen i entreen og saan — det er likesom det blir en lufthinne utenom to da, som det er fysisk umulig for en tredje at komme ind i. Ikke uten at anstrenge sig længe og forsætlig da. Men naar den der legem=

lige kontakten blir brutt, ja saa kan et tilfælde være nok til at noe hænder som man aldrig hadde ment skulde ske — det er nok at man er litt aandsfraværende et øieblikk. Og det er ikke mulig at ha noe overblikk over hvad det kan føre til.»

Han reiste sig, var borte ved blomsterkassen igjen og tok paa petunian — drog op lommetørklædet og tørket av fingrene.

— Over hustakene var himmelen blekt blaa, men vildvinen som hang ned fra taket over dem tegnet sig svart mot luften, og blomsterne i kassen og manden som stod med ryggen til henne skimtet utvisket i tusmørket. Nathalie kjendte at det var blitt kjølig.

«Hadde jeg bare visst at du tænkte slik! Men det faldt mig ikke ind. Jeg trodde at det var av princip — og fordi du er slik av naturen — at du blev — og tok alle ubehageligheterne, og gjorde rett for dere begge saa godt du kunde. Saa hvis du indbilder dig at jeg noensinde har bebreidet dig noe for det som hændte den gangen — det har jeg aldrig gjort, Sigurd! Jeg visste godt at det var Komperuds skyld naar det gikk saa ilde. Og jeg var glad for at jeg ikke hadde sagt op posten min endda, for jeg trodde at det gjorde det da lettere for dig end om du ogsaa hadde hatt mig at sørge for. —

— Forresten.» Stemmen hennes blev skarpere. «Jeg trodde virkelig at kompaniskapet med Martin Komperud det maatte du da ha faatt rikelig nok av. Det var det sisste som kunde faldt mig ind at du skulde tænke paa at reise efter ham og slaa dig sammen med ham igjen!»

«Det var ikke akkurat det jeg tænkte paa heller. Forresten, det er jo saa længe siden nu, saa jeg husker ikke saa nøie hvad jeg tænkte. Det bare staar for mig som jeg vilde helst ha reist ut, men jeg turde ikke reise fra dig. Nei slaa mig sammen med Komperu'n igjen, det tænkte jeg da sikkert ikke paa. — Ikke for det — naar du sier at det var mest hans skyld at forretningen vor gikk fanivold saa er nu ikke det helt rigtig da. Jeg kunde latt være at være en saan fordømt sau som ikke passet bedre paa naar jeg hadde gaatt i kompani me'n. Jeg kjendte da Martin Komperud godt nok, kan du vel begripe. Men Gud vet aassen det var — han hadde enslags magt over mig. Saan at naar vi var sammen kunde jeg ikke la være at stole paa'n, endda jeg visste saa inderlig vel at en kunde aldrig stole paa'n. Skjønner du det?»

Nathalie rystet paa hodet. «Han virket ikke slik paa mig.»

«Kona er gift igjen har jeg hørt», sa Sigurd om en stund.

«Snille dig, det er da ældgammelt nytt. Hun har en gutt som gaar i samme klasse som Maiken. Hilda Komperud var nu da ikke saan saa en kunde tro, hun vilde bli gaaende og vente paa ham. — End saant navn da — det er da næsten grund nok til at hun tok en annen, bare for at slippe at gaa og hete fru Komperud.»

«Tror du at du kunde blitt forelsket i mig allike= vel, hvis jeg hadde hett Komperud?»

«Nei Sigurd!» Hun lo, reiste sig og tok hans arm. «Kom saa gaar vi ind, jeg begynder at fryse. Ja det er mye folk finner paa og spør om. — Jeg tror saamen godt at jeg kunde blitt forelsket i dig allikevel — men jeg hadde vel intrigert for at faa dig til at søke om navneforandring.»

Hun slog paa lyset og drog forhængene foran verandadøren. «Der er en flaske selters til — vil du ikke ha en sisste pjolter du?»

Neitakk.» Han stod og saa paa henne som ryd= det vækk kjolen hun hadde slængt fra sig. «Men husker du ikke at du skal egentlig ha røde strømper til den dragten? Ialfald uldstrømper. Silkestrømper, det er ikke i stilen.»

«Aa jeg syns da de gaar med silkestrømper der=

oppe noen hver nu. Men uldstrømper er kanske vel saa praktisk hvis der er orm derute.»

«Du er makeløs pen i bunad, Thali.» Han sa det saa inderlig, saa glæden skyllet vækk alle de andre indtrykkene i henne for et øieblikk. Men hun svarte tørt og muntert:

«Ja ikke sandt? Nu er det da næsten ogsaa den vakreste av alle de norske nationaldragtene da. Det løvgrønne livet du» — hun rettet sig for at faa brystet til at fylde ut. «Og noe saa klædelig som svart-luen med tørklæ omkring —».

Da han ikke sa mere tok hun pappesken:

«Jeg fandt skjorterne dine i denne her. Jeg skal ta dem med naar jeg faar vasket plaggene mine — de er gulnet saa —.

— Du. Vil du at jeg skal ta ned dragten din en dag? Om du har lyst til at se paa den. Du vil ikke prøve den — for morro skyld?»

«Jeg fikk den ikke paa mig engang nu», sa han uvillig. «Og saa nu — vi er da kommet saa langt bort fra alt det der saa. Jeg kom til at føle mig som vi var etpar saanne dukker som du har i vinduet i turisttiden hvis jeg satte den paa mig.»

«Men igrunden Sigurd. Hvordan gikk det til at vi kom saa aldeles ut av alt det der. — For egentlig hadde vi da rasende mye morro i det derre bygde-laget dit. Mange kjekke hyggelige folk der —».

«Du passet jo slet ikke der — men det merket vist forresten jeg bedre end du. Du brød dig om at danse med mig, men ikke om noe av det annet igrunden. — Husker du bare naar vi hadde avis —? Forresten kom jeg selv til at synes, der var noe — kunstig ved det. Louise fikk mig op i alt det derre med leikarringer og bunader og nøkkelharpe og hele sulamitten. Jeg svermet jo for henne slik at alt hun gjorde og sa blev aapenbaring rent i mine øine. Ja det var da ingen skade skedd med det heller — det holdt mig sikkert unda en masse. Selv om jeg altsaa ikke har været nogen helgen akkurat som du vet. Saa blev det aldrig til mere end saan et sidesprang av og til, mens jeg travet efter denne leidarstjernen som jeg saa op til. Men du skjønner at da jeg blev rigtig alvorlig forelsket i et kvinnfolk av kjøtt og blod som vilde være jenta mi paa ordentlig — saa blev alt det der som hang sammen med Louise like-som saa kunstig. Ja for herregud Thali — alt det der var det jo slutt med hjemme i bygda længe før min tid. Jeg har aldrig sett en kar som gikk i den gamle bunaden. — Saa urnational og norsknorsk kan den da ikke være forresten, det er jo bare herreklær for Holbergtiden som de har gjort efter i hjemme-vevd tøi. Det er det vist forresten du som har sagt mig, Thali. Svartluen og de to silkekluterne husker jeg noen gamle kjærringer som gikk med, bedstemor Tangen brukte det ialfald naar hun skulde til kirken. Men ellers saa var det bare en og annen av de gamle paa plassene og paa fjeldgaarderne i nordbygda som kunde ha en grøn sidtrøie eller en blaa stakk. Nei ser du, det gikk jo op for mig da jeg blev ældre, at alt det der som Louise for med, det hørte til en tid som er forbi nu. Ikke var den bare bra heller — hard paa mange maater. Selv om jeg gjerne tror at alt i alt var folk likevel dygtigere til at berge livs-glæden sin og nyte det, naar de hadde en god stund. Men det er jo naivt at tro man kan faa igjen den indstillingen bare ved at klæ sig i de gamle dragterne og danse de gamle dansene efter de gamle slaattene — hvis en ikke kan finne det sindet igjen som alt det der blev skapt ut av da det var nytt og sisste skrik —.»

Nathalie tok teppet av divanen og begyndte at trække de hvite varene paa sofaputerne. «Nei du, jeg fryser virkelig litt. Det er blitt sent og. Hvad tid maa du op imorgen?»

«Asmund vilde kjøre halvni sa han. Saa han er her ikke før klokken ni tidligst. Vi behøver ikke at staa op tidligere end ellers. —

— Jeg tænkte forresten at spørre om jeg kunde faa lov til at ligge herinde inatt —?»

«Du faar vel det da.» Nathalie lo.

Han tok henne heftig ind til sig. «Det ogsaa tænkte jeg paa da jeg ombestemte mig og ikke tok toget. — Snu dig da», sa han og blev ved at holde omkring henne: «Saa skal jeg knytte op tørklæ for dig i nakken —».

6.

Helt fra først av hadde Nathalie nok en følelse av at dette landliggeriet i Bundefjorden var mere slit end rekreation baade for Sigurd og henne.

De flyttet ut den ottende juli; da reiste Sonja avgaarde paa biltur med en veninde. Før hun drog beskrev hun begeistret for Nathalie hvor vidunderlig det var paa Stranna. En intens lugt av den parfymen som hun brukte og som hverken Sigurd eller Nathalie kunde like hang igjen efter henne paa soveværelset. De lot verandadøren staa aapen døgnet rundt naar det var godveir, men naar de blev nødt til at lukke den lugtet det Sonja igjen.

Sonja kunde sagtens være henrykt for Stranna, hun behøvet ikke at reise til Oslo oftere end hun hadde lyst til. Men om hverdagerne laa jo den siden av fjorden i skygge naar de kom utover. Morgnerne var henrivende, — saa begyndte Nathalie at staa op endda tidligere end hun var nødt til for baatens skyld. Hun løp ned i badedragt og tok sig en svømmetur i morgensolen. Sigurd blev med en gang imellem, men han hadde aldrig badet i sjø før han kom til byen som voksen og han brød sig ikke saa meget om det som hun.

Morgenkaffen smakte storartet ute paa verandaen. Og baatturen ind til byen var vakker i godveir.

Fjorden laa lys og blek, og øiene med alle de ku=lørte smaa sommerhusene paa knauserne saa saa glade og uskyldige ut. Indunder aasernes karm laa byen i en dis av sine egne utdunstninger. Den fjerne syngende larmen av den øket efterhvert som de kom nærmere, larm efter larm løste sig og klang ut, indtil baaten la til bryggen og passagererne strømmet ind i vognrammelen og byens brus. De var inde saa tidlig saa Nathalie gjorde gjerne sine byerender før hun gikk paa kontoret, hun la veien over torvet og drev litt op og ned gjennem blom=sterhavet omkring gartnerbilerne.

Men allerede naar lunsjtimen kom var hun frygte=lig søvnig. Det kvikket op at faa mat. Men de sisste timerne i forretningen var drøie at komme igjen=nem. Det hændte at hun kvakk og opdaget at hun hadde sittet og sovet inde paa kontoret sit.

De fattet gode forsætter om at gaa og lægge sig tidlig, men det blev sjelden noe av. Maiken og Gary var ikke til at faa iseng i rimelig tid. De var vant til at faa spise aftens med de voksne, naar noen av forældrene var hjemme en kveld, og saa vilde de naturligvis være oppe og faa spise med tante Thali og onkel Sigurd. De var forresten saa søte saa det var fristende at la dem faa lov. Sigurd hadde saant lag med at omgaaes unger, men denne som=meren hadde Gary kastet hele sin elsk paa tante Thali. Der var peis i storstuen, og hver evige kveld maste barna paa Sigurd, at han skulde tænde paa «bare bitte lite gran med noen smaa pinner». Gary var ikke til at staa for naar han viste frem den vesle kvisthaugen som han hadde plukket sammen til peis=ved. Naar saa Sigurd gav sig og tændte paa, kløv guttungen op i fanget hennes og sovnet gjerne med en gang, godt puttet indtil hennes bryst. Han blev fire aar i august. Maiken var otte og hadde alt god greie paa at kokettere med onkel Sigurd.

— Naturligvis kunde hun ikke la være at tænke, naar de satt slik ved peisen med ungerne — de skulde vært vore! Sigurd tænkte sikkert det samme. Men ingen av dem sa det noensinde.

Naar barna sent omsider var iseng da, saa forlangte de absolutt at tante Thali skulde komme op og høre aftenbønnen deres. «Mor gjør bestandig det naar hun er hjemme» paastod Maiken. «Jamen naar hun er ute en aften» mente Nathalie, «dere kan da si den uten at noen hører paa.» Nathalie likte ikke dette aftenbøn-ceremoniellet. Sonja holdt paa at barn skal be aftenbøn — de er saa yndige naar de gjør det. Men hverken Asmund eller hun var slik saa dette kunde bli grundlag for noen væsentlig forestilling i barnas sind, naar de vokste op. Det var rett og slett en lek som de nok sluttet med naar de blev saa store saa det ikke var noe yndig længer at de bad aftenbøn.

Ikke for det, Sonja trodde da paa en maate paa Gud, hadde Nathalie skjønt. Hun var fornærmet paa ham naar hun syntes at hun fikk for litet ut av sit liv — ikke noe av det som hun ønsket sig. Da visste hun sandelig ikke hvad galt hun hadde gjort, siden hun skulde ha det saa trist og saa kjedelig bestandig. Og naar hun hadde gjort noe som hun ikke hadde rigtig god samvittighet for, paakaldte hun sommetider Gud som enslags opmand: hun var viss paa at han forstod henne, det var ikke noe galt i det, litt morro maa en da faa ha mens en er ung —.

— Gerda sa at menneskene var blitt mindre levedygtige siden religionen hadde mistet sin magt over dem. Det var der sikkert meget i. Men der er nu former da, baade av religion og av levedygtighet, som er litet tiltalende.

«Naar ikke mor kan høre os saa pleier vi at glemme den da», oplyste Maiken, da Nathalie alt hadde glemt sit spørsmaal. «Men naar du hører paa mig er det saa morro at si aftenbøn saa —»

«Jamen det er jo Gud som du skal be aftenbøn til, Maiken. Og han hører nu vist like godt om det ikke er noen voksen hos dig.»

Maiken saa ut som det var noe hun aldrig hadde tænkt paa før.

Sigurd blev ogsaa kommandert op til godnattkyssing. Maiken og Gary var lært op til at kysse meget mere end nødvendig, syntes Nathalie. Det var vist forresten mest Asmund — han var fæl til at kjæle paa barna sine.

Naar de smaa endelig var faldt til ro blev de sittende nede ved peisen. Hun satt og tænkte paa at de skulde tidlig op næste morgen, og det gjorde formodentlig Sigurd ogsaa. Han virket svært trætt. Men ingen av dem hadde energi til at bryte op.

Sommetider foreslog Sigurd at de skulde gaa aftentur. Nathalie fikk sig ikke til at si nei, — han burde ha meget mere motion end han fikk. Men de kom gjerne svært sent avsted. Opover gjennem skogen var det aldeles mørkt, men naar de kom ut av den indpaa høiden var det altid like rart med det intense og bleke sommernatslyset som møtte dem fra den store aapne himmelen. Veien førte mellem akrer hvor kornet saa graagrønt ut i tusmørket, og den modne engen glinset selv i dette natlige lyset hvis et vindpust fikk de utsprungne straaene til at svaie. Paa begge sider av veien hvitnet mjødurt i grøften og duftet søtt og tungt. De kom forbi etpar gaarder. Paa den første pleiet det at lyse fra kjøkkenvinduerne og de hadde radioen staaende paa derinde. Paa den andre gaarden la de sig aapenbart tidligere.

Veien bar ind i skog igjen og naar de hadde gaatt et stykke kom de til et vand. Der var noe trist ved det, ialfald saan sent om kvelden. Ved den enden hvor de satte sig var bredderne loddrette steinvægger, ikke svært høie. De satt paa en hylle i berget litt oppe fra vandflaten og røkte en cigarett før de gikk hjemover igjen. Indunder land var det kullsvart, men utpaa speilet det lille tjernet himmellyset med store mørke flaater av vandliljeblader svømmende i det klare.

Om dagen naar solen skinnet og de hvite blomsterstjernerne lyste vidaapne var tjernet helt anderledes. De hadde gaatt hit med Gary og Maiken den første søndagen de var paa Stranna, og ungerne blev rent som tusset over alle disse vandliljerne. Saa lovet Nathalie at næste søndag naar de gikk hit skulde hun ta paa sig badedragt under kjolen og svømme ut efter noen til dem. Sigurd protesterte — det var farlig at svømme hvor det var vandliljer. «Langtifra, ikke naar man kan snittet.» — Gary og Maiken stirret beundrende paa henne.

Men næste søndag kom fru Ulbricht ut. Barna var glad i sin bedstemor; hun hadde altid kaker i massevis med til dem. Nathalie syntes hun var hyggelig. Men faa det korpulente mennesket med op til vandliljetjernet kunde der ikke være tale om. Istedetfor rodde de før middagen, og efter middag spillet de boccia under furuerne paa den lille gaardsplassen. Den søndagen gikk ikke saa værst. Sigurd ogsaa likte fru Ulbricht paa sætt og vis. — Men lørdagen efter ringte hun op og meldte at hun vilde gjerne faa komme utover imorgen, hvis hun fikk lov da, og da vilde hennes mand ogsaa bli med, han længtet saan efter barnebarna sine.

Nathalie turde næsten ikke si det til Sigurd da de møttes paa baaten. Og han blev aapenbart i kullsort humør, endda han sa ikke stort. Han sa i det hele omtrent ikke ett ord resten av kvelden. — Sommetider ønsket hun virkelig at han kunde tatt kjedeligheter litt mere paa hennes fars maate — bannet og dominert en stund og saa vært færdig med det. Det annet blev mere trykkende i længden.

Utpaa natten blev de vækket av at det blaaste op, saavidt kraftig saa de maatte stenge altandøren.

Nathalie stakk ind for at lukke hos barna. Bølgerne brøt mot stranden saa det lyste hvitt i mørket og hun skjelnet den kjendte duren av sten og grus som brendingen rullet med. Hun blev staaende litt og lyttet; det var saa hjemlig. Hun likte det. Det bruste og braket i skogen omkring huset, og saa kom regnet sprutende. Hun glædet sig til at bade imorgen — men Sigurd vilde naturligvis ikke uti i slikt veir — hun smilte ved tanken — og barna maatte ikke faa lov. Uff, om de bare ikke skulde hatt fremmede imorgen —.

Det høljet vand ned da de vaagnet næste morgen, og Bundefjorden var sandelig oprørt: høie grusbrune bølger stormet indover mot den lille fjæren deres og brøt dundrende i hvitt skum. Utpaa jaget hvite kammer paa graagrøn sjø, landet paa den andre siden skimtet bare saavidt i det tykke veiret. Nathalie styrtet ned mellem to skurer og badet fra baatbroen — Sigurd stod paa verandaen i første etage imens. «Du er gæren!» sa han da hun løp forbi ham, leende i den silvaate badedragten sin, og Maiken og Gary gav sig til at hyle, fordi de ikke ogsaa fikk bade.

Ulbrichts var ikke med ellevebaaten. Sigurd kom tilbake fra bryggen og slængte fra sig det dryppende vaate regntøiet, sint fordi han hadde faatt lov til at gaa forgjæves i slikt bikkjeveir. Nathalie gikk nedover til middagsbaaten — om de skulde være med den saa var det saa flaut hvis ingen var og møtte dem. Det var en frisk tur gjennem skogen, hun likte slikt veir. Og Ulbrichts var ikke med. Saa kunde alt ha været godt og vel. Hvis det ikke hadde været for middagsmaten — hun hadde kjøpt en kalvestek, for det liker de fleste, og hun hadde beregnet den rikelig, for hun hadde tænkt at sandsynligvis troppet de op med etpar stykker til av familien paa slæpetaug. Uff nu blev der en masse kjøtt igjen, og tilfældigvis svermet hverken hun eller Sigurd for kold kalvestek. Jordbærkaken fikk barna faa alt de orket av — de hadde ikke noe vondt av det om de fikk litt mavesyke for en gangs skyld.

Det var kjedelig overfor Norma ogsaa, nu hadde hun hatt saan masse ekstra bryderi til ingen nytte. Det var saan kjekk hyggelig pike. Nathalie kunde naturligvis ikke helt la være at tænke paa alt som kunde hænde av galt paa Stranna naar hun var i byen om dagene. Men med Norma var hun ialfald saa trygg for barna som det gikk an at bli.

De la ordentlig paa peisen efter middagen, og Nathalie hentet frem trækkspillet til Sverre. I ungpikedagene hadde det været hennes specialitet at optræ paa tilstelninger som trækkspilvirtuos. «Dans med Maiken da vel, Sigurd — du burde ta dig litt av jentungens opdragelse saan ogsaa, syns jeg —»

Barna fikk masser av jordbærkake til kvelds igjen, og siden spillet de svelte, men for Garys skyld kaldte de det bridge og hadde papirstrimler som de skrev tall paa. Gary kunde skrive mange tall allerede, og denne kvelden fikk han til et ordentlig to-tall.

— Hun blev igjen nede i stuen for at rydde op efter at Sigurd var gaatt ovenpaa. Hun hørte hans skritt over gulvet deroppe, men saa blev det stilt. Nathalie lyttet og lyttet. Han pleiet ellers at ramle ikke saa litet naar han gikk og klædde av sig.

Hun løftet hengelampen ut av ringen, men blev staaende med den uten at slukke. Ængstelsen kjendte hun pludselig som et trykk og en plage, hun begyndte at bli slitt av at staa imot. — Herregud, hvad er det som feiler ham da, kan han ikke si det. — Saa skrudde hun ned veken og blaaste ut lampen.

Det var mørkt paa soveværelset da hun aapnet døren. Hun skimtet hans skikkelse mot glassruten i altandøren. «Men kjære — har du ikke tændt!»

«Jeg kom til at knekke lampeglasset. Dægern ogsaa, saa mye plunder det er med saanne parafinlamper altid —»

«Jeg skal gaa ned og finne et annet — de er forresten i skuffen under hjørneskapet i stuen, husker du ikke det?»

«Aanei, la være du — det er ikke umaken verd»

Nathalie tændte stearinlysene paa begge nattbord. Flammerne flakket urolig — det trakk noksaa meget heroppe naar det blaaste.

Hun gikk bort og la haanden paa hans skulder:

«Vet du hvad, Sigurd? Jeg tror du skulde bli i byen en ukes tid. Faktisk faar du altfor litet søvn herute. Det ser ut som dette «sommarnøiet» her virker alt annet end opfriskende paa dig.»

«End du?» spurte han uten at snu sig. «Vil du ogsaa —? Du faar ikke mere søvn her du end jeg.»

«Jeg trænger vel mindre da — og du vet, jeg har lovet at være hos barna. Og jeg sover de timene jeg sover. Du ligger vaaken en hel del om nætterne ogsaa, har jeg merket.»

«Jasaa, har du merket det?» Han virket brydd. «Det er vel ikke saa ualmindelig at folk faar saanne perioder av søvnløshet. Jeg trodde det skulde gi sig naar vi kom hitut — netop fordi det blev litt liten tid at sove i. Men det kan jo komme endda.»

«Du har ikke været og snakket med nogen doktor?»

«Jeg vet ikke rigtig —»

«Nei, gi dig nu da!» Nathalie maatte le. «Du maa da vel vite om du har været hos doktoren.»

«Jo, selvfølgelig.» Han lo ogsaa, en misfornøiet liten latter, som hun ikke likte. «Jeg var der for en tiden siden. Men jeg vet ikke, jeg har saa liten tiltro til slike sovemidler. Og naar jeg allikevel ikke kunde si ham noe ordentlig — hvad det kom av —»

«Jeg undres,» sa Nathalie, «om jeg ikke egentlig burde forlange at du sa m i g, hvad det kommer av at du har været saa — besynderlig. Helt siden ivaares.»

«Du vet, at du kunde nok ha rett til det. Men jeg er ikke sikker paa om det blev noe bedre av at vi snakket om det, Thali. Ikke nu ialfald –. Jeg kunde kanske prøve at gjøre som du foreslog. Ligge hjemme noen nætter, forsøke at komme tidlig iseng og ta disse sovepulverne –

– Vi snakket vel lettere sammen og da, naar jeg ikke var saa – uuthvilt.»

Hun stod stille et øieblikk. «Gjør som du vil,» sa hun kort. Saa begyndte hun at klæ av sig.

– Altsaa er det noe. Hun merket at hænderne hennes skalv. Skjønner han ikke, at om han specielt la an paa at plage mig, saa kunde han ikke finne paa noe mere utspekulert end dette. Alt dette hemmelighetsfulde pratet hans om noe som han ikke kan si nu, men naar det passer ham, skal jeg nok faa vite hvad det er. – Hun slængte kimonoen om sig med et fort, sint tak og gikk bort og skjænket vand i vaskebollen. Han stod ved altandøren og glante ut i natten og stormen. Gjør han sig til, tænkte hun pludselig – tilgjort, har jeg noensinde før syntes at Sigurd var tilgjort. Nei, det har jeg ikke – men som et glimt langt bak i hjernen hennes fløi en halvtænkt tanke – kan det være at jeg engang om længe, i en ubestemt fremtid, kommer til at se anderledes paa det som har været? – Saa meget som var dyrebart og kjært mens det stod paa, vil ta sig ut som skaperi og toskestreker –

«Kjære, se og kom dig iseng engang da vel,» sa hun hissig.

«Jeg vilde bare vente til du er færdig derborte. Der er saa liten plass.»

Hun gjorde sig færdig ved servanten i en fei, fikk paa sig nattkjolen og smatt iseng. Huff, saa somlet som han kunde være. – Men langt om længe kom da ogsaa han og la sig. Han blaaste ut lyset sit med en gang. Men Nathalie lot sitt brænde, laa støttet paa albuen og saa paa ham.

«Det var du som var saa ivrig for at vi skulde se til at faa sove,» sa han tilslutt i en forurettet tone.

Hvis jeg bare var litt lurere, tænkte hun oprørt, saa skulde jeg vel benytte mig av det at vi deler et fælles, egteskapelig soveværelse for en gangs skyld. Men der var noe, ikke i hennes hode og ikke i hennes hjerte, men likesom dypere inde i selve kroppen hennes — det hadde bestandig forbudt henne at *bruke* noe saant erotisk som middel til at opnaa smaa selviske eller snusfornuftige maal. Hun vilde ikke begynde med det nu heller — ikke lokke ham over til sig og prøve at kjæle ut av ham noe som han ikke godvillig sa henne. — Blandt annet var det vel ikke sikkert at hun kunde det nu.

«Er det *mig* som du er trætt av, Sigurd?» spurte hun braatt. «Det kan du vel ialfald svare mig paa. *Plager* jeg dig, uten at jeg vet det?» sa hun, da han ikke svarte straks.

Trækkene hans saa opløste ut i flakkeskjæret fra det eneste lyset; flammen speilet urolig i øiestenene. Den fæle pyjamasen hans med brede rødviolette striper hadde de faatt i Bodø; han maatte kjøpe en paa reisen, og de kunde ikke faa noen likere end denne.

«Aa nei da, Thali, det er ikke det,» sa han sagte. «Det syns jeg forresten ikke du kan ha grund til at tro,» fortsatte han heftigere. «Har vi ikke vært glade i hverandre herute, syns du — like meget som tidligere noen gang —?»

Det var sandt. Paa en maate. Sommetider hadde de vært det — lykkelige hos hverandre — for det var jo *det* han mente. Men med en gang kjendte hun sig usikker der og — hadde det ikke vært noe som blaffet op i ham indimellem de lange perioderne av forstemthet og enslags generel livsulyst. Saa var han kommet til henne som han vilde forsøke at gjenerobre — ikke henne, for det hadde han ved Gud aldrig behøvet, men noe som hadde vært engang og var gaatt tapt.

«Jeg vet ikke om du kan forstaa hvad jeg me=ner,» sa han pludselig. «Jeg er glad i dig, Thali, det kan du da ikke være i tvil om. Men har du aldrig en følelse av at saan i det lange løp saa kom=mer det frem av og til — ja det er ikke akkurat en misstemning eller en misforstaaelse heller. — Men kjenner ikke du ogsaa sommetider at det at vi har hatt det saa forskjellig — vært utsatt for saa for=skjellig paavirkning, kan jeg si — i alle de aarene før vi traff hinannen, det kan gjøre at strømmen blir slaatt av mellem os medett. — Janei, du maa ikke tro at jeg mener noe saant sentimentalt sludder om mang=lende forstaaelse og alt det der. Men det hænder alt=saa at jeg likesom ser dig dobbelt — som naar man blingser» — han forsøkte at le. «Saan som nu imor=ges, du kom flyende op fra sjøen i bare badedragt og lo da du løp forbi mig paa verandaen, og saa rendte du videre gjennem hele huset, saa det laa et vaatt fár efter dig — Norma gikk og dækket bordet, og ungerne stod og glante efter dig —»

«Men Herregud!» sa Nathalie overvældet; hun hadde lyst til at le ogsaa.

«Ja, det er det jeg vet, du kan ikke skjønne det. Visst syns jeg at det er saa all right saa — men du vet at helt til jeg kom ind hit saa kunde jeg da aldrig drømt om at slikt gikk an lel! Ja, ikke for det, det er sikkert en masse som vi syns gikk an, som du vilde blitt forarget over. Jeg sier ikke at den ene arten av skikk er bedre end den andre, men bare at den som blev naturlig for en i op=veksten, den holder en fast ved paa bunden, om en saa siden lærer sig til at se, de andres kan være like bra i og for sig. Kanske var det enslags underlegen=hetsfølelse ogsaa» — igjen lo han stilt og uglad — «som gjorde at det kom op i mig. Du laa og vip=pet som en kork og lot vandet slaa over hele dig, du saa ut som du likte dig glugg fordærvet, og jeg hadde faen ikke lyst til at gaa uti i dette været —.

— Saan var det saa ofte i begyndelsen og. Naar du saan ganske flott sa noe som hørtes temmelig vovet ut i mine ører. Jeg hadde jo altid forestillet mig at damer som sa saant det var bare saanne noksagtjenter og saa de forvorpne fine byfruerne da som vi gaar og indbilder os saa mye rart om. Men jeg skjønte da saapas helt fra første stund jeg saa dig at du var — ja alt som det gaar an for en mand at se op til og bli forelsket i og beundre. Det gjorde jeg hele tiden kan du vite — mere og mere jo mere du — overrasket mig, fordi du var saa forvoven som du ikke visste hvad det var at være rædd eller mistroisk. — Siden skjønte jeg jo at denne flaakjeftetheten til dig og Gerda den hadde dere lagt dere til for at erte moren og faren deres, fordi de preiket frilynt evig og altid, og saa hadde de i virkeligheten aldrig drømt om at noen mors sjæl kunde ønske sig andre friheter end dem som de kjæmpet for. Dummere var jeg da ikke lel end at jeg skjønte d e t. Men du vet at jeg og søskendene mine vi vilde jo aldrig ha faldt paa at snakke til far eller mor paa den maaten. Det var ikke det at vi ikke kritiserte dem i vort stille sind ofte, og naar det kom til stykket saa g j o r d e vi kanske mere end dere det vi selv vilde. Men opponere mot dem i ord — nei det kunde vi ikke ha tænkt os tror jeg —.

— Men det var det jeg vilde sagt — jeg har tænkt, du maa da ogsaa ha følt det slik ofte — som du blev blingsøid med ett naar du saa paa mig —?»

«Jeg forstaar hvad du mener,» sa Nathalie om litt. Hun tok haanden hans. «Godnatt da Sigurd. Nu slukker jeg, og saa faar vi forsøke at sove.»

I mørket kjendte hun at han lettet sig litt op og bøiet sig indover henne. Hjertet hennes blev stille av forventning — et vindstøt som døde hen i det samme blev likesom henne selv som holdt pusten. Haanden hans lette efter hennes ansigt, saa kysset han henne lett og forsigtig og la sig ned i sengen sin.

Straks efter pustet han jevnt og sovende. Nathalie laa og lyttet til vinden som huserte omkring væggene og sjøbruset og suset i furuerne. Det blaaste ikke fuldt saa meget nu længer.

Han er nervøs, tænkte hun — noe maa det jo være som trykker ham og, men det er vel nervøsitet det meste. Hun var sig ikke bevisst engang hvor inderlig hun haabet at det mest skulde være nerver. Under laa vissheten blytung: han hadde vært borte i ett eller annet, og det var en annen kvinne. En som hadde satt ham noen fluer i hodet. Denne Gaarderjenta, hun hadde vel flirtet med ham — lukket op for sit vesle indre og betrodd ham sine tanker om byen som var saa og saa ugjestfri mot bondestudentar, selv naar de var nydelige smaapiker — og bygdefolk og byfolk som aldrig kan forstaa hverandre, og folk fra sjøen og folk fra fjellet er to forskjellige menneskeslag. — Og saa hadde kanske denne flirten deres gaatt saa vidt saa nu bakefter led han av bondeanger. Igrunden var den gode Sigurd ytterlig konservativ slik. Og det var jo vakkert slik, i almindelighet, men av og til vilde det ikke være avveien om en mand kunde ta noenting litt mere lettvint. — Men hun haabet, aa hun haabet, at det meste var noe fysisk. Som en doktor kunde gjøre ved —.

Hun trodde at hun netop hadde sovnet da vækkerklokken la ivei og skramlet. Hun hadde voldsom hodepine. Veiret var litt stillere, men fjorden gikk mørk og graa med hvite skumkammer — det blev nok en ordentlig husketur ind til byen. Henne gjorde det ingenting, tvertimot. Men Sigurd blev helt fornærmet hvis ikke solen skinnet uavlatelig naar han var ved sjøen. Det var pussig, for paa fjellet trivdes han i alslags veir.

Denne morgenen virket han forresten meget roligere. De snakket ikke stort, men de følte sig vel i hinannens selskap da de fulgtes gjennem den dryp-pende vaate skogen nedover til bryggen. Det var synd at se som uveiret hadde fart med alle de pene haverne omkring anløpsstedet — de som hadde sommerhus der la saa meget arbeide paa stedene sine.

«Ja da gjør jeg som du sa og blir i byen noen nætter,» sa han næsten muntert idet de gikk fra borde. «Saa kan vi kanske møtes og spise lunsj sammen om dagene. Jeg skal ialfald ringe til dig det første jeg gjør hver morgen.»

Men om eftermiddagen ringte han op og sa at Asmund vilde utover ikveld, og da blev han med.

«Men det behøver du da ikke,» mente Nathalie.

«Naa nei men —. Det blir ikke noe morro for dig at skulle underholde Asmund alene hele kvelden.»

7.

Der var noe iveien mellem Sigurd og Asmund ogsaa. De hadde vært saa underlig krakilske de sisste gangene hun hadde sett dem sammen. Meningen hadde vært at Asmund skulde se ut en gang i uken eller saa. Etpar ganger hadde han anmeldt sit besøk, men han hadde altid faatt forhindringer.

«Det er kjedelig du skal være saa uheldig med veiret,» konverserte Nathalie. «Naar du endelig en-gang kan være med utover.» Det var rigtig ufyslig paa baaten, de satt i læ bak kahytsvæggen, men det var ikke noget læ at snakke om. Støvregn og sjø-sprut drev skraatt i luften, vinden fikk klærne deres til at flakse saa ekkelt, dampbaaten husket sig og rullet. Øiene med sommerhusene laa utsubbet og farveløse i regnskodden, Nesodlandet skimtet saavidt gjennem veiret.

«Kanske vi heller skulde flytte ind,» foreslog den ene eller den andre av brødrene fra tid til annen, men der var overfyldt i salonerne.

Næsten ingen som møtte paa stoppestederne. De smaa bryggerne hvor det pleiet at vrimle av sommerklædde fruer i storblomstrede buksedragter, unge gutter og piker i gjilde jumpere, nu laa de øde med glinsende vaate planker og bakken indenfor pløiet op av regnvandsstrømmer. Passagererne hufset sig iland og krøket sig med pakkenellikerne sine indunder paraplyer. Ingen paa badeplassene, ingen paa baatbroerne hvor snekker og kuttere vippet vaate og forlatte og rykket i fortøiningerne. Badehusene stod og glodde ut av smaa vindusglugger gjennem regnet. Huff det var rent høstlig —.

«Det ligger egentlig for langt fra bryggen da,» bemerket advokat Nordgaard, mens de strævet opover skogstien. Det silte fra trærne meget værre end ute i regnet; barnaalerne var skyllet sammen i smaa driver og bakken sleip. «Naar det sætter ind med styggveir.»

«Du vet det er noksaa langt,» indrømmet Nathalie. «Naar man maa til byen hver dag. For dem som ikke det behøver er det jo et rent ønskested.»

Barna holdt paa nede i fjæren. De løp ut paa sandbremmen efter sjøen som randt tilbake, rømte skrikende opover mot tangkanten for den nye bølgen som kom hvelvende indover og brøt saa det sprøitet over dem. Det var en stokk som laa og vasket indpaa stranden; de skulde nok forsøke at faa tak i den.

Uttrykket deres da de opdaget de tre voksne klemte likesom Nathalie om hjertet, saa yndig syntes hun at det var — som de ikke kjendte dem først, saa helt borte hadde de vært i leken sin. De stod og stirret, distræ og rare; de smaa ansigtene deres var brændende røde og haartisterne klisset mørke indunder de væteblanke sydvesterne. Saa la de paa sprang opover saa vandet kulket i gummistøvlerne deres; de lignet to smaa sjøtroll. «Har du noe rart med til os, far?» spurte Maiken fornuftig.

Norma gikk og dækket bordet, og advokaten begyndte med en gang, uten at si goddag eller noe «— begriper ikke hvad De tænker paa, frøken Eriksen, la barna fly alene ned paa stranna i dette veiret. — Om det hadde hændt en ulykke saa kunde jo ikke De hørt det ut paa kjøkkenet — om de skrek aldrig saa høit saa kunde jo umulig De ha hørt noe —.»

Norma var sint da Nathalie kom ut til henne med pakkerne sine. Det var ikke bølger at snakke om nu længer, og barna hadde været aldeles umulige hele dagen; stakkar de holdt ikke ut at være inde længer. Beskeden om at ingeniøren og advokaten kom ut til aftens hadde hun ikke faatt; Nathalie hadde ringt til landhandleren, men der hadde ikke vært noe bud derfra —.

«Jeg er lei for det, Norma, jeg kunde ikke gjøre noe for det. Nu skal jeg ta med barna ovenpaa og bytte paa dem, saa faar De være saa snil at dække til to til. — Mat nok har vi da gudskelov!» Norma smeiset hele slumpen av stivnet stekesaus op i kasserollen.

Rent tøi var det smaatt med — den sisste vasken hadde de ikke faatt tørr. I en skuff fandt Nathalie nystrøkne pyjamas til barna. «Dere kan godt gaa ned og spise aftens i pyjamas.» Det syntes de var saa ubegripelig morro saa de gav sig til at fly og sparke tøflerne efter hverandre hele rummet rundt. «Nei Maiken og Torgal, gaa ned til far nu før dere faar skitnet dere aldeles ut —.»

Selv hadde hun ikke annet hun kunde ta paa sig end bunaden.

«Nei se paa den da!» Asmund Nordgaard klasket hænderne sammen i tilgjort beundring. «Har du faatt dig nationaldragt Thali?»

«Neida det er den gamle. Jeg gaar med den her=ute om søndagerne,» sa hun brydd.

«Javisst ja. Er det ikke» — han gikk nærmere. «Det er da den gamle søljen til mor? Naar fikk du den?»

«Du vet da at Nathalie har hatt den helt siden vi var forlovet.» Sigurd var ærgerlig — det var ak=kurat som han ikke likte at hun hadde paa sig drag=ten, merket Nathalie. Hun blev ilde ved — nu igjen var der ett eller annet som stod paa, og hun visste ikke hvad det var.

Ungerne braaket alt de orket mens de satt til=bords, og de voksne braaket med for at skjule at de var ute av humør. Da de var færdige med at spise la Sigurd paa peisen. Barna krøp op i fanget til sin far. «Naa skal du spille trækkspil for os tante Thali,» kommanderte Maiken. «Har ikke tid ven min, — først maa jeg hjelpe Norma, saa vi kan bli færdige engang med aftenstellet —.»

Men da hun kom ind igjen fra kjøkkenet var det paa tide at faa Gary og Maiken iseng. De prote=sterte, og deres far støttet dem saa smaatt. Nathalie gjorde ende paa diskussionen. «De kommer bare til at forkjøle sig. Kjend» — hun la haanden mot Tor=gals kind, den var glohet av peisvarmen. Asmund gav sig med det samme, — han var litt hypo=konder paa egne vegne og meget naar det gjaldt barna.

Asmund sprettet op whiskyflasken som han hadde hatt med. Selters fandtes ikke i huset, og brønd=vandet var aldeles brunt efter regnet. Der var ikke noe at gjøre ved det.

Nathalie somlet oppe paa barneværelset. Hun hørte mandfolkenes stemmer nedenunder hele tiden — nu kjeklet de igjen vist, uff. Omsider laa barna i sengene sine. Rent av vane bar hun toalettbøtten med ned, gikk rundt til forsiden av huset og tømte den paa de utrivelige floksene som Sverre hadde plantet langs verandaen. Den tiden det var saa tørt hadde hun brukt at gi dem alt skittenvandet.

Hun gikk op paa verandaen. De hadde lukket op et vindu. Nathalie hørte at Asmund sa høit og hissig:

«— jamen du er da guffordømme mig saa slapp saa en skulde tro du holder paa at bli rent sløv! Jeg begriper faen ikke at n o e n av dem kan synes du er noe at samle paa —.»

Hun kunde ikke høre hvad Sigurd svarte. Hun saa at han stod borte ved peisen, men det gløste bare litt ildmørje indpaa der, og fremme i spisekroken hang lampen tændt, saa hun kunde ikke se de to borte i tusmørket tydelig. Nathalie la ikke engang merke til at hun blev staaende for at lytte.

«— hvad du tænker paa,» tok Asmund i igjen. «Du kan da ikke bare la alting gaa sin gjille gang —.»

«Aa det gaar vel som det er laga —»

«— som det er laga!» Asmund frøste. «Jassaa, du trur paa lagnaden au du da som vi sa i gamle dager.»

«Jeg gjør vel det da,» svarte Sigurd trassig.

«Det var betydelig realere om du sang ut selv syns jeg.» Saa sa han noe som hun ikke kunde høre «— maatte da være mindre ydmykende for dig ogsaa — og for henne med — — faar høre det først av noen annen. For du kan forbanne dig paa at hun faar nok vite det før eller senere —»

Sigurd sa noe som hun ikke hørte «og naar hun ikke spør, saa er det vel fordi hun ikke v i l vite mere —»

Nathalie aapnet verandadøren. De to ved peisen kvakk. De hadde vel ikke ventet at hun skulde komme ind den veien.

«Jeg skulde be dig gaa op og si godnatt til barna,» sa hun til Asmund og fortsatte ut paa kjøkkenet med bøtten. Hun blev staaende derute — hun gruet som en hund til at gaa ind og sitte sammen med dem. — Men det gikk vel ikke an annet. Da kom Sigurd i døren.

Han lukket den bak sig men blev staaende der han stod, og hun stod borte ved kjøkkenbænken og rørte sig ikke. Hun kjendte at hun blev blek, saa blek saa manden kunde ikke annet end se det — og dermed syntes hun at hun var ikke annet end rasende paa ham. Ydmykelse, snakket de om — dette var ydmykelse det. Hun stod der, ingen av dem sa noe. — Det var som en utrasning skedde ett eller annet sted, i henne eller mellem dem. — Endda hun skjønte, i hans holdning var der noe som om han søkte tilflugt —.

— og nu kom Asmund; han steg saa tungt i trappen.

«Kommer du ind?» spurte Sigurd lavt som han bad henne om det. Nathalie nikket, hun fulgte efter ham ind.

Asmund hadde satt sig. Sigurd gikk bort og lettet paa whiskyflasken: «— skal jeg skjenke i til dig, Thali?»

«Neitakk. Du vet, jeg liker det ikke uten med selters.» Hun satte sig bort til spisebordet med strikketøiet sit. Da merket hun at hun var saa ustø paa hænderne saa hun blev rædd for at de andre skulde se det. Hun bøiet sig over bladet og gjorde som hun studerte opskriften: «ser ikke barna godt ut, syns du?»

«Glimrende.»

Men næsten med en gang blev stilheten saa paatrængende at Asmund tok sig sammen og konverserte: «Det er kjedelig med dette veiret — for barna ogsaa. De skulde gjerne være mest mulig ute mens de er her —.»

«Det har nu da bare vart disse to dagene — og det er meget stillere nu. Det var næsten klart da jeg var ute ista —.»

Sjøbruset fra stranden hørtes meget tydeligere efter dette. Nathalie bøiet sig over opskriften og tællet halvhøit.

«Svært saa flittig du er bestandig, Thali,» sa Asmund.

Hun hadde kommet til at sukke — men hun tok sig fort i det: «det er hyggelig at ha litt at hænge fingrene i. Det er en fordel som vi kvinnfolk har vet du.»

Ingen av de andre fandt noenting at svare paa det.

«End du som er blitt politiker da —» Uff, det var ikke neutralt emne det heller. — Men de kunde da ikke sitte her og bare tie stille. Og hun orket ikke finne noe bedre i farten. «Du talte paa Aamot i lørdags saa jeg i avisen —.»

Asmund bredde sig i kurvstolen. «Ja. Saanne tider som vi gjennemlever nu saa er det min mening at det er hver mands pligt at danne sig en mening om forholdene og saa gaa ind for den. Det er netop det som jeg har fremholdt for Sigurd her. Naar selv han kan indse at de gamle politiske partierne har utspillet sin rolle. Saa er det en mands pligt at sætte sig ind i det nye som er oppe i tiden og vælge sit standpunkt til det —»

«Pligt!» sa Sigurd haanlig. — Det slog Nathalie at nu var forholdet mellem brødrene blitt slik som det hadde vært det første hun kjendte Sigurd. Da var han den yngste, Asmund hadde vært odelsgutten, han var gift med Louise — det var som han kom stigende ned fra et berg av førstefødselsrettigheter naar han avla Oslo et besøk. Da han flyttet til byen som halvveis enkemand, med konen forsvunnet paa asyl, blev det anderledes. Da hadde han bruk for Sigurd til ven og kamerat; de møttes paa like fot. Og efterat han var blitt gift med Sonja kom han til at trænge broren endda mere, Sigurd hadde friere hænder og kunde hjelpe, naar

Asmund var i vanskeligheter. – Men nu hadde Asmund tatt igjen plassen sin som den ældste broren og det med eftertrykk. – Der var den forskjell at i gamle dager hadde Sigurd funnet sig i brorens overlegenhet nærmest med glæde; det var han opdraget til. Nu mukket han. Men det var som den annen hadde haanden paa nakken hans og vilde dukke ham under.

«Pligt til at sætte sig ind i kan vel ingen ha – pligt til at forsøke faar du ialfald si. Men hvis en sak er slik saa ethvert fornuftig menneske kan skjønne, der maa være faktorer med i spillet som ingen kjenner i øieblikket – om noen kan faa held til at opdage dem siden kan vi ikke vite nu, nu kan vi bare se at de er der. Da skulde jeg mene, det er først og fremst en mands pligt at indrømme, her kan jeg ikke gjøre mig op noen mening, fordi jeg har akkurat saa meget overblikk over sakerne saa jeg kan se at her er der noen kræfter i virksomhet som vi endda ikke kjenner ordentlig –»

«Man faar slutte fra det man kjenner til det ukjendte –»

«Ja det høres jo vel og bra ut. Naar dere bare ikke glemmer at der er forskjell paa det som dere *vet* fordi dere virkelig kjenner det, og det som dere tror fordi dere har sluttet dere til det – at dere husker, saanne slutninger blir naa ikke mere end formodninger da. Det var akkurat det som det gamle bondevettet bestod i skal jeg si dig – de greide at holde de to tingene ut fra hverandre. Det som de trodde fordi de kjendte det og det som de trodde fordi de hadde sluttet sig til det. Mens for eksempel saanne folk som – ja la mig si min svigerfar og min svigermor, de trodde akkurat paa samme maaten paa det som de visste og det som de bare formodet, fordi de hadde sluttet sig til det eller ønsket det og saan bortigjennem –. Ja har jeg ikke rett i det Nathalie?»

«Jo?» sa hun forundret. Hvad gikk der av manden —? Alt som han hadde faatt det med at spekulere paa i det sisste —!

«Jo det skulde bli deilige greier hvis alle mennesker vilde ræsonnere paa den maaten!» Asmund var forarget. «Da vilde jo hele verdensutviklingen stagnere aldeles da, hvis ingen turde slutte fra det en vet til det som er sandsynlig —»

«Jeg sa ikke at en ikke skulde det. Jeg sa at en skulde altid huske hvad som er hvad. Det er det som doktorne gjør for eksempel, hvis de duger noe da. Kvaksalverne er netop slike som ikke gjør det.»

«Du syns det er enslags politisk kvaksalveri vi driver med vi da, vi som mener at nu er tiden inde til at reise et merke som hele nationen kan fylke sig under, uansett klasseinteresser og forskjellig slags opdragelse og slikt. — Og istedet faa alle til at føle sig som bare nordmænd.»

«Bare nordmænd er det ingen som er. Akkurat som ingen er bare proletarer eller bare tyskere eller hundredeprocents amerikanere eller noenting bare. Det faar dere ialfald aldrig mig til at tro. Vi er naa engang alle mennesker, og det er mere indviklet.»

«Det er netop det som er saken Sigurd — det har lykkedes for andre folkeledere at faa millioner av mennesker til at føle sig som bare proletarer eller fascister eller medlemmer av en nation. Vor tid har ikke tid til noen indviklet menneskeopfatning —»

«Nei for livet er blitt saa indviklet saa en maa ha baade intelligens og kundskap og redelighet og god vilje bare for at faa overblikk over hvor vanskelig det er at finne noen traader som en kan ta fatt i, før en kan haabe at faa greiet ut noen av flokerne. Det er lettvintere at prøve om en kan faa hypnotisert folk til at tro de er bare ditt eller bare datt — døive dem i længste laget med agitation saa de aldrig faar ro til at opdage at de er en hel del annet ogsaa end det som lederne deres sier. — Ikke for at jeg tror dere greier noe slikt her i landet — saavidt jeg kan skjønne har dere ingen i partiet som er slue nok eller begavede eller uvørne nok til det. Ikke endda ialfald. At det lar sig gjøre, det vet jeg og det — naar forholdene er gunstige og manden som passer ind i situationen er der og raader over tilstrækkelige magtmidler. Saa kan nok en saan forenklingspolitikk føre til at et kupp lykkes. Selv om jeg ikke tror at der kommer annet ut av et kupp end tilstander som fører til et annet kupp om kort eller længe. Men selvfølgelig faar jo lederne forsøke at holde stillingen i længste laget — utrydde alle saanne elementer som de ikke kan omvende, og saa synge for resten av folket saan som karelerne brukte at synge for den bjørnen som de veidet — du husker vel Kalevala vel?»

«Jeg kan ikke si at jeg gjør det,» sa Asmund arrig.

«Det burde du. Det var da dig som holdt foredrag om Kalevala hjemme i ungdomslaget. Louise hadde læst den med os, husker du ikke det heller —?

Dig, o Jumala, jag prisar,
Lovar, skapare, dig ensam,
Att åt mig du björnen gifvit,
Skänkt mig skogens gull till byte!
　Och han såg uppå sin älskling,
Yttrade ett ord och sade:
«Du min Otso, du min ende,
O du honungstass, du sköne,
Bli ej ens på skämt förtörnad!
Jag var icke den dig fällde:
Själv du halkade från granen,
Snavade mot barrträdskvister,
Sönderrev din benbeklädnad,
Rev din gråa rock på granris.
　Bry dig därom ej min Otso.
Icke skall din päls fördärvas,
Ej dit ludna skinn skall tagas
Till en dräkt för usla männer,
Till eländigt folks beklädnad.»

Derpå gamle Väinämöinen
Drager pälsen av från björnen,
Hänger den på visthuskullen,
Lägger köttet ner i kitteln —»

«Det var faen!» sa broren. «Poesi har jeg ikke hørt dig citere før lel. Er det noe han har slaatt sig paa i det sisste, Nathalie?»

«Sigurd har da altid hatt lett for at lære vers vet du. Alle de viserne som vi danset efter før i verden kunde altid han bedst kan du vel huske.» Hun blev rød — det lød saa dumt.

«Aa saan» Asmund saa usikker bort paa svigerinnen som satt der i bunad. «Skal dere — er dere gaatt ind i laget igjen da?»

«Nei da.»

Sigurd sa utaalmodig: «Jeg kom til at tænke paa det her om dagen og saa tok jeg og læste opatt det der om bjørnejagten. Du skulde ta og se paa det du og — der er mye at lære for en som vil bli politiker. Først fortæller Väinämöinen en storartet legende om aassen Otso blev skapt av naturens sköna döttrer — det fine materialet som de brukte til det og den gyldne vuggen som de vugget ham i under granens blomsterkroner og saan bortigjennem. Saa blir disse naturens döttrer og Otso selv enige om at han skal være en gylden gave til gamle trygge Väinämöinen. Og da han hadde flaadd Otso da og kokt suppe paa kjøttet hans saa tok han tilslutt og borttok björnens betar —

Ryckte ut hans tänders rader,
Stödd med knät imot hans skalle
Drog han ut dem med sin järnhand.»

Asmund satt litt før han svarte. «Jeg skal si at du har noen eleverte forestillinger om — om —. Du kunde ikke tilfældigvis tænke dig at de mænd som forsøker at finne en vei ut av kaos og uføre for sit folk kunde ha andre motiver end det at ville flaa bjørnen og koke sig suppe paa kjøttet?»

«Jagten var hovedsaken for Väinämöinen vet du. Du husker vel, han er digter —? Den store sångern. Han elsket Otso ærlig og redelig han og trodde alt det der om at den var til for hans skyld. Saa drog han av den felden og brøt tænderne ut av hausen paa bjørnen.»

«Selvfølgelig er der altid noget betagende i at være med hvor der staar kamp om magt — om folkenes skjæbner. Saan har menneskene følt bestandig, og det kommer de til at gjøre saa længe jorden staar.»

«Du sa saa haanlig at selv jeg kunde indse, den gamle partipolitikken hadde utspillet sin rolle. Jeg skal fortælle dig hvorfor jeg tror det. Den virket bra nok den, saa længe alle partierne var enige om hovedsaken. Hvad det er for noe at være menneske og hvad som er de virkelige goder for alle mennesker. Saa kunde de faa prøve efter tur hvadfor metoder som var bedst til at sikre folket mest av saanne goder. Naturligvis var de uenige om hvor stor portion av disse goderne det kunde bli paa hvert menneske i samfundet — og de som satt med magten i øieblikket mente bestandig at de hadde rett til ekstrarationer for umaken. Det kunde gaa ganske bra allikevel — for alle partierne var faktisk ment paa at fremme hele folkets vel, og hvad det var var de ikke uenige om i bund og grund. Der kan vel ingen negte for det heller, at saalænge parlamentarismen fungerte saa kom der mere og mere orden i tingene, og lovene blev rimeligere og levestandarden bedre over hele linjen. Det er bare det at nu fungerer den ikke længer, fordi nu er partierne i høiden enige om noen biting. Det er hovedsaken som de ikke er enige om mere.»

«Ja faa vite da hvad du syns er saanne hovedsaker —?»

«Hovedsaken, det er vel igrunden hvad man tror at et menneske er for noe.»

Asmund saa litt forvirret ut. Men straks efter var han like overlegen igjen. «Jassaa? — Jeg vilde nu trodd at der var forskjellige problemer oppe i tiden som er vigtigere end det. Fredssaken for eksempel, eller arbeidsløsheten, eller familiekrisen —.»

«Jamen skjønner du ikke,» blev Sigurd ved stædig, «at en kan ikke løse noen av dem uten en vet hvad en tror et menneske er. En kan ingenting gjøre med familiekrisen hvis en ikke har en mening om hvor langt et menneske er underkastet naturens orden. Den har naa aapenbart ingen annen mening med at pare sammen individerne end at faa yngel av dem. Den har stelt det slik at noen slags yngel skal ete sig ut av et eple eller skindet paa en levende ku, og andre skal forældrene slite sig ut for, og derfor er det saan at noen dyr synes det er saa deilig at mate og sleike ungerne sine saa de blir rent fra sig, hvis de mister dem. Og menneskene synes det er deilig at faa spille autoritet og forsyn for yngelen sin. Men naar samfundet vil være alt det der for folks avkom og vi nu engang har lært os den kunsten at undgaa barn som vi ikke venter at faa noen fornøielse av —. Saa kan det vel gaa saan at vi blir saa faa, og svartingerne og de gule folkene saa mange, saa de kommer og løser familiekrisen for os. Saa arver vel de arbeidsløshetsproblemet da — naar folk kan lage de samme artiklerne alle steder paa jorden omtrent, men noen steder maa de ha mere for sit arbeide, for de maa ha solidere hus og mere til lys og varme og mat og klær end de behøver paa andre plasser. Dermed kan det bli deres tur til at undre sig selv over at de lar rustningsindustriens folk tjene bedre end alle andre og lar sig skræmme til at gi dem mere og mere at gjøre. Da kan de faa spørre sig selv — aassen kan det være at en kan faa gjort et helt folk krigsbegeistret naar en lover, at det skal faa diktere et annet folk livsbetingelserne? Og at det andre folket er like indbitt bestemt paa at forsvare sig til det ytterste, før det lar sig paa=tvinge levevilkaar efter fremmedes godtykke.»

«Jamen det er jo netop det vi vil da mand! Vi vil netop slaa ring om forsvarssaken. Og føre en familievenlig politikk. Og skape arbeidsmuligheter for hele folket.»

«Ja det høres vel og vakkert ut. Men jeg skjønner ikke hvad det kan nytte at sætte op et saant pro=gram hvis ikke dere har en bestemt mening om hovedsaken. Du sier at dere vil føre en familie=venlig politikk. Men da kan du ikke vente tilslut=ning av folk hvis ikke de tror at familien er enslags organisme som det ikke gaar an at operere paa ut=over visse grænser. Opererer man for meget paa den saa mister folket evnen til at fornye sig — selv om ikke guttene og jentene mister lysten til at leke sig med det samme. Det er saan med de enkelte menneskene og, vet du, efter noen slags sykdommer og operationer, at de faar ikke akkurat asketiske ten=denser, men de er ikke sterile for det. Men naa er der altsaa en masse ungdommer som er overbevist om at familien er bare en unødvendig ubehagelighet, og folk har funnet sig altfor længe i alle de pla=gerne og ydmykelserne som det altid blir nødvendig at noen maa underkaste sig, hvis en skal holde paa familien som grundlag for samfundet. Og det samme er det med arbeidsmulighetserne, selv om det skulde lykkes for dere at faa skapt slike forhold saa alle kan faa noe at gjøre. Naar en er arbeidsløs saa tænker en, mange ialfald tænker, at de vilde heller ta hvad=somhelst end gaa og slænge. Det tænkte jeg selv, i min tid. Men er det først arbeide nok saa skal du faa se paa at der er noe arbeide som alle vil ha og noe som ingen har lyst til at ta. Jeg sier ikke noe om det heller. Det er meget arbeide som jeg nødig vilde gjøre hvis jeg trodde jeg kunde faa et annet — eller saa hvad andre fikk lov til at holde paa med.»

«Ja se der har vi det! Akkurat den mentaliteten som vi vil tillivs! At det ene arbeidet skal være finere eller simplere end det andre ogsaavidere. Nei folket maa faa det syn paa arbeide ser du — naturligvis under rimelig hensyntagen til de enkeltes evner og anlægg — at alle yrker er like fine og ærer sin mand, fordi ingen skal arbeide for sig selv længer, men alle for helheten —»

«Hvadfor en helhet da?»

«Nationen vel. Landet og folket, stammen —»

«Saa er vi ved det samme igjen da. Folket og stammen, det vil jo nøgternt talt si alle de fremmede menneskene. Det er ingen grund til at tro de er enten værre eller bedre end mine bekjendte; jeg vet ikke annet sikkert om dem end at jeg aldrig faar se dem. I gamle dager var det anderledes, da kjendte de os de i gravhaugerne eller i himmelen, selv om vi hadde det til gode at gjøre deres bekjendtskap — og de ufødte skulde vi opleve, naar vi var gaatt over i en annen livsform. — Det er det jeg mener, Asmund. Det er ikke mulig at samle et folk om noenting nu fortiden. For ingen steder er de enige om det vigtigste. En maa indrette sig forskjellig her paa jorden eftersom ens tro er. Hvis dette livet er alt og du og jeg er som vi aldrig hadde vært til naar vi dør, saa steller vi os paa en annen maate end hvis vi tror at dø, det er at gaa over maallinjen og komme ind for bedømmelse —.»

Nathalie hadde latt strikketøiet synke ned paa bordet. Forundret og litt skræmt iakttok hun sin mand, men samtidig kjendte hun enslags lettelse. Var det noe slikt som stod paa med Sigurd —? At han var kommet op i enslags religiøs krise? Det var likevel ikke saa farlig som — ja som mangt annet hun hadde vært rædd for —.

Asmund saa paa broren — næsten foragtelig syntes Nathalie.

«Aahaa! Er det slik du har det. Du er begyndt at bli rædd for — bedømmelsen, som du kaller det? Du er med andre ord blitt vakt ogsaa nu da?»

«Jeg vet ikke akkurat om man kan kalle det det. Men jeg negter ikke, jeg skulde ha fan saa god lyst til at vite hvordan det forholder sig i virkeligheten. Om alt en har gjort tilslutt ingenting betyr for en selv længer — nu raker konsekvenserne bare de andre. Eller om det er slik, at netop som du tror, nu forsvinner jeg fra hele skitten, saa vaakner en og opdager at nu først skal jeg bli tvungen til at forstaa ordentlig hvad alt betyr som jeg har gjort.»

«Det er ialfald et usselt grundlag for moral, Sigurd. Du syns bare det kommer an paa om en skal bli lønnet eller straffet efter døden da?»

«Kald det det, hvis du gidder. Jeg mener, det kommer an paa om jeg virkelig slukner naar jeg slukner, som farmor kaldte det, eller om bevisstheten min er noe som jeg aldrig skal bli kvitt.»

«Skulde det ikke gjøre noen forskjel da», spurte Asmund, «naar du ligger og skal dø, aassen du har stelt dig i det livet som du kan se tilbake paa?»

«Sikkert gjør det forskjel jo. Mindst saa stor som for eksempel mellem Majorens sisste stund da du og jeg maatte ta livet av'n nede i jernbaneskjæringa og saa Sikkas — da far hadde sagt at naa var det snart dyrplageri at la henne leve længer, naa fikk hun faa en kule til høsten, og mor og vi ungerne gikk der og visste ikke hvad godt vi skulde gjøre henne. Men naar de var døde saa var de døde og saa var der ikke forskjel længer.»

«Ialfald kan jeg berolige dig med at vi staar paa den positive kristendoms grund», sa Asmund avsluttende.

Broren lo. «Det var bra at høre det da. Du tror at kristendommen er positivt sand altsaa. Alt det som din svigerfar lærte os da vi gikk og læste for ham?»

«Nei Sigurd! Sin tro faar hver mand faa lov til at beholde for sig selv. Vi nøier os med det at det norske folk er et dypt religiøst folk, og da tar vi hensyn til folkets religiøse følelse. Du kan forbanne dig paa at selv blandt kommunisterne — jeg vil ikke engang snakke om arbeiderpartiet — der er nok mange der som ikke er saa blottet for religiøs tro som de gjerne vil gi det utseende av. Naar det bærer i herdinga saa —.»

«Men saa spørs det da, er den troen bare noe overtroisk som sitter i os fra gammeltia av. Eller er det fordi der fins en kraft som drar i os paa samme maaten som la mig si tyngdeloven —?»

«Ja det kan jeg vet Gud ikke svare dig paa», sa Asmund opgitt.

«Nei det tror jeg det! Og det samme maa vist de fleste si. Men skjønner du ikke at det kan umulig nytte at ville ordne tilværelsen for menneskene, naar ikke en vet mere om hvad tilværelsen e r. Det maa bli like forbanna at ta feil, enten en vil bygge paa en overtro, eller en vil bygge stikk imot en naturlov —».

«Ja det kan da ikke jeg hjelpe for! Vi kan ihvertfald ikke la alting drive mens vi sitter og drøfter religiøse problemer og saantno. Jeg for min del har faatt nok og mere end nok bare med det som du har servert her iaften. Saa nu vil jeg gaa og lægge mig!»

«Jaja. Det er blitt sent og forresten. — Men det du sa om at man kan ikke la alting drive mens man drøfter religiøse problemer —. Kan du ikke skjønne at det er netop drive vi gjør, om vi aldrig saa meget trøster os med at vi sliter og ror, naar ikke vi har en anelse om hvor det bær' hen?»

«Aanei hold kjeft naa da gutt! Snakk med en prest da vel om de derre spekulationerne dine, og samvittigheten din, hvis det er den —. Nathalie ser ut som hun holder paa og skal dætte i koll saa trætt er hun —.»

Nathalie fulgte svogeren ut paa gaardsplassen. Det dryppet koldt under furuerne, men der var store bleke klarer av himmel over de drivende skytjafser.

«Fyrstikker, har du —? Lampen staar paa kom=moden. Det skulde være i orden alting, men jeg kan vente til du er kommet op, om det skulde mangle noe —».

Bølgerne gikk ikke nær saa store nu hørte hun, og skyerne drev ikke saa fort. Suset i skogen var næsten dødd vækk, men den smule vind som blaaste kjendtes isnende. Sommernætterne, dem var det kan=ske slutt med for iaar.

Det blev lyst bakom ruten i uthusgavlen, og straks efter tonet svogeren frem paa toppen av trap=pen med noe hvitt i haanden.

«Aa undskyld! Har hun glemt at fylde vaske=vandsmuggen. — Vil du gi mig karaffelen ogsaa saa skal jeg gaa efter —.»

Asmund vilde være med henne ind paa kjøkkenet.

«— nei vent saa skal jeg komme ut med —» Hun stakk ind efter bøtten og en øse — lyttet: ikke en lyd hørte hun til Sigurd. Men hun bar ut bøtten og fyldte i Asmunds mugge og karaffel utenfor paa trammen.

«Du maa faa Sigurd til at snakke ut med dig, Thali. Paa denne maaten bærer det jo rent gærnt ivei med hele karen.»

Hun greiet ikke svare. Sigurd og jeg skal nok klare os selv, det behøver ingen andre at lægge sig bort i det som er mellem os — men hun følte, saa sorgen og harmen klemte omkring strupen hennes, at det var ikke saan mere. De var ikke to som var ett, de var hver for sig, og Gud vet hvem som visste mere om Sigurd end hun gjorde —.

«Han gaar jo her og blir aldeles rar.» Asmund stod i lyset som faldt ut gjennem det rødrutede kjøkkengardin; det fikk ham til at se saa varm og fyldig ut, likesom han vilde rykke henne indpaa livet med fortrolighet — hun syntes hun hatet ham. «Du er jo da et fornuftig menneske, det har jeg sagt til Sigurd ogsaa —».

«Det haaber jeg da at jeg er. — Men nu maa du gaa, Asmund.» Høflighetsvanen fikk overhaand i henne: «Hvis vi i det hele skal komme iseng inatt», la hun til.

Hun stod og saa efter ham mens han skraadde over gaarden og kløv op den lille utvendige trappen til uthusloftet. Hun gruet — haabet, at Sigurd ikke var i peisestuen. Men hun blev syk av oprør naar hun tænkte paa at saa skulde de vel til med en saan faafængt plagende forklaring som ingen forklaring var, oppe paa soveværelset. Aa men han er er naut, tænkte hun. For han mener jo ikke at pine mig —.

Da kom han i kjøkkendøren bak henne: «Staar du der —?»

«Norma hadde glemt at sætte op vand til Asmund.» Hun tok vassbøtten og gikk ind, han diltet efter henne, saa latterlig syntes hun.

«Dere blev længe —».

Nathalie tok et haandklæde og tørket av sig — hun hadde sølt vand nedover stakken og forklædet. «Kanske du haabet at Asmund skulde spare dig umaken og fortælle mig det som du ikke kan faa dig til at si mig?» Hun blev forfærdet selv da hun hadde sagt det — det hørtes jo avskyelig —.

«Haabet —?» sa Sigurd dypt forbauset.

«Ja eller var rædd da.»

Han svarte ikke.

«Antagelig gjør han det ogsaa, hvis ikke du kommer ham i forkjøpet. Lysten mangler aapenbart ikke.» Igjen blev hun forfærdet — Men Gud, hvordan er jeg mot ham! «Det vil si, han syns vel det er hans pligt. Naar ikke du selv vil saa.»

«Vil? Jeg har nok villet det mange ganger jeg, Thali. Jeg vet ikke hvor mange ganger jeg har tænkt, idag, naar jeg kommer hjem saa sier jeg det. Men saa naar det kom til stykket saa —.» Han trakk paa skuldrene.

«Men kjære dig da Sigurd» — og nu hørte hun selv at hennes stemme klang øm, med litt smil i, det ogsaa kom av sig selv, uten at hun hadde villet det. «Er det noe som er saa forfærdelig da, siden du har saa vondt for at faa sagt det?» Og da hun ikke fikk svar gikk hun ind i peisestuen. Hun begyndte at sætte sammen glassene. Men da der kom noen lange knirkelyd fra de tomme kurvstolerne skvatt hun saa hele bakken klirret. Sigurd kom ind i det samme, og hun kunde ikke for at nu talte hun med den spotske stemmen fra før — men hjertet hennes dunket og noen aarer oppe paa halsen banket plagsomt sterkt.

«Er det noe med en dame, Sigurd?»

«Ja jeg tænkte mig jo næsten at du hadde skjønt det», sa han svært sagte.

Uvilkaarlig satte Nathalie bakken fra sig saa lydløst hun kunde. Hun rullet sammen sit strikketøi, la det og magasinet med opskriften ned i bordskuffen — uten at gjøre støi. Men han sa ikke mere.

«Sigurd!» Helt ødelagt av den lange angsten bad hun jammerfuldt: «Sigurd! Er det saan at du er blitt glad i den andre —?»

Han stod med hænderne paa peishyllen og saa ind i askehaugen hvor en sisste rest glør aandet i trækken. Nu snudde han sig og saa paa henne, men hun kunde ikke skjønne hvad hans uttrykk tydet.

«Svar da vel! Det er altsaa saan — du er glad i henne?»

Han bøiet hodet. «Jeg er da det og» sa han lavt som før.

Hun gjorde en bevægelse og opfattet rislingen av søljen hun bar paa brystet: «Du, du —. Men Gud bevare dig Sigurd —.» Nathalie brøt av braatt, hvad kunde det nytte at si noe —!

Men han hadde skjønt hvad hun tænkte paa: «Det er jo det som gjorde det saa umulig bestandig — at snakke om det mener jeg. Du maa ikke indbilde dig at jeg ikke har hatt det paa det rene hele tiden, for en ynkelig fyr jeg altsaa har vist mig som —. Hadde jeg bare kunnet lage ihop noe likt til en undskyldning, eller forklaring, som gjorde det hele mindre forbanna ynkelig, saa hadde jeg vel greiet at si fra før —. Men hver gang jeg kom hjem og du var imot mig akkurat som om dette andre ikke skulde finnes til — ja det var jo bare naturlig forsaavidt, for du visste jo ingenting om det. Men hjemme var alting som det bestandig hadde været. Og da blev det likesom jeg ikke selv kunde holde det ordentlig klart for mig, at det andre, det var ogsaa virkelig. Den andre ogsaa hadde jeg — det var virkelig mig som hadde været sammen med henne og. Ja jeg vet godt, det er ikke noen undskyldning. Det er ikke derfor jeg sier det. Men du maa ikke tro at jeg har hyklet for dig i alle disse maanederne eller at det var beregning fra min side, forat ikke du skulde opdage at jeg var dig utro, naar jeg var glad i dig og var sammen med dig som vi pleiet.»

Nathalie virret opgitt med hodet. «Man kan da ikke være glad i to paa en gang — ikke s a a n. Paa samme maaten —»

«Man kan altsaa det», sa Sigurd kort. «Det er min erfaring.

Ikke paa samme maaten forresten. Det andre, det —. Kjærlighetsdrøm, ja det er et latterlig ord, og jeg vilde ha trodd det var bare en frase, hvis ikke jeg hadde oplevet det. Men det var saan det var, netop som naar man drømmer. Alslags hugskott og ting som man har tænkt paa i forbifarten likesom og ønsker som kan dukke op om dagen, men da viser en dem fra sig, for en har ikke tid eller lyst til at tænke paa saant som det allikevel ikke kan bli plass til i ens liv — du vet hvordan det kan dukke op om natten naar en drømmer, og da blir det som en virkelig verden hvor alt det hekter sig ihop til noenting rimelig og naturlig saa længe. Det var saan naar jeg var sammen med henne og. Det var likesom det ikke skulde være sandt at hele mit liv var op= og avgjort for bestandig — gikk paa skinner som jeg ikke kunde hoppe av uten at velte. Du forstaar, det var bare som enslags fantasilek til at begynde med. Jeg saa alle de andre alternativerne og, og saa lot jeg i tankerne som jeg endda var fri til at vælge hvad jeg vilde gjøre med mit liv —»

«— og da skulde det altsaa vært med henne? Adinda Gaarder — for det er vel henne?»

Sigurd nikket. «Anne Randine heter hun for=resten. Men jeg tænkte selvfølgelig ikke paa noe saant i begyndelsen. Da var det bare hennes frem=tid vi snakket om. Nu skjønner jeg jo at jeg maa ha hatt enslags — hensigt som jeg ikke visste om selv. I den første tiden talte vi stadig om at hun skulde være med mig hjem en aften, saa hun kunde træffe dig. Men der kom noenting i veien bestan=dig. Jeg er viss paa at du og hun, dere vilde ha likt hverandre —.»

Nathalie snappet efter pusten.

«Ja. Og da vilde jo det som hændte siden ha vært utelukket. Naturligvis visste hun at jeg var gift, men hun trodde det var helt anderledes end det var. Hvis hun hadde kommet hjemme hos os, vilde hun jo ha skjønt at — at det var ikke noen slags misforstaaelse mellem os. Da hadde hun nok merket at vi levet godt sammen. Og da hadde hun aldrig faldt paa — hun er ikke slik. Hun vilde bare ha sett paa mig som en — ja en herre som var me=

get ældre end henne, gift og hjemfaren, med en hyggelig frue og alt det derre —.»

Nathalie saa op paa ham. Et øieblikk saa han henne ind i øinene — det gikk igjennem henne, herregud, er han saa ulykkelig! Saa veg blikket hans, og han blev rød. «Det er det og da, — jeg skjønte at hun tænkte ikke paa hvor meget ældre jeg var. Jeg hadde ikke lyst til at hun skulde opdage det.»

«Saa lot du henne faa det indtrykk at der var — enslags misforstaaelse — mellem dig og din kone —?»

Han svarte ikke.

«Jaja.» Nathalie satt og glattet paa forklædet sit. «Men at du —! Ektemænd paa videvanke, at de kommer til at gjøre mange streker som — som er bra tarvelige, det vet vi alle, og naar det er de andres saa tænker en, det kan ikke være anderledes. Men likevel skjønner jeg ikke, Sigurd, at du kunde —. Gaa mellem en annen og mig. Og naar du var hos mig saa lot du som om alt mellem os var ved det gamle. Og hos henne — som du var færdig med mig kanske —?»

Han rystet litt paa hodet. «Vi snakket aldrig om det — næsten ikke ialfald. Sagt noe, saan at hun kunde faa det indtrykket, det tror jeg aldrig jeg har gjort. Ja jeg husker jo ikke saa nøie. Men jeg syns vi snakket bare om hennes forhold. Du maa huske paa hvor ung hun er. Det var om henne bestandig. Men jeg skjønte jo allikevel at hun trodde —. Hun visste at du var selvforsørgende og stor forretningsdame og saan bortigjennem. Hun gjorde sig sine egne forestillinger om det naturligvis — hun som er landsmenneske. Ogsaa det at vi reiste paa hver vor kant i ferien. Jeg blev jo ikke kjendt med henne før ifjor høst paa fjellet, og da var jeg alene hele tiden.»

«Ifjor høst, paa Kallbækken —? Er hun ikke oppe fra dine kanter da?»

«Nei, hun er datter til Halvor Gaarder paa Veum som jeg leiet av. Hun laa og var sæterkulle, budeie altsaa, paa Veumsætra. Ja, jeg har sett henne før, men da var hun bare jentungen. Far til Gaarder var vist søskenbarn til bedstemor Tangen — han var utenfra Romedal. Saa blev det til at jeg lovet jeg skulde hjelpe henne litt naar hun kom ind til byen. Det var jo ikke saa lett for henne at faa noe at gjøre — hun hadde læst privat med noen barn hjemme, hun skulde studert filologi var meningen, men saa hadde hun mistet lysten —.

— Hun er noksaa rar, skal jeg si dig, et svært eget litet menneske igrunden. Det var akkurat som hun var blitt rædd for alt saant som der ikke var liv og varme i — og natur og vekst. Hun kunde ikke holde ut paa kontor, og hun likte sig ikke i byen, hun angret saa paa at hun hadde tatt artium, for nu kunde hun jo ikke be sin far om at faa noen annen utdannelse. Paa landet, ser du, der betyr det jo et noksaa stort offer for forældrene at la barna bli studenter —.»

«Skulde du saa hjelpe henne da, til at bli noe annet som hun hadde mere lyst til?» Det opirret henne at han skulde begynde med dette om landsmennesker og paa landet — i denne forbindelsen.

«Det vil si, vi snakket en hel del om hvad hun skulde gjøre. Hun er svært glad i gaarden, hun er eneste barn. Men saan som tiderne er, saa er det jo saa sin sak at raade en ung pike til at bli bonde. Og som sagt, hun gruet for at si til faren at hun tænkte paa at gjøre noe hvor hun ikke fikk bruk for eksamen sin. Pelsdyr tænkte hun paa, eller kennell. Jeg hadde faatt henne ind i en blomsterforretning som elev — hun sa at hun vilde heller det end søke kontorplass eller timer. Men saa kom hun op til mig en dag paa kontoret og var noksaa nedfor —

det lignet ingen ting, sa hun, at hun skulde betale hundrede kroner maaneden for at faa springe med regninger bare.»

Nathalie hørte paa, koldt avventende. Er han virkelig saa — utenfor al begripelse, saa han tænker at fortælle mig hele denne latterlige kjærlighetshisto-rien sin her inatt?

«Nu hadde mrs. Atlee været oppe hos mig samme dagen — det var noe med anlægget som hun abso-lutt forlangte at jeg skulde komme ut og se paa selv. Saa reiste jeg da. Ja, hun bor ikke paa Eiken læn-ger, den har hun maattet skille sig av med for flere aar siden. Nu har hun et smaabruk længer oppe ved elven, et godt stykke fra stationen. Sønnen er i forretningen til en onkel i Amerika, og mrs. Atlee og datteren skulde reise over til ham og være borte til om høsten, og hun maatte ha tak i et menneske som kunde passe kennellen hennes imens. Saa kom jeg til at tænke paa Adinda, hun er jo vant med landsens stell, det kunde ikke gjildere være det. Jeg var buden ut dit etpar ganger før mrs. Atlee reiste, og den sisste gangen fikk hun mig til at love, jeg skulde se ut til Adinda av og til mens de var borte. Ja, jeg hadde altsaa sagt at hun var enslags kusine av mig, det blev saa vidtløftig at forklare skyldska-pen nærmere —.»

Nathalie saa bort. «Og dette har du altsaa —. Det har staatt paa — helt siden ifjor høst at du har — ført ett liv her — og et annet liv — paa andre steder, med en annen —?»

«Det har jeg gjort ja.»

Han kom længer frem imot lampen og satte sig i den kurvstolen som stod længst fra peisen. Han saa underlig medtatt og grimet ut i ansigtet — kan-ske det litt kom av lyset, det var graa morgen ute. Med en gang syntes hun at hun saa hvordan han saa ut i virkeligheten — han var ikke ung længer, det var bare henne som ikke hadde lagt merke til at han blev ældre. Men den unge piken — at hun hadde kunnet —? Var han yngre naar han var sammen med henne — var det det det betød naar han sa at det andre forholdet var som en drøm?

Hun længtet saa elendig efter at graate, bare lægge sig ned og graate, be ham gaa sin vei saa hun kunde faa sørge i fred. Det var som et jordskjelv, eller en ulykke — i det første sjokket, før en endda vet hvor meget en er kommet til skade. Men det var enslags vanens magt eller noe slikt som gjorde at hun kunde ikke la være at beherske sig.

«End nu da?» spurte hun kjølig. «Er det forbi nu, eller staar det paa fremdeles?»

«Hun reiste fra byen i vaares. Like før din far døde var det.»

«Og siden har du ikke været sammen med henne?»

Han rystet paa hodet. Hun saa at det var som han krympet sig ved noe som han skulde si. «Men nu skal hun altsaa ha et barn.»

«Er du gal?» hvisket Nathalie.

Hun kjendte det som der løp skjelvinger omkring indeni henne under huden — det er ikke sandt, si at det er ikke sandt, tænkte hun, men kunde ikke faa frem et ord, der var jo ingenting som hun turde si —.

«Saa nu vet jeg ingenting,» sa han sagte. «Om hvordan det skal bli med fremtiden, mener jeg.»

«Jeg trodde forresten ikke at de brukte denslags mere —»

Han sprang op: «Nei la være nu Thali! Vær da som et menneske ialfald —! Si hvad du vil om mig, du har rett til — at traakke paa mig hvis du vil. Men noe skal du holde dig for god til —»

Hun brøt sammen, la hodet sit ned i armene paa bordet og graat. «Aa, men Sigurd, Sigurd, Sigurd —.» Allikevel hjalp det henne at han kunde flamme op til slutt — det var ikke saa fælt længer som da han satt saa vissen som om livet var kuet halvveis ut av ham.

Hun hørte at han hadde reist sig og stod i nærheten av bordet, men orket ikke se op. Hun maatte skynde sig og graate mens hun kunde det, ellers orket hun ikke gaa videre.

«Ja, jeg vet at det er daarlig av mig at jeg ingenting har sagt før. Men det var det og da, vi har jo aldrig oplevet noenting i alle de aarene vi har kjendt hverandre. Saa jeg kunde jo ikke ane noe om hvordan du vilde ta det naar der hændte noe uforutsett.»

Hun saa op: «Har vi ingenting oplevet, sier du —?»

«Jo jo. Men det er saa længe siden, Thali. Da vi traff hinannen mener jeg og alting var oplevelse — da var de mindste bagateller storhændinger bare fordi du var til og jeg hadde opdaget det. Men siden saa — hændte der jo ikke noe annet. Efterhvert blev alle dagene saa like hverandre. Alle nætterne og,» sa han sagte.

Hun satt stille. Svartluen hadde hun skubbet næsten av sig da hun laa og graat. Hun tok den av og la den i bænken — det skar henne i hjertet pludselig at hun satt her likesom utklædd; det var som hun hadde forsøkt at uroe noe der var dødt for længe siden.

«Den tiden — det var du selv som begyndte at snakke om den her forleden — den tiden da det bar overende med dere og Komperud forduftet og lot dig om at klare alt alene — synes du ikke det heller var noe som vi oplevet sammen, Sigurd?» Det var ikke det hun vilde ha sagt, det lød som en utflugt, det hørte hun selv.

«Det ogsaa er jo saa længe siden,» sa han mørkt. «Og forresten —»

«Forresten? Hvad var det du vilde si?»

«Nei ikkenoe. — Jeg husker godt, du var storartet kamerat og alt saant. Men vi fegtet jo likevel hver paa vor baug. Ja saa blev altsaa jeg satt hors de combat for en tid, og du tok mig ind – du var gjild og du var grei og du var søt—»

«Syns du det vilde ha vært bedre da hvis jeg ikke hadde vært istand til det? Mener du at det skulde ha skapt et—fastere baand mellem os i fremtiden hvis ikke jeg hadde kunnet sørge for mig selv den tiden da ikke du kunde det?»

«Naar du sier det paa den maaten saa høres det ut som det glade vanvidd. Allikevel, Thali – det er noe som jeg ikke kan forklare, men jeg vet – det har noe med det at gjøre at jeg aldrig kom til at føle det som det gjorde større forskjel at vi var gifte. Legitimt, mener jeg.»

«Ja jeg forstaar. Og nu da Sigurd, hvad tænker du at gjøre nu?»

Han svarte ikke.

«Hvis du gifter dig med henne og faar en kone som er avhængig av dig, og barn – saa faar du altsaa opleve det annet alternativet som du har drømt om, som du sier. Og det er vel igrunden det du har gaatt og higet efter?» sa hun resignert.

«Kanske – men jeg har jo ikke gaatt og tænkt noe slikt, forstaar du. Naturligvis likte jeg at hun kom til mig og bad om raad, og at jeg kunde hjelpe henne ogsaavidere. Men bevisst ialfald tænkte jeg da ikke paa at jeg vilde forføre henne.»

«Ialfald kan du vel skjønne at jeg skal ikke gjøre vanskeligheter,» sa Nathalie trætt.

«Jeg er slet ikke sikker paa om hun vil det.» Igjen fikk han dette usikre, modløse over sig. «Det er det da, at forældrene hennes er katholikker. Og hun sier, de vilde ikke synes det gjorde noenting bedre om hun blev gift med mig. De vilde ikke regne det for at hun var gift engang naar jeg var fraskilt.»

«Det lyder litt fantastisk,» sa Nathalie tvilende.

«Ja jeg har jo litt vondt for at tro det. Naar det kommer til stykket saa vil de vel allikevel heller faa henne gift.»

Nathalie strøk sig over ansigtet. «At du kunde, Sigurd. Og paa den maaten. Det hadde jeg allikevel aldrig tænkt. At det skulde bli slutten med dig og mig. Saa — ynkelig — er det.»

«Ja. Og jeg har jo aldrig ønsket at det skulde bli slutt, Thali. Det er da dig jeg er glad i, det er det som jeg syns er virkelig. Det andre, det er — sommetider kan jeg næsten ikke skjønne at det er sandt, alt det andre.»

«Men du sier jo at du er glad i henne ogsaa.»

«Jeg er det. Men det er saa anderledes —.»

Nathalie reiste sig og løftet ut hengelampen. Den hadde stinket avskyelig en stund alt, der var ikke mere parafin paa den. Hun slukket — det var helt lyst ute nu, og himmelgløttene mellem furuerne var stripet av røde skyer.

«Anderledes ja. Og det saa anderledes saa nu er det en som skal ha barn med dig.

Jeg kommer visst altid til at synes det er mitt barn som du har gaatt bort og gitt til en annen.» Hun kjendte at hun blev hvit og stiv omkring munden i det samme — hun skulde aldrig ha sagt det! Men bitterheten var for frygtelig.

«— men det er altsaa ikke din skyld at jeg ikke har faatt noen, det har du jo bevist nu.»

Han blev brændende rød. Det skyldbevisste uttrykket i hans ansigt var mere end hun kunde utholde at se paa: «Du har tænkt det, negt ikke.»

«Nathalie! Jeg tror ikke du vet hvad du selv sier længer,» bad han forfærdet.

Den høie skrikende graat som brøt ut av henne skræmte henne slik saa hun løp forbi ham, ut av stuen.

Oppe paa soveværelset var det endda lysere end nede; utenfor verandadøren var himmelen renfeiet og blek, med fine rødmende skyrifler høit oppe og tjafser av regnveiret flakkende meget lavere i luften.

Skjelvhændt hadde hun faatt løst av sig halsekluten og søljerne, begyndte at knappe op grøntrøien, da han banket sagte paa døren. Hun stod murende stille og saa forvildet paa ham da han steg ind. Han gikk bort til sengen sin, tok en hodepute og uld=teppet.

«Jeg sætter mig nede jeg. Det er langt paa mor=genen alt saa —. Det vil du vel helst —?»

Kalle ham tilbake — men hvad kunde det nytte nu. Hun blev staaende fremstupt og graat med hæn=derne støttet paa den lille ruggelige kommoden. Nu kunde det ikke nytte, for om hun fikk ham til sig nu, saa var det gamle like slutt for det, og det nye, hvor=dan det skulde bli visste jo ingen av dem.

8.

Rummet var fuldt av solskin da hun vaagnet og klokken var halvti da hun saa paa armbaandet sit. Hun hørte at barna var utenfor. I det samme husket hun alting. Og hun hadde forfærdelig vondt i hodet.

Lyset i værelset flimret av sjøglittringens gjenskjær og skogskygger som rørte sig, og alle de søteste sol=dagslyder — av smaa bølger som brøt og rislet ut=over igjen, av sus i baren og barnestemmer. En homle klasket imot et sted i rummet og surret. Gardinerne foran altandøren bugnet indover litt, og sengen ved siden av hennes stod uten teppe, med lakenet truk=ket skakt og ikke ligget i.

— Det maa jo bli en ordning paa en maate, tænkte hun, og tænkte ikke længer frem — saa var det likesom hun hadde haab om et eller annet. — Da husket hun, hun hadde drømt om mrs. Atlee og kjendte hodepinen meget voldsommere, saa rædd og ilde ved blev hun. Hun husket ikke hvad hun hadde drømt, bare mrs. Atlees ansigt stod lyslevende for henne igjen. Hun hadde sluttet at huske henne for aar og dag siden, selv naar Sigurd sa at han kunde hilse fra henne — han hadde gjort det av og til, længe efter at de var holdt op at komme der i huset.

— De stuerne hennes med hundreder av fete blanke silkeputer og tyrkiske røkeborder og blomstret cretonne paa stolerne og skjermbrettet med lommer til at stikke fotografier nedi. Det var saa grotesk, der blev noe latterlig ved det sørgelige og haabløse og ynkelige, naar hun maatte tænke sig Sigurd og den andre som elsket hverandre i det der reiret av puter og lave dovnemøbler. Ja stakkar, hun bodde jo ikke paa Eiken mere, hun hadde altsaa maattet opgi rollen som herregaardsfrue og hadde smaabruk og hundeopdrætt og saant. Men Nathalie saa mrs. Atlees ansigt for sig, og da var det som hun altid hadde syntes at hun saa ut som en bordellmamma. Skjønt hun visste ikke noe galt om mrs. Atlee — at hun saa rædsom ut med det høirøde haaret og teinten som skar i violett betydde jo ikke annet end at hun var klønet til at male sig og litet pent det ansigtet hun hadde faatt til underlag for kunsten sin. Og selv om hun ikke hadde lagt skjul paa at hun var rotteforlipt i Sigurd, saa hadde hun kanske aldrig ment noe galt med det — da hadde hun vel ikke saa støtt og stadig bedt dem begge ut til sig eller gitt ham blomster og frugt med «for your charming wife». Hun hadde slet ikke været sjalu, den tiden sanset Sigurd ikke andre kvinner end henne, det hadde hun følt paa en saan maate saa hun var sikker. Og Sigurd ansaa ganske naivt mrs. Atlee for en dame av satt alder, med store barn — naar hun stadig forlangte at han selv skulde komme ut og se paa installationsarbeidet og maatte drøfte hver smaating med ham personlig, saa var det fordi hun var saa interessert i dette nye hjemmet sit, og naar hun endelig vilde omgaaes dem var det fordi hun kjendte saa faa folk her i gamlelandet.

— Det var uretfærdig at hun nu syntes, hun hadde hatet mrs. Atlee bestandig, kvinnfolket og silkeputerne hennes med svarte katter og ugler og flaggermus paa, alting —. Men hun kunde ikke la være at tænke paa Sigurd alene derute med den fremmede unge piken som altsaa — som hun altsaa hadde delt manden sin med i maanedsvis, uten at vite om det. Nu saa hun alt krammet til mrs. Atlee som en ramme om det utaalelige, og portrættet av kaptein Atlee, malt efter fotografi og drapert med krepflor, stod paa staffeliet sit og var vidne. — «His wide, humourous mouth,» som enken sa, jepte spotsk til paret. — Men det var — ja det var grotesk at Sigurd og denne veninnen hans som han længtet tilbake til jorden og gaarden og dyra og livsvarme og vokster med, de hadde altsaa laant hus hos den norsk-amerikanske krigsenken med blaarosa ansigt og to hornbrillede barn —.

— Aa. Nathalie borret hodet dypt ned i puten og graat jamrende. Var det slik at være en bedradd hustru — saa sint, saa skittenfærdig, var hun blitt, saa liten og smaalig — hun kom til at tænke paa en saan blank og skinnende farvet ballong som barn løper med og lar svæve — saa faar den en risp og der er ikke annet igjen av den end en seig og mørk, uappetitlig fille. — Aa Sigurd, aa Sigurd, jeg er vist ikke et ordentlig menneske engang uten dig —.

— Asmund, kom hun til at tænke paa — aa herregud, tro om han er her endda. Kanske ikke Sigurd var reist heller. De kunde ta fruebaaten klokken halvelleve. Hun satte sig overende og lyttet, rædd for at høre stemmerne deres. Da opdaget hun at der laa en seddel paa kommoden. Hun sprang bort — det var en lapp han hadde revet ut av en notisbok.

«Kjære Thali. Jeg sa til Norma at hun skulde ikke vække dig for du var ikke frisk, og jeg skal ringe til HH og si det samme straks jeg kommer ind til byen. Jeg blir hjemme i leiligheten inatt men vilde gjerne at du ringer til mig imorgen hvis du reiser ind da. Gid at du ikke maatte ha det for vondt. Mange hilsener din S.»

Hvis hun skyndte sig kunde hun naa at komme med halvellevebaaten. Hun kunde ikke forsømme forretningen, hun maatte ha tak i Sigurd og snakke med ham. — Nei saamen. Sint og hastig vrængte Nathalie av sig nattkjolen og drog paa badedragten. De deilige formiddagerne herute, naar solen stod paa — to stakkars søndager var alt hun hadde faatt av dem. Nu vilde hun sandelig bli og bade og ligge paa berget og sole sig efterpaa. — Herregud, det hadde aapenbart ikke virket til det bedste at hun i alle disse aarene hadde været den samvittighetsfulde pligtopfyldende, som passet sit arbeide og passet sig selv —.

— Hun var saa ung saa vi snakket aldrig om annet end om hennes saker, fortalte Sigurd. Det hadde han altsaa funnet saa uimotstaaelig — til en forandring, jaja.

Tænk at Sigurd hadde gaatt og ærgret sig, eller hvad en skulde kalle det, fordi hun sommetider løp ut og ind i bare badedragten. — Gud vet hvor ofte hun hadde støtt an mot fornemmelser hos ham som hun aldrig hadde tatt alvorlig — hvis hun i det hele kjendte til dem. Eller hadde han først begyndt at lægge brett paa saant nu, da han selv hadde daarlig samvittighet? Det dæmret for Nathalie, hun ogsaa vilde vist komme til at opdage mangt ved Sigurd som hun nok hadde sett bestandig — men ikke før kløften mellem dem blev aapenbar hadde hun kritisert det, og jo værre sprækken i deres forhold kom til at gape, jo mere kritisk vilde hun selv bli —.

Det k a n aldrig bli godt mellem os. — Aa for noe tøv — hun kunde da ikke vite det nu. Det var nu vel de færreste gifte folk som ikke en eller annen gang i sit liv var blitt nødt til at greie sig gjennem en slik — krise. Alle de aarene de hadde levet sammen, det maatte da bety uendelig meget mere end denne historien som han lot til at ha spasert ind i saan næsten aandsfraværende. Deres samliv var da det virkelige. Det sa han selv.

Barnet og hun, den andre som skulde ha det —. Aa men det var da bare en liten mulighet endda og det var ikke visst om det blev til mere. Det var ikke retfærdig at hun skulde jages ut av sit eget liv bare for det. Det vilde ikke være retfærdig mot Sigurd heller, det var da seksten aar av hans liv ogsaa, deres egteskap.

Morgenen var saa tindrende vakker da hun kom ut paa verandaen nedenunder, saa det gjorde endda mere vondt at gaa her med en saan ulykke paa nakken. Det var høivande og sjøen skinnende mørkeblaa med solglitteret sprængt av krusningen i vandet, saa det tindret i uendelige vrimler av hvite gnister. Under berget hvor fjæren sluttet var det lille bækkefaret blitt fuldt av vand som spredte sig utover sandet i et nydelig bittelitet delta og løp glittrende ut i sjøen.

Barna hadde opdaget henne og kom styrtende: «Tante Thali — aa svøm med os da.» Haaret deres var lett og lyst som dun paa noen kyllinger, og de solbrændte skrottene saa varme ut, like til at kjæle, mot de smaa stubbene av badedragter. Maikens var lysegul og Torgals himmelblaa.

«Jamen dere faar ha taalmodighet litt da. Først vil jeg sandelig faa lov til at gjøre en sving utover —»

— Aa det levende kolde vandet som slog sammen over henne, saa godt saa godt —. Hun kastet sig ut paa svøm, med lukkede øine bent mot solen. Hvis hun blev ved at svømme utover, saa langt hun orket, og saa lot sig synke —. Tøv. Det vilde vist være en vanskelig og pinlig maate at gjøre av med sig paa, for en som er god svømmer. Raa maate desuten, overfor barna og Norma — og Sigurd. Bare barnagtig hevnfantasi – at han efter det igaar aldrig fikk se henne i live igjen –.

Hun la sig paa rygg og fløt – saa langt ut hadde hun ikke vært før. Efter det røde mørke av solen gjennem lukkede øielokk saa landet falmet ut, med bergene og furuskogen og alle villaerne høit og lavt som smaa kulørte sukkertøi i morgensolen. Stranna laa langt fra den andre bebyggelsen – saa gammel=dags uskyldig en idyll med huset som var beiset brunt for at se ut som en tømmerstue og smaa neb=bete dragehoder hist og her. Hun kunde se Braaten ogsaa herfra, rett op for –. De røde uthusene og jorderne omkring plassen hadde faatt friskere farve efter regnet –.

Holde sommer og la den ene gode dagen gli over sig efter den andre, det var det som stedet her var til. Det var aldeles unaturlig at noe saant hadde brutt op mellem dem netop her. Hun kunde se de to smaa prikkerne nede i fjæren, en gul og en blaa, og Normas lyserøde kjole, hun skulde til brønden.

Barna stormet ut mot henne saa vassføiken stod om dem, og Nathalie maatte skrike «ikke for langt ut nu!» Hun stod bund og holdt armene sine under Gary, mens gutten strævet og gjorde svømmetak, hun støttet Maiken litt under haken, og smaapiken blaaste vand ut og skrek at «se naa kan jeg det tante Thali.» Men det var ikke som det hadde vært, den vemodige og søte følelsen som hun hadde hatt naar hun stelte med de to barnekroppene, de skulde vært vore – den holdt hjertet hennes paa at snu sig fra nu. Tænk om det gaar slik at en vakker dag er jeg ikke tante Thali for dem længer – hun syntes hun kunde se det: om etpar aar kanske hun møtte Maiken paa gaten, den store skolepiken neiet litt fremmed, hun hadde saanær ikke kjendt den forrige konen til onkel Sigurd. – Hun visste at det var mulig, men hun kunde ikke forestille sig det som noe virkelig.

«Naa maa dere bli med mig op — nei naa kan dere ikke faa være uti længer,» snakket hun fornuftig. «La mig faa dragtene deres nu, saa skal jeg skylle dem ut, og saa tar dere paa dere de andre bade=dragtene og blir ute i solen — nei Maiken, hørte du ikke hvad jeg sa?»

Hun gikk op paa soveværelset. Hun hadde ikke annet hun kunde ta paa sig end en halvskitten som=merkjole, de andre var paa vask. Bunaden bar hun ut og hængte den pent op i klæskottet paa gangen. Tørklærne og søljerne la hun ned i den øverste kom=modeskuffen. Sigurds toilettsaker var borte — herute hadde de maattet nøie sig med en kommode til deling. Fort tittet hun i den ene skuffen hans — der laa da etpar sætt av hans undertøi endda.

Norma hadde dækket til henne paa verandaen nedenunder. Nathalie opdaget at hun var sulten og kaffetørst — og hodepinen var bedre efter badet. Hun forsøkte at si til sig selv at fremtiden vilde jo vise — og de fleste egteskaper har vel sagtens over=levet en eller annen katastrofe. Hun var da ikke en saan envis smaapikekone som ingenting begrep eller vilde begripe, bare skjenet ivei i vild krænkelse fordi hun fikk vite at manden hadde tullet sig bort i noe som ikke var henne. Ja hadde hun faatt en mand av den sorten som baade vil ha sin egen tamme huskone hjemme og samtidig forbeholder sig retten til at gaa paa jagt hvor han kan — men da hadde hun bare ikke sittet pent og vært konen. Men dette med Sigurd og denne Gaarderjenta er saant som kan hænde den bedste. Det hadde ikke vært noe at ta saa skrækkelig alvorlig — skjønt Sigurd vilde nok gjort det allikevel, han var slik. Hvis det bare ikke hadde faatt følger —.

Norma kom med et litet dypt fat, der var speil=egg oppaa, det saa godt ut. «Fruen sa at fruen liker 'kke kold kalvestek, saa lavet jeg en liten låda jeg —»

Låda? Aaja, nu saa hun, det var ett av de ildfaste fatene hun hadde kjøpt i Båstad.

«Takk skal De ha Norma, De er snil —» hun blev sittende og saa paa fatet. — Der hadde vært et gammelt professorpar paa det pensionatet hvor de bodde. Sønnen deres lo og sa at mor ser slett ikke saa daarlig som hun later, men far tycker om at faa være den som ser saa meget bedre, han læser avisen høit for henne hver dag. Og han er ikke saa skrøpe-lig tilbens som han gjørs paa at være, men saa faar mor den triumf at her er det henne som er støtten. Der var noe saa uendelig ømt i den maaten hvor-paa de to gamle avfældige menneskene rørte ved og stelte det godt for hverandres vissnede kropper. Nathalie hadde tænkt, naar hun saa de gamle kone-hænderne som la plædet over manden i liggestolen og ordnet det over hele ham, selv at bli gammel kan kjærligheten altsaa gjøre til noe godt. Naar det bare er sprø, tørre skall igjen av kroppene vore skal Sigurd og jeg stryke saa blidt og vart nedover hin-annen og elske de imortellerne vi er blitt, fordi vi minnes den tiden da vi var unge og saftige og nød sammen av hverandres friskhet.

Nathalie listet frem lommetørklædet sit og tørket vækk taarerne som kom dryppende aldeles stilt. Hvis det hadde vært den sisste gangen her forleden natt, og hun som ingenting ante — ja da var hun jo like-som syndebukken de jaget ut i ørkenen. Ikke for at hun trodde det — det var ikk saa lett at bryte et forhold som deres. — Men hjertet hennes snørte sig sammen ved den nye tanken — hvis det som hadde vært en frivillig kjærlighetsakt bestandig skulde bli noe som de gjorde fordi de gav efter for en trang, og av gammel vane, fordi den er vond at vende —.

Aa ja — hvor meget som var ødelagt, det visste nok ingen av dem endda, men tiden skulde sagtens sørge for at vise det. Det var vist mere end hun var istand til at forestille sig nu ja.

Nathalie var trætt den næste morgen, efter en natt med litet søvn, saa hennes følelser for Sigurd hadde svinget over mot vrede igjen. Det ydmyket henne at hun bare hadde gaatt og tænkt, og ligget vaaken og tænkt, — op og op igjen, frem og tilbake, raadløse og bittre og selvmedlidende tanker. Hun hadde ikke vist sig som situationens herre i noen nævneværdig grad nei. Og hun hadde vært utslitt av at ængste sig for ham før alt dette omsider kom op — og det blev ved at pine henne at han hadde gjort en saa bedrøvelig figur da han endelig maatte tilstaa, for en mølje han hadde laget av tre menneskers liv. — Ja for satan, det er vel ingen kvinne som liker at se sin mand ydmyket — aller mindst naar det ikke er uforskyldt.

Nathalie klædde sig svært omhyggelig. Hun hadde opdaget at halvsorg var saa pent til henne, det var mest derfor hun gikk i det, for der var jo ingen av deres kjendte i byen som husket at hun nylig hadde mistet sin far. Den søteste av de hvite voilekjolerne var den med striper og rokokkobuketter i graatt og lilla. Hun hadde en liten sort fløielsjakke til den og en sort hatt som var høist chic.

Hun maatte springe for at naa baaten. Den svinget ind da hun kom løpende hvor skogstien mundet ut paa et bratt litet stykke med stener og snaut græss, og da saa hun et mørkt baand tversover stien — næste øieblikk fór det som en piskesnert ind mellem stenene. Hun var i en saan fart saa hun kunde ikke stanse, men det støkket i henne da den var vækk alt — en huggorm, den første hun hadde sett herute i sommer.

Bakefter, da hun satt paa baaten, kunde hun ikke la være at tænke paa ormen — som det skulde ha vært et ille varsel, men det var jo bare tøv — men hun maatte si det til Norma; uff det blev vel et hus med barna naar hun sa at de maatte gaa med uldstrømper og de brune støvlerne sine. — Om hun skulde bli ved at være herute hos dem — ikke det engang visste hun jo nu længer.

Ja det ogsaa ja — Asmund og Sonja var altsaa à jour, mere eller mindre, hun visste ikke hvor meget de visste, men hun og Sigurd maatte nok finne sig i at de la sig op i det. Ja du har stelt det godt for os du Sigurd —. Om det gikk saa galt som det kunde, om de blev saa ulykkelige begge to som de ikke var i stand til at forestille sig nu — saa skulde selve sorgen bli overrendt med ekle og stygge og smaafortredelige ærgrelser. Hun hadde sett en død fugl ligge oppaa en mauerstue — skulde kjærlighet ende slik —.

Det var en hel del post til henne da hun kom ind paa kontoret sit. Hun stillet telefonen over til sig og lukket døren ut til forværelset. Men da det kom til stykket manglet hun mod — eller lyst — til at ringe op Sigurd. Hun fikk ialfald ta posten først.

— Brev fra en lærer paa Eiker — han hadde faatt opgitt Hytter og Hus som det sted hvor de tok imot husflidsarbeider i kommission. Tillot sig at vedlægge fotografier. Det var løvsagarbeider — hele store stykker iblandt, en papirkurv, en bordlampe. Herregud, det var vel ikke noe at ærgre sig over, som det skulde være en personlig fornærmelse mot henne — det gikk aldrig mange dagene mellem hver gang de fikk tilbud om selsomme og hæslige husflidsprodukter. Nathalie aapnet brev efter brev. Fakturaer det meste —.

Hun gikk ut i det yttre kontoret: «Aa se hit litt da fru Totland —.» Fru Totland stod paa trappestigen og lette i noen gamle brevordnere — men Gud, hun skal da vist ha en liten, at jeg ikke har sett det før, gikk det op for Nathalie. Fru Totland fandt den regningen som Nathalie bad om at faa se — hun blev rød; hun maatte ha merket at Nathalie hadde sett det.

Fru Totlands mand, Tobben som hun sa, hadde hatt noe at gjøre i et reisebyraa forrige vinteren, han hadde sikkert regnet paa at bli fast ansatt. Saa var det allikevel ikke blitt til mere, visste Nathalie. Stakkars Alfhild Totland — i alle aarene hadde hun vist gaatt og drømt om at faa et nytt barn istedenfor den vesle gutten som hun mistet. Hadde hun nu tillatt sig den luksus i haabet om at Tobben engang skulde bli selverhvervende?

Nathalie hadde ærgret sig litt over henne av og til i de sisste aarene. Det blev fem aar til nyttaar siden Nathalie opdaget at fru Totland var kommet i kassemangel og at bøkerne hennes var ført — vel, ukorrekt. Hun vilde nødig huske de kvelderne her paa kontoret — hun hadde altid syntes det var uliteelig at se et annet menneske knust av ulykke og skam og skrækk, det var som hun selv satt halvveis inde i den annens skind og skammet sig og skalv hun med. Og det var aaret efter guttens død; det var operationerne og den ortopediske behandlingen og alt det der som fru Totland ikke hadde kunnet klare. Da de giftet sig hadde de vært saa sikre paa at Tobben behøvet bare vrake og vælge mellem de stillinger som stod aapne for ham. Torbjørn Totland var pen, med et indtagende væsen, han hadde faatt god utdannelse — litt for mangfoldig, for han hadde gaatt paa skoler rundt omkring i utlandet hvor hans far hadde bodd som forretningsmand, men han var ialfald perfekt i fransk og engelsk. Dengangen var det de gode tider endda, men Tobben Totland fikk aldrig noe at gjøre, — annet end smaajobber som han altid kom ut av noksaa fort. Nathalie hadde skjønt efterhvert at han hadde vondt for at komme ut av det med folk, og naar han altsaa v a r forsørget da saa —.

Egentlig hadde Nathalie aldrig likt Alfhild Totland noe større — ja ikke at hun hadde noe imot henne heller, men de var da for eksempel aldrig blitt dus, endda de nu hadde arbeidet sammen i ti aar. Men flink og umaatelig arbeidsom hadde hun altid vært, og samvittighetsfuld hadde Nathalie trodd. Saa det kom som et sjokk da hun opdaget hvordan sakerne stod.

Resultatet av de lange og sørgelige opgjørs-scenerne med fru Totland hadde vært at Nathalie skaffet henne det banklaan som trængtes forat hun kunde faa ordnet sig og ogsaa bli kvitt en hel haug med spredte gjeldsposter som hun ikke visste sin arme raad med. Det hadde vært en del av den saneringsplan som Nathalie la for at faa den annen bragt paa rett kjøl igjen at de første terminerne skulde da hun klare. Og Alfhild Totland hadde stormet slik med sine takksigelser saa Nathalie blev helt elendig av generthet — da det fremmede mennesket kastet sig indtil henne og kyssende og hulkende betrodde henne at hun hadde spart op veronal, det var den eneste utveien hun hadde kunnet øine —.

Naaja, Nathalie betalte de første fire terminerne. Da den femte forfaldt kom fru Totland og var svært nedfor — Tobben var saa nervøs og søvnløs, maatte ha luftforandring — om fru Nordgaard kunde lægge ut for henne ialfald halvten av avdraget. Samme historien næste gang — Nathalie la ut. De to sisste gangene hadde fru Totland slet ikke snakket om saken, hun tok aapenbart for gitt at Nathalie vilde greie hele laanet for henne. For tiden var det litt over tohundrede kroner to ganger i aaret.

Naa, det var jo ingen nytte til at snakke om det heller, det kunde bare bli pinlig for dem begge. Fru Totland kunde ikke klare at betale noe selv — hun var ikke saa daarlig lønnet, men ekstra glimrende var jo ikke posterne i Hytter og Hus heller, og Tobben var en dyr mand at forsørge. Det var synd paa Alfhild Totland, hun fordret visst ikke stort for sig selv, og hun var dygtig. Nathalie syntes fremdeles, det hadde ikke vært annet at gjøre end det hun gjorde, da hun hjalp henne til at dække ugreierne. Men naturligvis kunde hun ikke annet end engste sig — om fristelsen til at manipulere et «laan» skulde bli for sterk for fru Totland en annen gang. Nathalie hadde jo ansvaret overfor selskapet. Og fru Tot=land maatte skjønne at Nathalie passet paa, om hun aldrig saa meget forsøkte at gjøre det umerkelig. Situationen var pinlig, skjønt de begge lot som ingen=ting.

Det var jo det at i økonomisk henseende var hun ungkar og spillemand — fru Totland regnet med det, om hun ikke bevisst tænkte paa det. As=mund regnet med Sigurd paa samme maaten. Flere av hans venner hadde gjort det. Og Sigurd var ingen god økonom — det vil si, han var pedantisk økonomisk og ordentlig i det daglige, igrunden svært fordringsløs ogsaa. Han blev ved at være den bra landsgutten som aldrig et øieblikk hadde latt være at huske paa de offre som faren bragte naar han holdt ham frem til artium og høiskole, saan at han følte sig regnskapspligtig for hver øre han gav ut paa sig selv. Hver liten bekvemmelighet de efter=haanden hadde lagt til sine daglige vaner — at de undte sig at ha det litt godt i ferierne, at de altid hadde et beskedent lager av drikkevarer i huset, da de fikk indredet badet — det var egentlig i hans øine høi luksus som han nød slik at det var helt rørende. Men i det og var han bonde — han hadde saa vondt for at si nei naar noen av hans nærmeste bad ham skrive paa. Det hadde vært saan i hans hjem og — han hadde syntes det var for galt igrun=den hvordan moren maatte snu og vende paa hver øre, at konen skulde ha kontanter mellem hænder kunde hans far aldrig skjønne, og det som han kostet paa barnas utdannelse ruvet ogsaa kolossalt i mandens forestilling. Det var ikke fordi han ikke var glad i dem — at han mistet datteren først og saa konen hadde været et slag som han aldrig kom over. «Hadde mor levet saa var det aldrig endt slik med ham,» sa Sigurd da han var død. Det var kautionsgjelden som tok knekken paa lensmand Nordgaard.

I virkeligheten hadde det blitt dyrt for dem begge at de ikke var noen familie, men blev ved at være to selvstændige partnere i en fælles husholdning. Naar hun tænkte paa hvad de hadde tjent tilsammen i de sisste aarene — og skattet av —, hvor forholdsvis beskedent de hadde levet og hvordan de frivillig hadde latt sig beskatte. Men de hadde likt sig paa den maaten. «Lykken kan ikke kjøpes for penger,» det var Gudsens sanning det, selv om man er nødt til at ha sit utkomme nogenlunde sikkret før man personlig kan overbevise sig om hvor sandt det er.

Hun visste ikke engang bestemt hvor meget av sin aarlige indtægt Sigurd i øieblikket kunde ha igjen til sig selv. Klarte han i det hele, saan som han hadde stelt sig nu, at forsørge en kone og barn? Det tok sig vel saa gjildt ut naar han gikk saan og utmalte for sig hvordan det skulde være at leve det andre alternativet — familiefar paa den gode gamle maaten, med en ung kone som bare gikk hjemme og stelte huset hans, og tid imellem maatte hun tas hensyn til og degges litt for paa grund av omstændigheterne — og saa var det babykurv med et spedbarn i som alt i huset dreiet sig om, og stuerne fløt av søt uorden omkring de smaa og den unge moren. — Men i virkeligheten — vilde Sigurd kunne greie en saan omindredning av sitt liv nu?

Mauern krøp. — Men Nathalies hjerte verket. Hvordan var det gaatt til at hun aldrig fikk bli den unge kvinnen i et hjem som hun var helt ut hjemme i? Hun ogsaa hadde jo ønsket sig det der andre alternativet. Men for henne stod det ikke til at opnaa. Sigurd var fri til at indbilde sig at det var, for ham.

Aftenhimmelen var saa pragtfuld da hun gikk nedover deres egen gate. Dagen lang hadde store hvite godveirsskyer kvellet op over byens tak og seilet i det dypblaa rum — nu blev de rosenrøde, idet de likesom blev presset høiere opover hvælvet av skiferblaa skybunker med kobberglinsende lysninger i. Det blev vist torden til natten. Bare ikke veiret brøt løs ute over Stranna mens Norma var alene i huset med barna, Norma var saa skrækkelig rædd for tordenveir. I det samme gikk det op for henne at hun kunde jo ikke komme utover ikveld — det hadde hun ikke husket paa da hun telefonerte med Sigurd og sa at hun kunde træffe ham oppe i leiligheten —.

Han trodde vel ikke det var derfor hun avtalte møtet der saa sent — at naar hun blev nødt til at ligge hjemme inatt saa skulde alting jenke sig av sig selv — uff. Det var da ikke til at holde ut heller — frygt, usikkerhet, hemmelig skamfuldhet hvordan hun saa snudde sig, som hun steg ut paa gyngende grund bare hun rørte sig. Og igjen kom denne forbitrelsen som bare ydmyket henne selv. Det var baade til at le og graate over — Sigurd hadde spandert et litet syndefald paa sig selv, og derfor maatte hun falde saa dypt som dette —.

Norma kom desuten til at bli rædd hvis hun saan blev borte uten videre. Det maatte gaa an at ta toget til Ski og faa en bil der — men det blev ialfald et langt stykke at gaa nedover gjennem skogen og saa mørke som nætterne var nu — kanske i uveir —.

Sigurd var paa verandaen da hun saa op. Der laa et rødlig gjenskjær over hustakene, og trætopperne tegnet sig høstmørkt alt mot den urolige truende himmelen — det var et indtrykk som hun opfattet i det samme.

Han lukket op for henne før hun hadde faatt frem entrenøkkelen sin, han hilste godaften saa dæmpet, med noe forsagt eller deltagende i hele sin holdning, saa hun syntes det var som han spillet teater. «Gid du ikke maatte ha det for vondt,» som han skrev —. — En nyfødt drift til at skylde paa andre piplet op i henne og vendte sig mot manden. Hvis hun kom til at lage scener, graate, miste al selvbeherskelsen, saa vilde hun aldrig tilgi ham det.

Det saa ikke værre ut i leiligheten end ellers naar hun tittet opom mens den stod tom om som-rerne. Hun bare kjendte sterkere den ubebodde støv-lugten i stuerne og tomheten efter ting som var pak-ket vækk.

Nathalie gikk ut paa kjøkkenet — «jeg maa ha en kopp the, jeg er trætt.» Nu diltet han efter henne igjen paa den irriterende undergivne maaten. Paa kjøkkenbænken stod noen brukte tallerkner og kopper. «Ja jeg rakk ikke at vaske op,» sa han undskyldende. «Nei jeg ser det. Men du maa la fru Randem gjøre saant for dig med det samme hun er her og vander blomsterne.»

«Vil det si?» spurte han mens hun gjorde istand thebrettet, «at du blir boende paa Stranna indtil vi-dere og saa vil du at jeg skal være her?»

«Jeg maa jo bli hos barna til Sonja kommer hjem ialfald.» Han fikk sandelig ordne sig som han vilde, hun agtet ikke at si hvad han skulde gjøre. «Du syns vel ikke du heller at vi skal be Sonja korte av opholdet sit deroppe. Da blev man nødt til at gi henne enslags forklaring.»

«Det greier nok Asmund tænker jeg,» sa Sigurd dystert.

«Ja dere om det. Det vil ialfald ikke jeg ha noe med.»

Det rullet svakt og dumpt av torden da hun kom ut paa altanen med theen. Blomsterkasserne hennes saa noksaa sørgelige ut; de var blitt vandet, men ingen hadde plukket av dem det vissne. Rent me-kanisk begyndte Nathalie at ta vækk de fortørkede gamle blomsterhoderne paa geranierne. — Sigurd hadde ofte tatt haanden hennes og snust ned i den efterpaa — lugten av geranier var saa god, sa han, «men du burde faa dig en myrt, det lugter endda bedre. Mor hadde en som hun kløp toppene av om vaaren, og da maatte vi altid faa lugte paa fingrene hennes efterpaa.»

«Jeg saa en huggorm ogsaa imorges da jeg løp nedover til baaten,» snakket Nathalie mens hun skjenket theen. «Norma er storartet, men hun kan ikke være alene med hele ansvaret —.»

Sigurd sa ingenting.

«Men jeg husker det — du, hvad var det for et navn dere hadde paa vendehalsen oppe hos dere?»

«Saagauken,» sa han forundret.

«Ja det vet jeg, men dere hadde et annet og —?»

«Gauktita.» Han blev rød. «Det er du som har sagt bestandig at man skal ikke dømme et menneske som man ikke vet mere om end det som man har hørt. Du har ikke brukt at gjøre det før heller. Du har grund, naturligvis, til at være forutindtatt mot en som jeg har vært dig utro med, men hun er ikke saan som du tror,» sa han opblussende.

«Nei nei, Sigurd, du misforstaar. Jeg mente sandelig ikke at være — betydningsfuld. Jeg kom bare til at tænke paa det fordi jeg saa en kraake som de hadde skutt og kastet bort paa en mauerstue. Saa husket jeg at du gjorde det med en vendehals engang. Jeg likte ikke at du vilde skyte den, for jeg syntes lokken dens var saa sommerlig og vakker —.» Hun blev flau og taug braatt — nu husket hun at han sa, den ødela reir for andre smaafugl, men da han var liten hadde de fortalt ham at den kastet ut eggene fordi den var i tjeneste hos gauken og hjalp henne med at bære ind gaukegg istedet.

Sigurd rystet paa hodet: «H u n har saavisst ikke gjort noe med beregning, for at fordrive dig ut av hjemmet dit. Jeg sa dig vist at det er aldeles ikke sikkert hun vil gifte sig med mig selv om vi blir skilt.»

«Aa det vil hun vel, naar det kommer til stykket. Hvis det virkelig forholder sig saan som du fortæller.»

«Det er nok sikkert. Det var paa det rene allerede i mai det.»

«Var det derfor,» spurte Nathalie langsomt, «at du skulde træffe denne doktoren, Gaarder — den gangen ivaar da du var ute paa hyttetur og ikke kom hjem før dagen efter —?»

«Ja jeg fulgte henne hjem. Hun var noksaa oprevet da, og jeg syntes ikke jeg kunde gaa fra henne.»

«Da kan jeg forstaa at du ikke vilde ha mig med.» Nathalie satt litt. «End de andre som dere var sammen med — fiskehandler Gaarder og hans frue — og Sverre — visste alle de om at du var gode venner med denne unge piken?»

Han tænkte sig om: «— aaja nu husker jeg. Asmund vilde ha os med ut vist, han ringte, og saa maatte jeg finne paa en undskyldning. Nei vi var ikke sammen med noen andre. Doktor Gaarder er en tremenning av henne. Jeg fikk vite at han var i byen, skulde bli her en uke. Hun gikk med paa det tilslutt at han skulde faa undersøke henne. Saa møtte jeg henne bakefter og blev med henne ut.»

Indi skydækket som hadde mørknet og falmet nu flikkret forte fjerne lysninger, men de kunde ikke høre tordenen — veiret drog vist længer bort.

«Hun var saa fortvilet — skjønt hun var frygtelig behersket igrunden. Men det at det var en gift mand vilde hennes forældre synes var saa forfærdelig. Og den utveien som laa nærmest forhaanden kunde hun ikke bekvemme sig til. Vi talte om at hun kunde jo bli paa Apaldhaugen saa længe det gikk an, og siden fikk hun reise bort en stund, til Danmark eller Sverige. Men hun vilde ikke det heller, hun sa at nu fikk det være slutt, det ødela baade henne og mig at holde paa med dette hemmelige —. Men hvis hun blev derute og jeg var i byen, saa kom vi naturligvis bare til at fortsætte. — Men om morgenen sa hun at nu hadde hun bestemt sig, hun skulde allikevel gaa til Gaarder om mandagen, som det var avtalt. Jeg kan jo ikke negte at jeg blev lettet trods alt, — saa litet som jeg i og for sig likte det.»

Nathalie kjendte det sittre indi sig. Det var grusomt — men hun hadde lyst til at faa vite mere om Sigurds forhold til denne unge Adinda.

«Tirsdag ringte Hans Gaarder op og sa at hun hadde sendt avbud. En veninne av henne hjemmefra skulde komme ut paa Apaldhaugen og ta over stellet en ukes tid, mens det stod paa, men hun var blitt forsinket. Jeg reiste ut senere i uken da, men jeg traff bare veninnen. Hun fortalte at hun hadde overtatt plassen for godt og Anne var reist hjem om eftermiddagen.»

Anne. Hjertet spratt til i Nathalie. Det lød kjendt. Hans mor hadde hett det, og den eneste søsteren hans.

«Jeg visste ikke hvad jeg skulde tro da. Ikke turde jeg ringe til Veum, alting blir lagt merke til paa saanne smaasteder. Men saa fikk jeg noen ord fra henne — det var bare paa et prospektkort som hun hadde lagt i en konvolutt. Ja jeg opfattet det som det hadde gaatt bort av sig selv, og dermed saa mente hun at nu fikk vi bli fornuftige og la det være slutt.»

«Og det følte du som en lettelse?»

«Jeg gjorde det ja.»

«Mere glad i henne var du altsaa ikke?»

«Aa Thali, det er ikke saa liketil heller som du vist tror. Naturligvis visste jeg paa en maate hele veien at jeg var forelsket i henne. Jeg glædet mig altid naar jeg skulde træffe henne, men jeg lot ialfald for mig selv som jeg ikke brydde mig om at faa annet end det jeg hadde — jeg likte at se paa henne og høre henne snakke. En kunde se paa henne at naar hun blir ældre saa vil hun faa dette finslige og rolige laget som kvinner har ofte i de gode familierne paa landet. Men det brøt igjennem hvert øieblikk at hun var saa blottende ung saa det var langt fra hun var kommet til ro eller hadde faatt denne sikkerheten endda. Aa jo, jeg var saa glad i henne, saa nu skjønner jeg ikke selv at jeg kunde leve likesom paa begge sider av vandskillet — baade med dig og med henne. Men allikevel saa tænkte jeg aldrig — ja du vet, en viss slags tanker de kommer jo altid stikkende, saan rent ørkesløst ialfald. Men jeg tænkte, ja den som faar henne, han f a a r en som er værd at ha, og h e n n e kunde en sætte paa til kjærring paa en gar'. Jeg beregnet da ikke at det skulde ende med at jeg fikk ligge med henne.»

Nathalie skalv igjen. Det gjorde saa sviende vondt. Men samtidig var det noe annet og — som naar man gaar bent imot piskende haglveir.

«Da du fikk anbragt henne ute paa smaabruket, tænkte du ikke da engang — at forholdene var gunstige for at venskapet mellem dere kunde utvikle sig —?»

«Det gjorde jeg vel. Men ikke saan bevisst. De første gangene jeg besøkte henne var altsaa fru Atlee og datteren der endda. Like efter at de var reist maatte jeg ut et erende. Og da kom jeg forsent til sisste tog.»

«Med vilje?» Det spratt henne ut av munden, uoverlagt.

«Jeg anstrengte mig ialfald ikke for at passe tiden,» sa han opgitt.

«Og at du kunde ta en bil hjem tænkte du vel ikke paa?»

«Joda. Men vi opsatte og opsatte at ringe. Og saa gikk det altsaa slik at jeg skjønte hun blev rædd.

Men jeg hadde en følelse av at hun var endda ræddere for at jeg skulde slippe henne — hun visste nok ikke det selv, men —. Da var jeg aldeles fast bestemt, mens jeg kjørte hjem, paa at jeg vilde si dig det som det var. Det faldt mig ikke ind engang at det var mulig at la være. Jeg ante ikke at naar jeg kom hjem var det som jeg hadde gaatt gjennem døren ind til en annen verden. I begyndelsen tænkte jeg virkelig hver gang jeg hadde vært derute at nu maa det bli en endskap paa dette — at jeg maatte vække mig selv, mener jeg, for det var rent unaturlig og uvirkelig at leve to liv paa en gang saan som jeg gjorde. Men det var likesom hun syntes det var aldeles naturlig. Hun sa aldrig ett ord om fremtiden, eller hvad jeg gjorde naar jeg ikke var sammen med henne, eller hvad jeg hadde tænkt at det skulde føre til. — Først da jeg skjønte at det var noe iveien med henne fikk jeg henne til at si hvad hun hadde tænkt. Og da sa hun at hun hadde ingenting tænkt — hun hadde altid visst at jeg var gift, og at det kunde ikke vare, og det gjorde ingen forskjel i hennes øine om jeg skilte mig, tvertimot, det blev bare værre da.»

«Ja deler hun ogsaa sine forældres anskuelser i det stykket da?»

«Hun gjør nok det. Jeg merket ikke noe til at religion og det derre spillet noen rolle for henne i førstningen, annet end det at hun maatte gaa i kirken hver søndag saalænge hun bodde i byen. Jeg trodde nærmest at hun bare gjorde det fordi hun var nødt til det, men at igrunden var hun noksaa lei hele greia og noksaa kritisk indstillet overfor det hele. Fruen der hvor hun først bodde passet saa nøie paa at hun opfyldte sine religiøse forpligtelser som hun kaldte det, og Anne utstod henne ikke — hun kaldte henne en vievandspadde.» Hun smilte litt. «Hun var paa en maate halvforlovet med en av sønnerne der, han er i Tyskland, skal bli dyrlæge. Ja han er vist bra nok, men det var ingenting avtalt mellem dem; det var hans mor som insisterte paa at behandle henne som om saken var klappet og klar og tiltok sig alle slags svigermorsrettigheter. Og Gaarders ogsaa vilde gjerne ha det. Det var det som hadde gjort henne opsætsig, sa hun siden — men hun hadde aldrig været ment paa at melde sig ut av kirken. Og da det altsaa tok en slik vending mellem os lot hun være at tænke, sier hun, men hun hadde aldrig indbildt sig at det skulde vare længe.»

«Det var en svært moderne ung dame syns jeg.»

«Aa, det er vel snarere saa gammelt som alle haugene vel.»

«At en ung pike indlater sig med en mand naar hun vet paa forhaand at det kan bare bli tale om et midlertidig forhold —? Nei Sigurd. Jeg tror ikke engang at de saakaldte moderne unge pikerne — ikke mange av dem ialfald, hvad de saa end kjekker sig med at late som — de fleste av dem haaber nok inderst inde, hvis de bryr sig om manden da, at dette skal nok utvikle sig til noe saa uprogrammæssig livsvarig saa —».

Det var næsten mørkt nu; ett og annet kornmoglimt glippet endda langt borte.

«Jeg mente, at mennesker indlater sig paa noe selv om de vet, det maa ende et sted som der ikke fører noen utvei ut fra. Det har vel hændt saalænge jorden har staatt, tænker jeg. Naar de virkelig — ja elsker da altsaa.»

Det var godt at det var mørkt. Det sisste som han sa, — hun visste ikke hvorfor, men det var som det brøt ned hvert haab. Endda hun ikke hadde hatt noen haab som hun vedkjendte sig.

«Men da, Sigurd.» Hun maatte stanse, hun kunde ikke snakke uten at stemmen hennes skalv, saa rædd var hun nu. «Hvad skal det bli til da — hvor er hun henne nu da?»

«Hjemme paa Veum saavidt jeg vet. Det er længe siden jeg hørte fra henne snart.»

«Men det er altsaa saan at det — hun skal altsaa ha dette barnet?»

«Det sisste hun skrev var at hun skulde nok la mig vite det, hvis hun maatte ha hjelp for at komme sig bort etsted, men jeg maatte ikke forsøke at træffe henne naar hun var i byen paa gjennemreise. Først i august mente hun at hun maatte reise, ellers var hun rædd at de hjemme skulde merke noe.»

Nathalie satt og hørte hjertet sit hamre. Hun vilde ha visst hvad Sigurd tænkte — det var som at flaa ruerne av et saar, men hvad følte han ved tanken paa dette barnet som en fremmed ung pike gikk og bar for ham? Det maatte jo være saa langt kommet alt saa hun kjendte at det var levende. Nathalie blev gjennemrystet av smerte og armod. Tænkte Sigurd paa det — at barnet hans rørte sig i denne Anne som han hadde elsket, som elsket ham —?

«Anne Nordgaard.» Hun var kommet til at si det høit. Hun saa at han fór sammen i mørket. «Akkurat som moren din og din søster. De var døde begge to før vi to traff hverandre.»

«Ja. — Men hvad mener du med det?»

Nathalie reiste sig. «Det blir for koldt at sitte her.» Hun gikk ind og slog paa lyset i takkronen.

«Skal jeg stænge veradadøren?» spurte han som hadde fulgt efter.

«Takk det er vist ikke nødvendig.» — Stuen med divankroken, dragkisten, Werenskiolds litografier med hestene — hun begyndte at skjønne hvordan Sigurd kunde falde ind i det tilvante livet sit igjen hvergang han kom indenfor den gamle rammen.

«Men hvad vil du gjøre da, Sigurd? Du kan da ikke la alting bli ved at drive, mand! Engang faar da du ogsaa vise initiativ.»

«Vil det si», spurte han langsomt, «at du opfordrer mig til at — ryke og reise?»

«Skal du ta det slik! — Forresten, bare du tar tingene paa den ene eller den andre maaten —. Alt er bedre, syns jeg, end det at du bare gaar og maaper og spekulerer og lar sakene gaa sin gjilde gang.»

Han saa paa henne, skarpt, forundret. Nathalie satte sig paa divanen, med albuerne paa knærne og hodet i hænderne. «Jaja Sigurd. Men kan du ikke skjønne at jeg føler mig endel — desorientert. I alle disse aarene har jeg bestandig gaatt ut fra uten videre, at naar du sa en ting saa var det sandt.»

«Det tror jeg det har vært ogsaa. Jeg hadde jo aldrig før noen grund til annet.»

«Saa viser det sig at de sisste — tre fjerdingaar har det vel vart — har du klart at narre mig op i stry paa en maate som — ja du har greiet det nok-saa rutinert og radig.»

«Det har jeg undret mig over selv ogsaa. Jeg vilde ikke trodd at det gikk saa lett at føre sin hustru bak lyset.»

Hustru —! Det høitidelige ordet virket paa henne som et naadestøt. Hun reiste sig, tok paa sig jakken men blev staaende med hatten i haanden.

«Men det kan du vel forstaa, Sigurd, dette her er ikke noe som man kommer over. Jeg sier det ikke for at bebreide dig noe — hvad skulde det være godt for? Men forutsætningen for det hele eksisterer jo ikke mere. For forholdet mellem dig og mig altsaa. At vi begge hadde resignert i det stykket — naar vi altsaa ikke fikk barn, vel, saa kunde det ikke kalles at vi var noen familie, vi var bare to gode kamerater. Men det var vi, saan at —» aa nu kom hun vist til at graate! — «saan at det var værd at bli sammen hele livet likevel. Naar vi var glad i hverandre, og kunde gi hverandre en saan — fyldig — og — og inderlig lykke — og vi visste at vi kunde stole paa hinannen — saa var det da umaken værd. Selv om kanske baade du og jeg hadde noe ensomt i os, fordi vi var — uten livs-frugt som det het i gamle dager.»

Han bøiet hodet, baade samtykkende og efter-tænksomt, syntes hun. Han saa ut saa herjet, baade av sorg og av ydmykelser, og av at spekulere paa noe som han ikke raadde med, saa det gjorde mere vondt i henne end hun kunde holde ut. Nei hun holdt ikke ut at ha saa vondt i sin mand, ens mand er en del av en selv, han var det ialfald for henne —.

«Alt det der er jo forandret nu. Hadde det ikke vært annet end at du hadde vært borti en annen kvinne — du kan skjønne, jeg vilde ha tatt mig for-færdelig nær av det, men jeg er da ikke dummere end jeg vilde forstaatt at saant hænder —. Men det du sier — om at du har gaatt i alle disse aarene og lekt med tanker om et liv som var helt anderledes — eller mange andre liv som du kunde levet —»

«— det gjør vel alle mennesker det, Thali», avbrøt han heftig. «Eller de fleste ialfald», sa han spakere. «Bare at det pleier ikke komme annet ut av det end — ørkesløse spekulationer.»

«Men for ditt vedkommende er der altsaa kommet et barn ut av det. Og hun som gaar med det var altsaa enslags drøm for dig, men du er kommet i skade for at drømme svært realistisk.»

Det rykket i ham som hun hadde slaatt til ham. Og pludselig hørte hun saa tydelig som det her-met indi henne sin mors stemme — er det ikke bedre at to ialfald faar lov til at bli lykkelige end at tre mennesker skal tvinges til at være ulykkelige. Mammas gamle prækentekst — hun fikk lyst til at le og bli rivende hysterisk, saa grotesk var det alt sammen. Stakkars Sigurd, hvordan det saa gikk eller ikke gikk, mon han blev den ene lykkelige — ?

Hun tok sig sammen, talte roligere: «Ihvertfald, Sigurd — du har ialfald valget nu. Hjem og barn og alt det der — det er ikke noe uopnaaelig for dig, det vet du nu. Og du maa vel tilmed synes at du burde gi barnet dit et hjem, og hun som er moren til det skulde vel egentlig ha vært Anne Nordgaard nu.»

«Det er jo ikke mulig», sa han trætt.

«Nei det er det vel ikke — ikke uten at ta til forholdsregler som ingen av os vilde finne smakelige. Men jeg skal ialfald ikke gjøre det vanskeligere for dig, hvad du saa bestemmer dig for. Jeg — jeg vil dig da ikke annet end vel, kan du vite.»

Han sa ingenting, og hun stod litt, bitterlig skuffet. Hun visste ikke hvad hun hadde ventet at han skulde gjøre. Saa gikk hun bort til speilet og satte hatten omhyggelig paa sig.

«Skal du gaa —?»

«Ja jeg faar nok se til at komme mig avgaarde nu.»

«Men — du kan da ikke komme ut til Stranna ikveld?»

«Aa det blir nok en raad med det.»

«Er det ikke bedre at du ligger her da? — Jeg skal ikke genere dig», sa han kort.

Det oprørte henne aldeles urimelig at han skulde si det.

«Jeg faar kjøre utover med Sverre», svarte hun nonchalant. «Han skulde ned til Drøbak allikevel. Ellers vet du at jeg kunde gaatt til tante Nanna og ligget der. Men naar Sverre tilbød at gjøre den svingen opom Nesodden saa. Det er ikke hyggelig for Norma at være alene i huset med de smaa om natten.»

Han saa paa henne men sa ingenting, og hun kunde ikke rigtig tyde hans uttrykk. «Ja godnatt da Sigurd. — Forsøk ialfald — ikke vær saa opgitt da du. Herregud, andre folk har kommet igjennem en saan historie like friske. Saa det gaar vel ogsaa for os paa en gjerd, skal du faa se.»

«Kommer han og henter dig her —?»

«Nei jeg skal møte ham i byen. Ved Østbanen klokken tolv. Saa nu maa jeg nok gaa. Godnatt da Sigurd.»

«Jaja, godnatt da.»

Han hadde ikke tatt i henne — det slog henne da hun gikk ned trappen — det var akkurat som de begge hadde vært rædde for at komme nær hver=andre. Og det faldt henne ind, han hadde næsten ikke brukt navnet hennes mens de talte sammen. Han som ellers sa Thali, Thali, Thali for annet=hvert ord omtrent. Men hun hadde sagt Sigurd, Sigurd, Sigurd vist, ustanselig, som hun vilde kalle paa ham.

I lygteskinnet glinset fortaugsfliserne vaatt da hun kom ut, og blanke av væte var lønnebladene som kuplet sig høstlig om det gule lyset i gatelamperne. Det dusket fint og smaatt, hun maatte ta en bil paa hjørnet.

Inden hun kom dit hadde hun bestemt sig; hun gav chaufføren adressen paa det hotellet hvor hennes far og mor pleiet at bo naar de var i Oslo. Da hun kom dit forklarte hun nattvagten at hun var blitt forsinket i byen og hadde glemt nøkkelen, saa hun kunde ikke komme ind hos sig selv. De lo av det begge, og han fulgte henne indover gangen til et værelse som han fortalte at redaktør Søegaard altid hadde likt sig saa godt paa; det var til gaardsiden og saa stille —.

9.

Dundringen paa døren vækket henne til forvirring, og da hun sanset sig, hvor hun var, kom erindringen tilbake som et ildebefinnende.

Hun opdaget at hun kunde ikke huske ordentlig hvad hun og Sigurd hadde sagt til hverandre kvelden

før. Men han maatte vist opfatte henne som hun bent⸗
frem befalte ham at skaffe sig skilsmisse og gifte sig
med Adinda Gaarder. Det var i det mindste ikke hvad
hun hadde ment at si da hun gikk op til ham igaar —
hun husket at da hadde hun tænkt, det behøvet ial⸗
fald ikke bety slutten paa alting. Denne selvbeher⸗
skelsen som var blitt henne en vane, og saa det at hun
hadde det saa vondt, var nok skyld i at hun hadde
forløpet sig.

Det rigtigste var det vel, naar alt kom til alt — si⸗
den der var et barn underveis. Og pikebarnet var saa
meget yngre end Sigurd —.

Det maatte ha gaatt galt næsten med en gang der
var blitt et forhold mellem dem. Det var vist den tan⸗
ken som gjorde henne aller mest elendig — naar han
ikke hadde kunnet faa barn med henne. Hun fikk en
rent kropslig følelse av at være beskjemmet og for⸗
kastet. Det var godt og vel at pukke paa alle de vær⸗
dier som to mennesker kan gi hverandre i et kjærlig⸗
hetsforhold, utenom akkurat avkom. Inderst inde i en
er der vel altid en stemme som sier, men naturen har
ikke annen mening med det. Det hadde altsaa ogsaa
Sigurd opdaget. Det kunde godt være at hvis han
blev gift med den andre saa kom han til at opleve mest
skuffelser, han vilde se saa klart som aldrig mens han
stod i det hvad deres egteskap hadde vært værd. Det
kunde ikke endre det faktum, at naturen hadde vraket
henne og brukt lille Anne saa fort den fikk leilighet
til det.

Nathalie vasket og vasket sig med et haandklæde
og klemte det mot øinene sine. Isch saa ekkelt ogsaa
at maatte stelle sig uten ordentlige toalettsaker. Og
bare paa de skrittene hjemmefra bort til holdeplassen
hadde hun faatt paa sig regn nok til at klærne hennes
saa uordentlige ut. Var det noe hun hatet saa var
det voilekjoler som ikke var helt friske. Strømper fikk
hun kjøpe paa veien til forretningen og bytte paa kon⸗
toret —.

Fru Totland kom ind med en haug kommissions-avregninger, og mens Nathalie saa dem igjennem og underskrev de vedlagte checkerne tænkte hun at fru Totland burde sandelig si fra i tide saa hun kunde faa ordnet med permissionen hennes. Fru Andersen hadde været borte i tre maaneder før og to maaneder efter hun fikk gutten, men hun hadde selv holdt vikar en stor del av tiden, sin svigerinne. Da hun skulde ha Lillemor sluttet hun for godt og fikk svigerinnen fast ansatt. Det var ingen sak for henne, Andersen var en eksemplarisk egtemand, og han tjente saa de greiet sig, flinke som de begge var. Fru Totland kunde sikkert ikke være borte længer end hun fikk fri vikar. Men det vilde være bra om Nathalie kunde faa avgjort saken paa næste styremøte.

Nu visste hun ikke hvad hun skulde gjøre med sin egen ferie heller. Det var jo meningen at iaar skulde de reist sammen. Sigurd hadde fatt leie Veltgjeltbua som de paa Rafstad hadde eiet i hans fars tid. Ifjor var den blitt utleiet til byfolk, som Sigurd sa endda naar han snakket om noe deroppe fra. Det var grumt spøkefuldt at tænke paa, at dersom han hadde været litt før ute ifjor vilde ingenting av alt dette være hændt.

Hun spekulerte paa om hun skulde snakke med Sverre om dette som hun var kommet til at si igaar. Om hun kunde begripe hvor hun hadde faatt det indfald fra forresten —! Der var en del som hun burde konferere med ham om allikevel — forsinkelsen med gulvtepperne til Solstrand blev større end hun hadde varskudd om. Det spillet ingen rolle i virkeligheten; hovedbygningen blev ikke færdig til at tas i bruk iaar. Men der var allikevel forskjellig som hun skulde ha talt med ham om —.

Men da hun ringte til ham svarte frøken Dahl at arkitekten var ikke paa kontoret idag, han blev vist ikke at træffe her før paa mandag, for han hadde skadet benet sit sisste søndag under badning. Hun stod netop paa farten op til ham, om det var noen besked hun kunde gi, eller vilde fru Nordgaard telefonere med ham selv —?

Litt efter ringte Sverre Reistad til henne: «Kan ikke du komme hit op da? Lunsj skal du vel ha alikevel? Ja hvis du vil være saa snil at ta med prøverne saa — men syns du det er for mye plunder saa kan godt frøken Dahl stikke indom efter dem imorgen for eksempel —.»

Nathalie bearbeidet fløielsjakken for at faa vækk sporene av regn. Sverre hadde altid været saan at han saa hvad damer hadde paa sig; selv før Henriettes tid gjorde han det.

Der var noe som minnet om Danmark ved den lille villagaten. De hvitkalkete murhusene med bratt rødt tak var hverken smaa eller store, vinduerne og verandaen var placert paa de usmykte facaderne saan at hele huset sa likesom venlig men bestemt, vi er beskedne, men hjemlige og praktiske. Til overflod var de fleste av forhaverne utstyrt med en stump rosenpergola, og der var spaliert frugttrær og blomstrende slyngvekster opover husene. Sverre hadde baade et aprikostræ og en wistaria, og træet hadde baaret aprikoser etpar ganger og wistariaen blomstret næsten hvert aar.

Det var en ven av Sverre som hadde bygget disse villaerne — for en ti aar siden eller saa; de hadde alt faatt en patina over sig av fortid, eller av en overstaatt mote. Men Sverre hadde beundret dem saa kolossalt da de blev opført. Da var han netop kommet hjem efter noen aars ophold i Kjøbenhavn og var saa begeistret for hvordan danskerne bygget — likefrem, brukbart, urbant. Han skrev godt for sig og han hadde hatt en række korrespondancer i bladene om det. Blandt annet noen artikler om Nyeboder og nordmænd i Holmens faste Stokk, han hadde hatt held til at grave frem en forfader av mamma, kommandørkaptein Cæsar Timóleon Brodersen, og citert saftige stykker av mandens dagbøker ogsaa — til offentliggjørelse in extenso i dagspressen var de mindre egnet. Mamma hadde vært saa pussig forarget — Nathalie maatte le ved tanken. Hun gikk gjennem haven og ind verandaveien.

Sverre halvlaa i en lænestol og rettet overkroppen hilsende da hun kom ind. «Du undskylder —?» Det ene benet hans hvilte strakt ut paa en krakk med puter og foten tykk i hvit sokk. «Du var snil som gad komme, Nathalie.»

Nei han hadde ikke merket noe før han kom op, da kjendte han at det var forbanna vondt naar han skulde traa paa foten forklarte han paa hennes obligate spørsmaal om hvordan, og hvad var det egentlig —? Ja han kunde jo latt være at gaa uti et sted hvor han ikke var kjendt, i saan sjø. Jo det var brudd all right. Han skulde faa enslags bøile om foten og begynde at gaa sisst i uken — de bruker det nok slik nu. «Sigurd sier at de gjorde det med Ahlmann ogsaa ifjor da han brøt av sig foten, og det gikk fint.»

Halvveis snudd fra ham lette Nathalie i mappen sin som hun hadde lagt paa bordet ved vinduet: «Sigurd — har du snakket med h a m siden dette?»

«Igaar. — Du faar nok være saa snil at finne dig en stol selv.»

«Om forretninger da?» spurte hun og blev rædd for at han skulde merke paa stemmen hennes at noe var iveien.

«Vi skulde vært sammen op paa dette gamlehjemmet ja.» Han fingret prøverne hun rakte ham. «Det der var forresten fint, men tror du at det violette holder mot sol?»

«Nei jeg vet at det falmer frygtelig.» Hun lo, han ogsaa.

«Nu er det det da, jeg har faatt helt nytt forslag fra denne interiørdamen, jeg skal vise dig tegningerne hennes naar vi har spist, til den saakaldte musikksalonen og rummet indenfor. Jeg liker dem, men da blir

det altsaa spørsmaal om dere kan disponere de tep=
perne paa en annen maate. Det nye er blandt annet at
hun vil ha tepper allikevel av det der nauthaarsgarnet
som du viste os, fra en fabrikk paa Ringebu var det
vist. Naturfarvet. Kobberrød plysch paa møblerne.»

«Plysch du?»

«Ja det kommer nok tilbake. Det er uslitelig vet
du, og helt sunproof, og ikke vanskeligere at holde
rent end annet — med støvsuger da. Glatt utspændt
over store flater gir det jo en helt annen effekt end paa
de gamle stoppmøblerne med knapper og dusker —.»

«Ja naturligvis.» Nathalie nikket saa opmerksomt
som hun kunde.

«Men som sagt, vi skal se paa forslagene hennes
naar vi har spist. Men fortæll mig, hvordan gaar det
med dere ute paa Stranna —? Blir det ikke slitsomt
for dig i længden at bo der?»

«Litt vondt at komme op om morgenen unegtelig.»
Hun fulgte knapt halvt med det hun selv sa. Efter
alt det andre var det likesom mere end hun orket —
og hun kunde ikke skjønne hvad som hadde gaatt av
henne da hun sa det der idiotiske om at Sverre skulde
kjøre henne utover. — Og saa at det netop skulde
træffe slik at Sigurd hadde talt med ham like i for=
veien. — Det var ikke længer siden end i forrige uken
at Sigurd spurte henne om ham, hun talte jo med ham
i byen av og til angaaende Solstrand — de maatte se
at faa ham med sig utover en kveld mente Sigurd, han
hadde ikke sett ham paa aldrig den tid —.

Blaas, n u kan det da være det samme. — Det var
som om alt indi henne oprørte sig og protesterte — nu
mere end noensinde var det i k k e det samme, at hun
hadde staatt der og sagt noe som Sigurd visste var
loddrett løgn. Hun kunde bli aldeles gal naar hun
tænkte paa det. Aldrig hadde hun følt en saan bræn=
dende nidkjær bekymring for det indtrykk hun vilde at
Sigurd skulde ha av hennes absolutte sandfærdighet.

Hun stirret fortapt paa det store akvariet som var

bygget optil væggen midt imot henne. Til de smaa sølvblink og guldblink i vandets grønlige mørke naar fisken kastet omkring indimellem plantestengs lerne blev som rykk og støt i hennes egne nerver. Noen store lysegyldne fisk med bølgende slør av finner stod fremme ved glassvæggen og gjespet med runde munder; den maaten de leet sig paa virket pludselig ekkel paa henne.

«Jo det er brysomt selvfølgelig, naar en maa spare paa vandet. Men det visste jeg jo paa forhaand, at det er altid det kinkige punkt paa saanne steder.»

Hushjelpen hans, helt i hvitt og med hvit kappe, kom og sa værsegod. Sverre tok stokken og heiste sig op paa det friske benet. «Vil du ta armen min?» foreslog hun, og han lo mens han hinket mellem stokken og henne ind i spisestuen.

Han saa godt ut nu, da han ikke var saa ung længer. Forresten hadde da aldrig hun syntes at han var saa stygg — eller stygg paa en pen og morsom maate pleiet hun si, naar de andre i gymnasiet snakket om den digre næsen hans som var noksaa rød alt dengang og saa rar og tynd og benet — et svært triangel midt i det magre og skakke fjæset hans. De tykke svarte brynene dannet en skraastrek; de grodde næsten sammen over næseroten, men det høire bøiet litt nedover og det venstre svinget op. Næsten alle i klassen kunde tegne karrikaturer av Sverre Reistad saan at en kunde se hvem det skulde forestille. Da alt hadde han igrunden hatt en flott, slank skikkelse, men han gikk altid i klær som han var vokset ut av paa alle kanter, fru Wille klarte knapt at holde ungerne sine istand, og brorsønnen lot hun gaa og se ut som en tater.

Sverre skrøt av det den tiden, at hans bedstefar h a d d e vært tater — var vokset op paa fantestien simpelthen, til hans far blev stukket ned i slagsmaal og moren fikk sig annet følge. Presten Feltborg tok gutten til sig. Det var for at faa Christiane Feltborg at han hadde læst sig frem til eksamen efter eksamen —

han skulde bli prest var meningen da. Men saa viste det sig for et sproggeni denne Tater-Jens'en var, og han endte altsaa som professor Jens Joachim Reistad, orientalisten — lokket av sin stammes hyl forstaas.

Senere indrømmet jo Sverre at hans farfar hadde bare vært en begavet plassgutt som presten Feltborg tok sig av og læste med. Tateren satt høiere oppe i stamtræet, men han satt der da. Det var efter ham de hadde det svarte haaret og øinene, som forresten ikke var svarte, de var mørkegraa eller mørkegrønne vist. — Nathalie saa ned paa ham, idet hun hadde lodset ham til sætes: «Brunt har da aldrig eksistert i øinene dine du — er det noe sandt mon i det at det skal være taterblod i dere?»

Han brast i latter: «Hvordan i alverden kommer du til at tænke paa det nu?»

«Jo — jeg spekulerer paa om jeg skulde ta mig en rigtig stille og rolig ferie. Leie mig ind paa Gusslund hvis de vil ta imot mig. Bare vegetere — læse og bade og sitte i haven og pusle med litt haandarbeide.»

«Saamen. Skjønt ærlig talt, Nathalie, jeg tror du vilde finne det for primitivt. I erindringen tar det sig saa gjildt ut, saanne steder fra ens barndom. De er blitt ældgamle og, jeg var indom og hilste paa dem isommer engang. Langt til en ordentlig badeplass og.»

«Jeg maatte faa laane en cykkel. Jeg længter efter at være ved sjøen en ferie igjen.» Med det samme hun sa det saa hun for sig den gamle sætervollen som Veltgjeltbua stod paa, gjengrodd store stykker med graavier og kjerringris, i muren under det sammensunkne fjøset pleiet det være røisekatt. De tre smaavandene saa blaa paa rad bortover den høstrøde vidda som strakte sig opover mot de graa haugene og uren under Nonsvola. — Det var som det tapte paradis at huske paa — forfærdet kjendte Nathalie at øinene hennes blev fyldt av taarer.

«Da vil jeg foreslaa dig at du heller tar til Solstrand da,» sa Sverre. «Skal du ikke ha litt mere brissel — den var da god? Det er ikke mere end otte gjesteværelser i annekset, og til den tiden staar det vel kanske tomt og. Men Pedersens som driver jora kan stelle for dig, fru Pedersen laver storartet mat.»

«Det kom til at bli det samme som paa Gusslund — at mamma og Ragna ventet jeg saa hjemom til dem mindst hverannen dag. Det er det som gjør at jeg ikke har rigtig mod paa Gusslund likevel. Ragna venter en liten i september, det vet du kanske, og da dreier selvfølgelig alt sig om det. Og jeg kan ikke negte, jeg begynder at bli lei av at skulle være idealtanten til andres unger bestandig.»

Da hun hadde tilstaatt det høilydt for et annet menneske var det besynderlig lindrende. Det hadde svellet som en verk i henne de sisste dagene, men hun hadde ikke villet se hvad det var. Joda, hun var saa glad i barna til Ragna og Nikolai og Sonja og Hildur og alle de andre barna som ventet — og forældrene deres ventet — at hun skulde huske dem ved alle leiligheter med dyre og snedig uttænkte presanger og finne paa morro for dem, og høre interessert paa alt som mødrene deres fortalte om dem. Barn til kvinner som hun var kommet i berøring med i forretningen eller paa en eller annen maate — der var ingen ende paa alle de ungerne som hun skulde tante for litegran. Hun hadde gjort det saa villig; helt la være at føle savn hadde hun jo ikke kunnet, hver gang det var et av alle disse barna som hun skulde huske paa — men hun hadde da vært glad fordi hun kunde gjøre dem en glæde. Nu var det med en gang som hun ikke orket mere. Hun blev sint naar hun tænkte paa at nu maatte hun ta sig av fru Totlands affærer, og siden fikk hun vel ikke høre om annet end ungen. — «Lilli-lei-du-er» — den lille piken til fru Andersen hadde svart det engang da de spurte henne hvad hun het idag. Det kom helt spontant, av skøieragtighet, men ungen hadde gjort saan lykke med det, saa nu maatte de la henne faa si det hver gang moren var indom forretningen med barna, og saa var det at sende bud efter kaker og bananer og beundre Lilly. — Nu syntes hun at hun gad ikke opføre den komedien en gang til —.

Sverre satt som han ventet, men da hun ikke sa mere begyndte han med noe annet: «Det der tater-sludderet som du minnet mig om — jeg har forresten trodd paa det selv. Far var kry av det, og saa var jeg ogsaa. Det er kanske reaktion mot det som har gjort at jeg er blitt saa spissborgerlig paa mine ældre dager. Med saanne pene og pyntelige hobbier, — kaktus, akvarium etcetera.» Nathalie bare smilte litt tvungent.

Piken dækket av bordet. «Takk, De kan la os faa beholde kaffen her. Hvis jeg faar lov til at bry dig — det er den tredje øverste mappen tilvenstre — om du vil ta den hit saa skal jeg vise dig —»

Hun gjorde sit bedste for at være interessert. Det blev ikke bedre av at han merket hun var forstemt, endda han prøvet at late som ingenting.

«Du burde ialfald bli med ned og se det engang. Det er da ikke hver dag dere faar saa store leverancer vel? Du har ikke sett hvordan din mor har faatt det i den nye leiligheten heller.

— Det er ikke noe jeg kan gjøre for dig vel, Nathalie?» spurte han om litt. «Du virker som du var ute av humør for ett eller annet —?»

«Du kan nok ikke det Sverre.»

«Nei vel.» Han taug litt. «Det er bare det — siden du selv begyndte at snakke om Gusslund og taterblodet mit og de søte barndomsminner. Jeg kan vel si, at næst efter din nærmeste familie saa er da jeg din ældste ven vel?»

«Uff ja, det er det som er saa idiotisk. Jeg laa paa hotel her i byen inatt skjønner du, men jeg hadde ikke lyst til at si det til Sigurd, at barna var alene med piken derute, — det saa ut til torden og. Saa sa jeg at jeg skulde møte dig i byen, du skulde nedover til Drøbak sa jeg, og saa hadde du lovt at kjøre mig frem til

Braaten. Jeg ante jo ikke at Sigurd hadde talt med dig netop.»

«Nei det var jo ikke saa godt for dig at vite, naar ikke han sa noe.»

«Nei vi hadde noe vi maatte snakke om, saa vi kom ikke til at tale om andre ting. Men nu ærgrer det mig naturligvis at jeg skulde komme med den skrønen.»

Sverre saa tankefuldt paa henne.

«Du syns naturligvis at det var svært uvenskapelig og udeltagende av ham at han ikke nævnte dette uheldet dit —»

«Nei langtifra. Det var rarere —.» Han brøt av. Men nu slog det henne, h v o r rart det var at ikke Sigurd hadde sagt noe.

«— det rarere var at han ikke sa mig rett op i ansigtet, du juger. Er det det du mener?»

«Man behøver da ikke at uttrykke sig saa likefrem, Nathalie. Men hvis du vil finne dig i at jeg sier en ting. Det er sikkert bra og udmerket i og for sig med saanne kameratslige egteskaper og gjensidig bevægelsesfrihet og fuld tillit og hver sitt arbeide og sine interesser og sin omgang. Der blir sikkert løiet meget mindre end i de gode gammeldags egteskaperne — det er ikke umaken værd. Bare man ikke saa tar det overdrevent høitidelig, hvis forholdene en eller annen gang skulde føre med sig at — ja du forstaar, at man kommer til at fortælle hinannen noen fabler.»

Nathalie klemte cigarettstubben ned i askebægeret og saa avventende paa ham, men nu vilde han aapenbart ikke møte hennes blikk.

«Er det noe specielt du tænker paa?» spurte hun.

«Tja. Du vet at jeg forstaar — eller indbilder mig at jeg forstaar — man slumper til at si et eller annet saant rent uoverlagt. Og naar man sier det for eksempel til et menneske som din svigerinne kan der komme meget ut av det som man aldrig hadde drømt om.»

«Mener du Sonja? Nu skjønner jeg ikke hvad du sigter til.»

«Neinei, det samme kan det være forresten.»

«Nei forklar mig hvad dette er for noe? — Har j e g sagt noe til Sonja som hun har gaatt og brodert videre paa?»

Sverre Reistad saa ut som han ikke likte sig. «Jeg kan da umulig vite hvad du har sagt til henne. Det er vel ingenting at regne paa det som hun sier.»

«Jeg vilde foretrække at faa vite hvad det er, kan du vel begripe. Ellers blir man bare gaaende og tror det er værre end det er.»

«Det var ikke noe saa farlig heller. Det var noe om en ung pike som jeg skulde ha været meget sammen med i vinter. Holdt paa at forlove mig med, sa Sonja.»

«Frøken Gaarder?» spurte Nathalie rædd.

«Ja.»

«Kjenner du henne da?»

«Næsten ikke. Jeg blev forestillet for henne en=gang. Spurte til hennes forældre og saan. De hadde gaard nede i Berdal da far var distriktslæge der, saa jeg husker Gaarder, men da var hun vist ikke født engang — skjønt født var hun vel, det maa være en sytten=atten aar siden. Men henne kjenner jeg a b s o=l u t t ikke, forstaar du.»

«Sigurd kjenner henne.» Nathalie holdt pusten et øieblikk. «Det vet du antagelig?»

«Jo jeg vet det. Det var ham som forestillet os. Jeg traff dem paa vestbanen, i venteværelset en efter=middag.»

Nathalie satt og bet sig i leberne.

«Det ser faktisk ut som jeg er den sisste av alle Sigurds bekjendte som har faatt høre om hans venskap med denne unge damen.»

Sverre trakk paa skuldrene.

«Det var det jeg mente. Dere har antagelig aldrig hatt noen grund til at skjule noe for hverandre. Det skal du huske paa. Det har formodentlig betydd saa litet, alt som dere oplevet hver paa deres kant ellers. Om det da hænder at den ene eller den andre av dere kommer ut for noe som er litt mere end en ren bagatell, og ikke netop har lyst til at fortælle alting om det, saa er det ikke værd at ta det overdrevent høitidelig, Nathalie.»

«Hvordan i alverden kan du vite,» sa hun hissig, «hvad som er værd eller ikke værd at jeg skal ta det høitidelig?»

«Neinei omforladelse da. Men har det aldrig faldt dig ind at Sigurd er i tidens løp blitt adskillig yngre end os andre?»

«Mener du at jeg er blitt fortere gammel end han?»

«Jeg mener at da du blev kjendt med ham og førte ham ind i klikken vor var vi noe saa nær jevnaldrende, han og du og jeg og Gerda og hele den gamle gjengen. Men det er naa engang noksaa vilkaarlig naar vi mennesker maaler levetiden vor efter den tiden som jorden bruker for at gaa rundt solen. Det kan være hendig for mange slags utregningers skyld. Men rent fysiologisk er ett aar mens vi er barn eller unge ikke tilnærmelsesvis samme portion av vort liv som ett aar er for et gammelt menneske, det er et meget større og solidere stykke av livet nemlig. Og paa samme maaten lever ikke de forskjellige mennesker sit liv i samme tempo heller. Sigurd hører nu engang til dem som gir sig god tid med at leve op. Har det ikke faldt dig ind» — han smilte litt — «at nu gaar h a n og grubler over, problemer kan man jo kalle det, som vi andre har gitt op at tænke over for længe siden for vi tror ikke det nytter at vente svar paa dem?»

«Vil du si med det,» spurte Nathalie krigersk, «at du syns Sigurd er naiv, eller uutviklet, eller hvad er det du vil insinuere?» Hun var forbitret paa den mands vegne som hun var vant til at holde armene sine omkring, men samtidig dypt foruroliget fordi hun dunkelt følte — hadde hun ikke tænkt noe slikt hun og —?

«Nei paa ingen maate. Jeg mener bare, Sigurd er sagtens bestemt til at bli en virkelig gammel mand. Var han blitt hjemme i bygda» — Sverre smaalo — «Kan du ikke forestille dig at han kunde gjerne blitt hundrede aar? Fuldt aandsfrisk — en vis og vaaken hedersgubbe som den lokale avisen skriver om hvergang han gaar ind i et nytt tiaar at han daglig læser den med interesse og briller, fremdeles hugger ved og driver med ditt og datt av forefaldende arbeide —?»

«Indbilder du dig at det er kommet dit mellem ham og mig alt, at jeg syns det er morro, naar noen gjør narr av min mand?» Vreden dirret i henne, men endda mere var hun rædd. Enten hun vilde eller ikke, hun holdt paa at bli saa skilt fra Sigurd som hun stod paa et skjær og sjøen flødde omkring henne paa alle kanter.

«Jeg gjør ikke narr, Nathalie. Tvertimot. Det kan saamen godt være, du, at det er en væsentlig grund til at verden er saa av lage nu. Teknikken og alt det der har gjort at ledelsen falder i hænderne paa folk som lever for fort og visner før de blir modne. Dætter av livets træ saa at si som skrumpne eplekart utpaa sommeren. Borte er spændingen mellem ungdommen som venter sig en hel del av livet og de gamle som vet en hel del om livet. Istedet har vi faatt den unge ungdommen som venter noe og den senile ungdommen som forsøker at indbilde sig, den ogsaa er paa det forventningsfulde stadiet endda.»

Nathalie saa paa klokken, begyndte at lægge sakerne sine tilbake i mappen: «Jeg maa nok tilbake til kontoret du —

— Der er forresten noe væmmelig sandt i det du sier om de skrumpne eplekartene som bare dætter av.» Hun gjorde med haanden som hun sopte noe ned fra bordet. «Jeg vet ikke hvad det kommer av — at vi alle sammen blir trukket ind i samme slags arbeidsliv — og der er det snart en hemsko at ha erfaring. Det vi lærte da vi var unge og lærenemme blir avlægs gang efter gang fordi teknikken utvikler sig med kjempeskritt som det kalles i aviserne. Anciennitet er ikke mere værd for de fleste av os end for biler og skrivemaskiner. Og hvis en ikke da har røtterne sine godt og dypt i slegten saa —. Du har sikkert rett i det at jeg er blitt ældre end Sigurd i de sisste aarene.»

«Det ligger vel ogsaa til noen slegter» sa Sverre avbøtende. «Om man lever i mere eller mindre rask tempo. I Sigurds familie har de jo gjerne blitt stein=gamle.»

«Svigerfar blev ikke noen gammel mand. Og Sigurds mor var i førtiaarene da hun døde.»

«Hun døde av tæring fordi hun hadde vært ufor=sigtig da hun pleiet datteren. Og lensmand Nordgaard druknet — det er vel ingen hemmelighet at det var for egen haand hadde jeg nær sagt. Men Sigurd hadde da en hel braate med bedsteforældre og ældgamle føderaadsfolk i live da dere giftet dere.»

«Uff ja.» Nathalie rettet paa hatten foran speilet. «Jeg er ialfald glad, det ligger ikke til os at bli saa forfærdelig gamle. Jeg har sandelig ikke noen lyst til at bli Methusalem. — Ja farvel da du og takk, jeg faar lov at ringe op og høre hvordan det gaar med benet dit —»

Ute bugnet skyer op overalt over villagatens træ=topper — de var lette, næsten blaa som luften endda og gjennemlyste av solbremmer og disig rødskimmer. De kunde bli til hvadsomhelst — de kunde bety som=mervarmen som kom igjen, eller torden utpaa efter=middagen. — Heldigvis, uveiret inatt hadde gaatt østenfor Bundefjorden stod det i aviserne — lynned=slag i Kraakstad og Enebak.

Sigurds far, ja han hadde simpelthen gaatt ut av livet da det blev for indviklet for ham. En ny for=færdelig angst tok til at rote op i henne — saa besyn=derlig passivt ulykkelig hadde han gaatt under alt dette; Sigurd stakkar var vist heller ikke særlig skik=

ket til at trække sig helskindet ut av en floket situation. — Men Gud Fader, kunde han finne paa at gjøre som faren —?

Hun ringte til ham med det samme hun var tilbake paa kontoret igjen. Hun maatte høre stemmen hans — hun skulde vel kjenne hvert tonefald i den! Om han vilde sørge for at faa den gamle burberry'n hennes sendt ned paa baaten? Hun forklarte vidtløftig hvor han skulde finne kaapen og en pappeske — lyttet i intens spænding, men han hørtes noksaa rolig da han svarte. Han skulde nok besørge det.

Han gikk paa bryggen og drog paa pappesken da hun kom ned til dampbaaten. Han virket litt stille naturligvis, men rolig — adskillig naturligere end hun klarte at være de minutterne de stod og snakket sammen førend landgangen blev tatt. Og han stod og hilste med haanden da baaten la fra bryggen. — Det var ærgerlig, det var idiotisk, at hun skulde føle det som en skjebnesvanger, rent symbolsk adskillelse, da stripen av møkkvand med duppende rusk og speilingen av kullrøken fra baaten videt sig ut mellem dem.

10.

Det kom en tid da Nathalie ikke visste om hun var kjøpt eller solgt — hun brukte det uttrykket, naar tankerne hennes kvernet rundt og rundt om det samme.

Skilsmisse. — Hun gruet; det var ydmykende og latterlig, at saa bittert som hun sørget fordi hun og Sigurd var blitt sprængt fra hinannen paa denne maaten, saa gruet hun for den tid da hun skulde bli tvunget til at snakke om saken med familie og venner og bekjendte, — mamma, Ragna, Hildur, Sonja og Asmund og Gud vet hvem forresten vilde ikke la henne slippe. Hun syntes, Sigurd og hun var da sandelig saa anonyme og uvigtige i verden som to mennesker kan faa blitt. De fyldte en plass, javel, men det stod ti for en som kunde ta den hvis de blev borte. De hadde slegt og venner som brydde sig om dem, men alle hadde de andre som de brydde sig mere om. De hadde aldrig betydd noe alvorlig i livet annet end det som de betød for hverandre. Var det bristet nu var der jo ikke annet at gjøre end finne sig i det saavidt mulig uten braak. Men der skulde nok bli snakket. Det blev en spissrotløping, hun visste ikke hvor langt. Det var ikke vondt ment. Den generelle velvilje og deltagelse som skikkelige mennesker nærer for sine medmennesker blir altid pigget op til at røre paa sig litt livligere naar der sker noe saan at de skikkelige folkene faar et titt ind i næstens kjønsforhold. Hun hadde ikke vært anderledes hun heller.

Sigurd hadde de alt fatt i. — Indimellem angret hun at hun ikke hadde forsøkt at lokke litt mere ut av Sverre Reistad — hun skulde gjerne visst hvor meget han visste. Og saa hadde hun den mest fortærende lyst til at spørre ham, om h a n syntes at Adinda Gaarder var saa pen. — Hvis hun hadde satt sig til at pumpe ham vilde hun ha skammet sig halvt ihjel efterpaa, og angret. Men hun angret ogsaa at hun ikke hadde gjort n o e.

Og Sigurd, Sigurd —. Det var ikke mere greie at faa paa ham, hvis ikke hun selv vilde spørre ham ut. Hun talte med ham i telefonen, hun hadde spist sammen med ham i byen etpar ganger. Han lot til at forutsætte, nu kunde det bli ved at gaa som det gikk indtil videre — han bodde i leiligheten, hun ute paa Stranna. Hun sa ham at hun hadde vært oppe hos Sverre — han bemerket ikke noe til det. «Du maatte jo synes det var besynderlig det som jeg sa, om at jeg skulde kjøre utover med ham.» Han svarte ingenting. «At jeg stod og løi, for det visste du jo at jeg gjorde. Syntes du ikke det var rart —?» «Jo, men —.»

«Men —?» «Du vet at nu vet jeg jo selv hvor snart saant er gjort.» Hun gav op, bitterlig skuffet.

Hun gikk op i leiligheten en aften, der var forskjellige ting som hun maatte hente. Den indestængte luften —! Det hadde været en varm dag. Nathalie gikk rundt og lukket op vinduer.

Sigurds værelse var ikke gjort istand. Tøi som han hadde byttet av sig laa og fløt. Nathalie samlet alt som skulde sendes paa vask, skrev seddel og fæstet oppaa bunken. Den graa dressen hængte hun ind paa kottet — kjendte efter i lommerne, men der var ingenting. — Hadde hun funnet et brev, vilde hun ha gitt efter og læst det da, undret hun. Det var fristende at lete rundt i leiligheten, om her skulde finnes noe som kunde gi henne en anelse — hvor staar han egentlig nu? Hun slog det fra sig. Det er galt nok som det er, det blir nok værre, jeg behøver ikke at gjøre mig selv værre før jeg blir det —.

Han hadde ikke husket at bytte laken paa sengen siden hun sisst gjorde det. Hun tok og la sammen skittentøiet, hentet rent og la frem til fru Randem kom. Saanne smaatterier som rydde efter ham og holde orden paa tøiet hans — dem hadde hun tatt paa sig med hemmelig vellyst; for henne hadde det været hustru-privilegier — det praktiske fællesskapet mellem dem blev saa spinkelt naar de hadde hver sit arbeide og hushjelp til at stelle den vesle menagen deres. Sigurd hadde protestert i førstningen, han hadde nok ment det og. Men for længe siden var han blitt vant til at hun plukket op brukte sokker efter ham fra gulvet og sendte hans tøi paa vask. Hvis han fikk den lille nye konen sin og hun syntes hun hadde nok med huset og ungerne, hun kunde ikke passe ham og som en baby, og saa Sigurd ærgret sig og tænkte, nei da var Thali anderledes omtænksom — aa det var komisk, og det var trist at hun kunde synes, det vilde være en liten revanche for henne om han længtet efter henne bare paa den maaten —.

Der var masser av varmt vand — hun kunde likegodt bade mens hun var her. Rummet blev fuldt av hvit damp, saa hun saa ikke rigtig da hun heldte furunaalsekstrakt op i karret — hun tok litt for meget. Sigurd pøste altid i saan masse. Bakefter, naar han hadde ligget en stund og sengklærne blev varme omkring ham lugtet det skog og bar. — Hun hadde tøi liggende saa hun kunde bytte — faa paa sig en frisk kjole ogsaa. En av rustrød vaskesilke fra forrige sommeren — hun hadde ikke gaatt med den iaar, hun hadde sorg.

Hun blev ved at drive rundt i stuerne da hun var færdig og stelt. Hun hadde ikke spist til aftens, men det hastet ikke ikveld — Norma hadde søsteren sin derute, og hun hadde sagt fra at hun kanske blev i byen inatt. Kanske hun og Sigurd kunde gaa ut og spise sammen, kanske han da vilde si henne hvad han tænkte at gjøre. Nathalie gikk og puslet med hvad hun kunde finne paa.

Hjertet hennes tok til at banke voldsomt da hun hørte en nøkkel bli satt i entrédøren, men det var ikke Sigurds skritt i entréen. — Det var bare fru Randem. Nathalie snakket med henne om rengjøringen.

Fru Randem blev litt sur da hun opdaget at fru Nordgaard hadde brukt op det varme vandet. Hun hadde været ment paa at gi alle gulvene en grundig overhaling ikveld, naar ingeniøren var bortreist.

Bortreist. — Jasaa, var han bortreist.

Fru Randem vilde spørre om fru Nordgaard hadde ordnet sig med hushjelp naar de flyttet ind. For ellers hadde hun er brordatter som var svært flink — hun kunde altsaa ligge hjemme —.

«Ja takk, men jeg vet ikke endda hvordan jeg kommer til at gjøre ihøst. Men jeg skal faa lov til at si fra til Dem i tilfælde —.»

Straks efter gikk hun. Det var for sent at naa

baaten — det var for tidlig at gaa paa hotellet og lægge sig. Hun fikk gaa og drikke the et sted og læse aviser. — Hildur var kommet hjem, visste hun, men hun var ikke oplagt til at være sammen med henne. — Ja nu visste hun jo hvorfor hun hadde hatt saan ulyst til at træffe Hildur alle disse maanederne. Det var likesom dyrene; de føler før noen kan se noe naar grunden holder paa at rase ut under dem —.

— Aa hun hadde lyst til at skrike, graate —. Hun var gaatt hjem iaftes med et halvt forsætt, nei med et fast forsætt, bare at hun ikke vilde erkjenne det for sig selv. Hun skulde ta igjen Sigurd, hun hadde næsten ikke hatt tvil om at det kunde hun endda. Han var h e n n e s mand, — den andre, det var bare et mellemspil som han selv ikke længer visste hvad han mente om. Den andre, hun visste jo det var en gift mand hun indlot sig med; det var ærlig spil om hun prøvet at ta tilbake sin mand.

Saa var han bortreist. Hun visste ikke engang hvor han var reist hen. Om det var for firmaet. Eller om han var avgaarde i sit eget anliggende.

Hun gikk paa det gamle hotellet sit. — Ikveld hadde hun da ialfald toalettsaker, hun hadde med en liten haandvæske.

Hun vaagnet i halvmørke i det fremmede værelset, og det gikk op for henne at hun hadde drømt, men hun kom tilbake til bevisstheten som op av et hull hun var dumpet i, — likesom derangert, krøllet, og forbittret efter et flaut fald.

Hun hadde drømt at hun laa sammen med Sverre — det var i enslags opredd bred sovesofa i et rum som ikke stod tydelig for henne, hun hadde bare indtrykk av at det var stygt og rotet, med skittentøi i bunker paa møblerne. Noen barn var inne i værelset, det ene var Minda som hun saa ut før hun begyndte med briller. I haanden hadde hun et fuglebur med en kanarifugl i; hun stod og saa misbilligende paa dem som laa der. —

Herregud — man drømmer sig i en uanstændig eller pinlig situation, det hænder alle. Selv utroskapsdrømmer har sikkert de fleste gifte mennesker drømt engang imellem — hvad er det at bry sig om! — Man tænker ikke mere paa dem, og om noen dager er minnet utvisket som en film i solen. Og de kommer saamen ikke fordi man har lyster i den retning, tvertimot. Det er som en ondskapsfuld nisse er paa spil og morer sig med at narre en til at kompromittere sig. Skjønt den uanstændige situationen blir aldrig mere end en situation. Hun ialfald drømte aldrig annet end synsindtrykk; med de andre sanserne — følelse, hørsel, lugt, smak, oplevet hun aldrig noe i drømme. Hvor ofte hadde hun for eksempel ikke drømt at hun ordnet et frugtfat, men hun hadde aldrig faatt smake drømmefrugterne. Selv naar hun husket noe som noen i drømme hadde sagt til henne hadde hun ikke hørt det, det var blitt meddelt henne paa en annen maate likesom. Den mindste lyd i en drøm braavækker en. — Alt drømmeri er jo bare enslags impotent fantasilek —.

Naar minnet om denne drømmen blev ved at knuge henne med en uavrystelig forstemthet og uro, saa hun ikke kunde falde isøvn igjen, saa kom det jo av at hun hadde gaatt hjemme igaar i hemmelig forventning. Som man jager litt og lokker litt og manøvrerer for at faa et bortløpet dyr tilbake der det skal være skulde kvelden ha endt med at hun lukket Sigurd inde i armene sine igjen —.

Gi ham op — det kunde hun da ikke! Det gav et støt i hjertet hennes, saa det kjendtes som hun sank med hele sengen under sig. Hun hadde likesom ikke gjort sig ordentlig klart hvad det vilde si. Aldeles alene kom hun til at bli. Etpar værelser i en aktiegaard og ingen som bodde sammen med henne. Hun skulde gaa ut og spise, eller lage litt til sig hjemme, — hvis hun ikke vilde spise alene maatte hun faa tak i noen som kunde holde henne med selskap, som man sier om fremmede som man omgaaes fordi man føler en viss lunken velvilje for dem. Hun som var vant til at være glad bestandig, bare den hun bodde sammen med var hjemme. Skulde hun ligge alene hver evige natt i en kold enkeseng — vaagne flau og flat efter drømme som noe impotent og kløntet i henne flikket sammen av flyvetanker og hugskott, alt hennes vaakne jeg ikke gav agt paa — sindets ugræss som bare sjuklinger gjør væsen av og samler paa. Samliv med Sigurd, samværet med ham, det hadde været en lykke saa mangfoldig, en tilfredsstillelse som fyldte hele hennes væsen. Skulde savnet efter ham skrumpe ind til savnet av en mand i sengen, sorgen svinne ind til en plage i kroppen, som verk i en verkefinger —.

Da blev livet ikke til at holde ut. — Men hver dag var der folk som blev skilt; de maatte holde det ut, og hun hadde ikke undret sig det mindste over at de holdt det ut, naar hun hørte om andre —.

Mamma vilde si, Thali som har sit arbeide —! Hun sa jo det bestandig hvis en fraskilt kone hadde post, likegyldig hvad slags; bare hun hævet penger for det hun gjorde, sa mamma, det gaar endda an for henne, hun har da et arbeide at leve for. Hadde hun ingenting at gjøre utenfor hjemmet, sukket mamma — der ser en hvor ilde det er, naar en kvinne ikke har bygget op en selvstændig eksistens; hun sa det om mødre til barn. — Mamma og hennes bedesøstre snakket som om «Kjærlighetens Komedie» skulde være det morsomste som er skrevet i verdenslitteraturen, de gottet sig over kopist Styver, den typen er da død ut nu. Det faldt dem ikke ind at naar talen var om kvinneyrke saa skulde en tro, de vilde helst ha alle kvinner til at bli kvinnelige Styvere.

Jo da, vist hadde hennes arbeide gitt henne tilfredsstillelse; det hadde betydd en sterk interesse i hennes liv; nu vilde hun vanskelig kunne opgi det. Det var rigtig godt at ha som utenverk omkring sit liv — for et barnløst kvinnemenneske. Men liv var det ikke. Det er ikke det for vor generation, mamsen min. — At vi skulde arbeide og forsørge os selv naar vi blev store, det var den utsigten vi vokste op med fra barnsben av. Arbeidet, det var for dere et krigsbytte som dere hadde hugget til dere og triumferte over. Det er ikke det for os.

Der er da saa meget annet at leve for i verden, Thali, sa mamma. Saa mange en kan hjelpe og være noe for. Den som lever for at tjene og glæde andre faar ikke tid til at gaa og være ulykkelig. Var deres egoisme virkelig saa indestængt og naiv, saa dere kunde faa tilstrækkelig utvidet livsførelse bare av det dere var hjelpsomme og tjente fremmede mennesker —? Jeg skal si dig at for os er det ikke noen sensation, det er en selvfølge; man er vel kamerat, vi har en viss solidaritetsfølelse overfor de mennesker som forholdene kaster indenfor vort synsfelt — det skulde bare mangle at vi ikke hjalp dem naar vi kan. Den solidaritetsfølelsen, den tar ikke bort et fnugg av kravet i os til en lykke som er bare vor, til at ha noget intimt og blodvarmt fortrolig et sted som alle andre er stængt ute fra, — ikke naar den er blitt tilvant og naturlig. Jeg blir akkurat like fattig uten Sigurd, om jeg i min fattigdom kan gi noe til hvert eneste menneske jeg møter forresten, — det er sandheten, og det du præker er en søtsyltet løgn.

Hun sov litt igjen før det blev morgen og hun maatte op og gaa paa kontoret. Men det var som denne dagen hadde en ny, fremmed farve — et blyagtig dødt lys laa over hele verden for Nathalie nu. Det mislykkede besøket oppe i leiligheten hadde slukket haabet i henne. Hun fikk ikke mod til at forsøke omigjen, det visste hun inderst inde, skjønt hun ikke turde tilstaa det for sig selv endda.

— Sigurd kunde virkelig faa ringe henne op, hun ringte ikke til ham, ræsonnerte hun. Naar han var reist sin vei uten at varsku henne vilde ikke hun krøsse ham. La ham bare stelle med sine egne saker en stund, uten indblanding fra min side, saa faar vi se hvordan han liker det. —

Nathalie var i butikken en dag; naar selskaperne av utenlandske turister kom maatte hun altid være med og ekspedere. Det var like ved lukketid da en ung pike snakket til henne: «Undskyld, men det var et arbeide som jeg kjøpte her i vaar —». Frøken Andersen var optatt. Nathalie gikk til broderidisken og ekspederte — fandt frem de rigtige farverne i silke. Av kunden hadde hun bare et ubestemt indtrykk — ung, ganske pen, blond, men svært litet fiks, med en heklet klatt av blaatt paa hodet og en graaagtig regnkaape.

Hun hadde vært borte og betalt i kassen, men saa kom hun tilbake: «Undskyld, men er det ikke fru Nordgaard? Jeg undres om det gikk an at jeg fikk snakke med Dem et øieblikk.» Før hun fikk sagt mere visste Nathalie hvem hun var. «Mit navn er Gaarder, frøken Gaarder.»

De holdt paa at stænge. Nathalie viste vei, gjennem det første kontoret hvor fru Totland holdt paa at lægge sammen, ind til sig selv. «Værsgod, vil De ikke sitte ned?» Stolen stod paa den andre siden av skrivebordet hennes; den fremmede blev sittende med dagslyset fuldt paa ansigtet.

Nathalie hvelvet dækslet over skrivemaskinen sin og flyttet den bort paa sidebordet. Der var ikke annet end det bare bordet med flekket grønt filttrækk mellem henne og den annen, da hun satte sig. Indvendig skalv hun av spænding, og saa blev stemmen hennes unaturlig tørr:

«Naa, hvad er det De vil mig da, frøken Gaarder?» — Aa hun hørte selv at hun snakket som en klasselærerinne til en skolepike! Og hun saa hvor forfærdelig ung den annen var — hun følte sig selv halvgammel og gold tilbunds.

«Jeg tænkte at kanske De syntes —» sa piken forsagt.

Nathalie rystet paa hodet: «at vi to hadde noe usnakket? — Hvad i alverden skulde det være godt for?»

«Nei kanske. — Men jeg vilde altsaa fortælle Dem det at jeg reiser bort nu. Til Sverige, og siden vet jeg ikke hvor jeg kommer til at gjøre av mig. Men jeg kan love Dem det at jeg skal aldrig mere træffe — Deres mand,» sa hun sagte, som hun hadde vondt for at faa frem ordet, og hun rødmet og sænket øienlokkene. Hun hadde saa lange øienvipper, de var lyse, gyldne, men det var pent. — Hun var av dem som blir penere jo længer en ser paa dem. «Ikke skrive til ham heller» sa hun da Nathalie ikke svarte. «Jeg skal forsvinne aldeles ut av hans liv, — fru Nordgaard.»

«Synes De ikke selv at det er lovlig sent nu? — For mig kan det da ikke længer ha noe større interesse hvad De vil gjøre. Kan De ikke skjønne det?»

Pikebarnet saa fort op paa henne og saa ned igjen paa pakken med broderiet som hun satt og fingret med.

Øielokkene hennes var saa pur unge — under de blonde bryn var de hvite og fyldige, uten en rynke i den silkeglatte huden. Nathalie følte sig avmægtig, forbittret og rørt paa en gang, mens hun saa paa henne. Det halvlange lyse haaret bar hun strøket rett op fra panden og bakom ørerne — det var lysegult oppaa, men indunder, hvor bølgerne delte sig, var det askefarvet; det lignet haaret paa saanne lysluggete unger som kommer springende og later op grinden for en paa avsides bygdeveier. Hun hadde barnslige øine ogsaa, klare og graa, men aldeles blaa endda i hvitøiet.

Hun var ikke saa pen som hun var yndig — ansigtet var bredt over kjakebenene, næsen liten men munden stor og lyserød, helt søt. Smaa lyse fregner over næseroten og huden skjær. — Naar man visste det ialfald kunde man nok se at hun skulde ha et barn — hun rørte sig litt klosset, som hun var usmidig i midjen. Det grøsset i Nathalie av smerte ved tanken. Den vesle jenta der, hun skulde modnes og bli fuld som bæret av stenen —.

«Jeg synes jo absolutt at det maatte være bedst, dere gifter dere saa fort han kan faa sin skilsmisse i orden.»

Adinda Gaarder blev rød igjen. «Jeg kan ikke gifte mig med ham selv om han blir skilt — jeg forstod det saan som han hadde fortalt Dem det.»

«Kan ikke og kan ikke.» Spiss og spydig blev stemmen hennes, og hun følte da likevel noe for dette barnet her som næsten lignet godhet —. «Ærlig talt, det trodde jeg nærmest var noe De sa fordi De saa hvor uvillig han var til at ta noe avgjørende skritt. For det har De naturligvis opdaget for længe siden, ikkesandt? — De var jo indom i forretningen her i vaares, nævnte De — det var vel for at ta en titt paa mig det?» Hun ventet litt, men Adinda Gaarder bare saa op paa henne med de gravalvorlige øinene sine. «Var det ikke det?» Adinda nikket stivt.

«Man har vel sin stolthet, hvad?» Nathalie smilte spotsk. «De vet hvad ræven sa om rognebærene — høit hænger de og sure er de!»

«Jamen det er jo netop det de er, da.» Adinda Gaarder blev rød igjen.

«Hvad mener De med det?» Nathalie saa overrasket paa den unge.

Igjen saa hun op og ned igjen paa den irriterende nydelige maaten. «Jo det er vel det som er pointet da,» sa hun mutt. «At naar en ikke kan faa det som en ønsker sig saa faar en raad til at se tingen som den er.»

«Jeg maa si, det stemmer ikke med min erfaring at folk er saa nøgterne.»

Adinda rødmet. «Da er det kanske fordi de ikke er saa sikre paa at det er umulig at faa det da.»

«Er det — Deres religiøse overbevisning — som gjør at De syns, det er saa umulig for Dem at gifte Dem med Deres elsker?»

«Ja,» sa Adinda Gaarder sagte.

«Men hvor hadde De Deres religiøse overbevisning henne da De indlot Dem med en gift mand? For at han var gift, det har De jo visst hele tiden?»

Den annen nikket.

«Syntes De ikke d e t var synd da? For saavidt jeg forstaar vil De nu gi Sigurd paa baaten fordi De mener at det er syndig at gifte sig med en fraskilt?» Adinda Gaarder bare satt og saa paa henne — hun lignet en skolepike som det gaar op for at hun har begaatt noe rent utilgivelig. «Jeg maa tilstaa,» sa Nathalie bitende, «at jeg forstaar ikke Deres ræsonnement.»

«Jeg ræsonnerte vel netop ikke.» Hun var paa graaten nu. «Det vil si, jeg tænkte nok —. Men naar en saan likesom blir snudd op ned paa saa blir det akkurat som det ikke skulde være virkelig — alt som en er vant til at tro og mene og saan. — Saa da tænkte jeg vel sommetider at hvorfor skal det igrunden bare være vi som har rett, naar alle andre mennesker mener noe annet. De sa bestandig at det var bedre at folk skiltes som venner, naar de absolutt ikke passet sammen, end at de skulde gaa og være bundet og tvinge sig til at være anderledes end de var bestandig — og det var bedre at to blev lykkelige end at alle tre skulde gaa og være ulykkelige —»

«Trodde De at Sigurd og jeg var ulykkelige sammen da?»

Hun svarte ikke.

«Hvorfor trodde De det igrunden?»

«Fordi jeg var blitt for glad i ham,» sa Adinda sagte. «Forresten, det er vel ikke sætendes hvad en tænker eller tror, naar en er blitt saan aldeles — omsnudd.»

«Omsnudd. Kaller De det det? Jaja.» Nathalie ventet litt. «Og nu er De altsaa blitt snudd om igjen. Eller omvendt, er det slik?»

De ubegripelig alvorlige øinene til den unge gjorde Nathalie rent rasende. Hun syntes saa forfærdelig synd i pikebarnet ogsaa — en saan tosket unge som hadde bragt sig selv i denne desperate situationen, og nu indbildte hun sig formodentlig at bare hun omvendte sig, eller hvad de kaldte det, saa skulde alt som hun hadde ødelagt for sig selv og for andre paa en mirakuløs maate bli godt igjen.

«I alverden, hvadfor en interesse tror De det kan ha for mig? Et egteskap lar sig ikke lime igjen som porcellæn naar det engang er blitt slaatt istykker. Skjønner De ikke det, barn?»

Adinda Gaarder fandt frem et lommetørklæ av den idiotiske lille haandvæsken sin. Hun svelget noen ganger, men endda klarte hun at holde tilbake graaten:

«Jeg skjønner nok at De maa synes, det var idiotisk at jeg kom hit. Jeg vilde faatt sagt Dem at jeg — at jeg angrer det gale som jeg har gjort mot Dem, ja mot Sigurd ogsaa, naar jeg lot det skure og gaa til det blev forsent. Jeg visste godt at jeg burde ikke blitt ved at være sammen med ham. Men det var saa skamfuldt at gjøre det naar jeg ikke visste engang om han var noe forelsket i mig, eller om han bare mente at være hyggelig mot mig fordi vi er i familie og saan. — Men jeg vet naturligvis godt at jeg burde sluttet at være sammen med ham allikevel.»

«Sikkert. Især eftersom De vel igrunden meget godt visste at hans omhu for Dem og Deres affærer ikke var bare saan gammel-onkel-snilhet — for De vil vel ikke paastaa at ikke De skjønte det, hvis De skal være aldeles ærlig?»

«Nei —» sa hun sagte.

«Hør nu her. Jeg har ikke fjerneste ønske om at gjøre dette værre for Dem — De har det sikkert vanskelig nok som det er. Men De faar begripe — det gjør ikke historien mere smakelig i mine øine at De kommer her og bekjender at De har syndet, men nu er De blitt omvendt. De maa absolutt ikke indbilde Dem at jeg noensinde kommer til at si, alt forlatt fra min side, saa nu kan De gakke bort i fred og ikke synde mere. Tvertimot. Jeg vilde ha uendelig meget mere respekt for Dem, frøken Gaarder, hvis De vilde ta konsekvenserne av Deres — fald, kaller De det vel. Tænkte mindre paa Dem selv og litt mere paa det barnet som De altsaa vil skal bli født, trods alt. Og paa Sigurd ogsaa. Syns De det er forsvarlig at han skal bli staaende som en narr — naar begge hans damer betakker sig for at ha mere med ham at gjøre — lar ham drive for vind og vove —»

Adinda satt med bøid hode og runde skuldrer, nu graat hun sagte og ynkelig.

«Det er mit alvor, frøken Gaarder. Jeg ønsker virkelig mest av alt at De og Sigurd maa finne en maate, saa dere blir noenlunde lykkelige sammen. Det er ingen nytte til at tre menneskers liv skal bli ødelagt, fordi om han og De har vært — letsindige sammen, skal vi si? Meget bedre om dere forsøker at redde litt ut av den almindelige ruin.» Nathalie bet sig i læben, hun følte en hysterisk trang til at le.

«Jamen det er jo netop det som jeg vet er umulig —! Det som De sa om Sigurd, at han var saa uvillig til at ta noe avgjørende skritt — det er umulig, det har jeg skjønt for længe siden. Det kan jo ikke bli som det aldrig hadde været naar han har været gift med en i en masse aar — selv om han vilde late som det var forbi.

— Jeg kan godt forstaa at De er saan mot m i g, men jeg skjønner ikke at De —» hun brøt av og rødmet igjen.

«Vi har ingen barn, som De vet,» sa Nathalie sagte. «Hadde jeg hatt barn saa antar jeg nok at jeg vilde forsøkt at faa det til at gaa igjen. Med min mand altsaa.»

Adinda Gaarder saa sky paa henne.

«Men som sagt. Hvis De nu har faatt daarlig samvittighet for det som De har bedrevet, saa er det ialfald forsent. Det som er ødelagt kan ikke repareres. Jeg er ikke slik skapt at jeg kan ta igjen min mand fordi om De kommer og sier at nu er De villig til at levere ham tilbake — takk for laanet! Hvis De har forstaatt at vi var forfærdelig glade i hverandre en gang saa synes jeg det hadde vært mere taktfuldt om De lot være at antyde det. Det er ingen nytte til at vi snakker mere om det, frøken Gaarder.»

Nathalie spratt op, og saa reiste ogsaa den annen sig. Stakkar, hun saa ut som et barn der synes, det er blitt grusomt avstraffet.

«End Deres forældre, frøken Gaarder — vet de hvordan det er fatt med Dem?»

«Ja nu vet de det.» Hun rystet av undertrykt graat.

«Og de mener virkelig for ramme alvor at De ikke skal gifte Dem selv om De kan faa ham — saan som sakerne staar?»

«Nei hvis jeg giftet mig med en fraskilt saa vilde de nok ikke ha mere med mig at gjøre da. Da fikk jeg nok aldrig lov til at komme hjem mere.»

«Men n u faar De lov at komme hjem? Med et barn?»

«Ja far sier at han syns jeg maa komme hjem. Der er jo nok for mig at gjøre hjemme saa. — Han sier at kanske jeg blir saa flink saa jeg kan ta gaarden engang. Bedstemor hans drev den i mange aar da hun var blitt enke. Veum er ikke s a a stor heller saa —.»

«Men De maa da vel være myndig — saa han kan ikke forby Dem at gifte Dem hvis De selv vil?»

«Nei jeg blir toogtyve i december.» Hun sukket trætt.

«Jaja. Men husk det som jeg sa. Jeg gaar ut av spillet. Men jeg nærer ikke det ringeste ønske om De skal bli ulykkelig — eller Sigurd. Det syns jeg vilde være saa absolutt overflødig. Tilgivelse og saant, det ligger ikke for mig. Men jeg syns sandelig ikke det vilde være noen trøst for mig om ogsaa dere to blev ulykkelige. Tvert imot.»

Adinda Gaarder saa paa henne med det rare forskende og sky blikket — som et barn ser paa en fremmed det ikke vet hvad det skal tænke om. Men Nathalie hadde laast op butiksdøren, stod og holdt den aapen for henne. Hun dukket sig og hvisket en forsagt hilsen, og saa smuttet hun vækk. —

Saa er det altsaa forbi. Og mit hjerte er knust. — Nathalie gikk tilbake til kontoret sit, ryddet færdig efter sig og satte paa sig hatten foran speilet.

Et knust hjerte. Hun hadde syntes det var da et idiotisk billede. For hun hadde tænkt paa glass eller slikt som springer i knas med et smell. Men nu kjendte hun det som hjertet var blitt knust i henne — slik en haand blir klemt til kjøttdeig i en dør for eksempel; hun husket noen speidergutter som hun og Sigurd hadde kjørt i følge med opover til Rafstad en gang, en av dem hadde faatt haanden sin klemt fordærvet i kupédøren.

Hun saa paa sig selv i speilet. Øinene hennes laa pent, litt dypt, i vakkert formede øienhuler. Men fylden omkring dem var svunnet, øienlokkene var tyndslitte, stripet av fine rynker. De gjorde en skrøne utav hele den velkonserverte ungdommeligheten hennes. Fy fansskind, den der hermetisk opbevarte ungdommen som er nødvendig i forretningslivet — en har ikke raad til at ældes naar en altid skal være sammen med mennesker som det en har oplevet i sit liv er rivende likegyldig for.

Stakkars den vesle jenta, barnslig blaa i hvitøiet, med figuren unett av det halvgaatte svangerskapet — hun kom til at bli endda penere om en ti-femten aar, naar slit og stræv hadde gjort huden stram og blank over panden og suget øienhulerne store og dype, naar hun hadde faatt saan satt bondekjærring-figur — og det finslige, rolige laget som Sigurd hadde sett at hun var eslet til at faa. Saa blir hun et av de der stilfærdige landsens kvinnfolkene som en sier om: nei for et vakkert menneske. —

Jeg har gitt op, tænkte Nathalie. For de unge, unge øielokkene til Anne Gaarder gir jeg op.

II.

1.

«Takk skal du ha.» Nathalie snudde sig og søster=datteren tok noen sisste drag med klæsbørsten nedover dragten hennes. «Naa hvad syns du om at ha faatt en liten søster da, Minda?»

«Aa jo, vi begynder at forsone os med det nu.» Det var ikke rigtig snilt at spørre den store fjorten=aaringen slik, Nathalie visste det godt. Hvordan saa barn var eller ikke var nuomstunder saa kunde de vel ikke ha vært bare begeistret under alt det opstuss. Eller for at se sin mor saa forandret. For Ragna var faktisk blitt ti aar yngre — en lykkelig ung mor, og litt jaalet, litt barnslig pyset, med fordringer paa at bli bortskjemt. Akkurat som hun hadde vært de andre gangene naar hun hadde smaa.

«Om et aar slaass vel Tommen og jeg om hvem som hun helst vil gaa til tænker jeg,» sa Minda og trakk ikke paa smilebaandet engang.

«Hun er da ordentlig go' —»

«Frisk og velskapt, mere forlanger en jo ikke av saanne.» Nu lo hun. «De er frygtelig komiske da. Vist syns vi hun er søt, kan du skjønne.»

Ragna reiste sig fra liggestolen da Nathalie kom ut paa verandaen. «Skal vi gaa ned i haven saalænge — det blir et kvarters tid før middagen er færdig. Du vet hvor vondt det er at faa det til at klaffe i huset nu. Uff tænk at det altid skal bli spetakler med pleiersker og piker du!» Hun stakk armen ind under søsterens. «Du kan tro den har været vidunderlig isommer! Og saan masse frugt!» Epletrærne stod og bugnet med støtter under alle grener, og mellem dem var græsset dypt høstgrønt og fuldt av grove hvite blomster, ryllik og balderbraa. I det sterke eftermiddagssolskin lyste og lavet staudernes voldsomme farver, men floksene lugtet alt høstlig, av karry.

Nathalie gruet nervøst for at det var hennes affærer som søsteren vilde drøfte, siden hun trakk henne ned i haven, utenfor barnas og den allestedsnærværende pleierskens hørevidde. Men Ragna Adler snakket om syltningen sin: «Svigermor holdt paa fra morgen til natt i tre uker.»

«Hvordan gikk det med mamma da, naar din svigermor var her saa længe?»

«Aajo du vet, under saanne omstændigheter maa jo selv mamma indrømme at den huslige typen har sin berettigelse. — Men du, syns du ikke at mamma har faatt det ordentlig koselig? Dukkestue da, men yndige rum, og saan masse sol —!»

Nathalie tænkte paa det lille menneskekrypet i badebaljen. Da hun kom var det netop tiden at den skulde kveldsstelles og saa fikk hun ordre — hun maatte se Bitteliten bade. Den rare melkesyrlige lugten da pleiersken løste op bylten, tok de smaa føtterne i den rutinerte klypen sin og vippet op underdelen paa ungen. Hun tørket den i stjerten — en to tre av med resten av tøiet dens — næsten vinrødt og varmt som fløil syntes det nakne spedbarnet da det laa paa søster Eyvors gulhaarede arm i badebaljen. — Hvor mange ganger mon hun hadde staatt saan i utkanten av en kvinneflokk som henrykte sig over en annens nyfødte unge. — Det var længe nu siden hun hadde været en av dem som beundret helhjertet og lykkelig, viss paa at hun ogsaa skulde faa sin beskikkede del av dette. — Mon Ragna har noe saant som en blek anelse om hvordan det er at skulle se paa bestandig, tænkte hun, da søsteren tok imot den nypakkede bylten og la barnet til brystet. — Hun begyndte paa en lang historie i det samme om hvor klosset Bittelill hadde været til at suge — Thomas han kunde kunsten at mate sig fra første gang han blev lagt til —. Da var det hun reddet sig op paa gjesteværelset og skulde stelle sig efter den lange bilturen.

«Det var kjedelig at ikke Sverre kunde bli til middag,» sa Ragna mens hun øste op suppen. Fru Søegaard stemte i «ja saa kjedelig det var!» Det kunde nu jamen ikke ha været noe morro for Sverre at være her, tænkte Nathalie irritert, Mads var ute, saa Tomsingen var alt som var av mandkjøn ved bordet. Med søster Eyvor til at lede barselkonen og bedstemoren i samtalen vilde den gjerne bli specialistisk. Et par ganger fikk Ragna et brydd uttrykk og tittet bort paa de store barna sine — hun var blitt saa ungfruelig skjær i huden saa hun rødmet lett, og aldeles nydelig stod det til hennes blanke røde haar. «Minda er en fornuftig pike hun» beroliget bedstemoren engang, da enslags protest boblet paa Ragnas foryngede lyserøde leber. «Ikkesandt Minda? Minda skal bli læge som sin pappa hun» sa fru Søegaard til Nathalie. «Hun vil studere medisin, vil du ikke det, Minda mi?»

«Jasaa, du tænker paa at bli læge du Minda.» Søster Eyvor hadde dekretert at nu var det sandelig paa tide fru Adler gikk iseng, Bitteliten skulde snart ha nattmaten sin og det var mindre anstrengende for fru Adler at gi henne naar hun laa. Fru Søegaard vimset efter de to for at bistaa med ett eller annet, og Minda skjenket kaffe for tanten.

Jenta blaaste. «Greier jeg i det hele at faa middelskolen saa. — Det var noe jeg sa da jeg var liten det, men mormor stakkar skjønner jo ikke spøk. Ikke med det hellige ialfald. J e g studere da gett — aanei stakkar!»

«Saa du har ikke læsehode —?»
«Nei det var sandt san.»
«Naa, man kan jo være like dygtig menneske for det. Men noen slags eksamen maa du jo ta, det vet du man maa ha nufortiden, hvad man saa vil bli.»
«Det spørs —.» Minda saa sig omkring, men der var ingen i farvandet. Hun smilte til tanten, nobbet en cigarett og tændte den. «Det spørs om noen spør hvad vi v i l bli, naar min tid kommer. Hvis Norge for eksempel er raadsrepublikk til den tiden saa blir vel de fleste av os satt til at gjøre det som andre be≈stemmer. For du vet, aassen en snur eller vender paa tingene, det maa jo bli slik bestandig at de fleste jobbene i verden er saanne som en ikke vil ha hvis en kan faa noe annet at gjøre.»
«Sier du det, Minda. Forresten, jeg husker at din onkel Sigurd sa noe lignende engang for en stund siden —.»
«Ja han skulde da vite hvad han snakket om. Baade han og denne broren hans har gjort med den store indvandringen til byen saa —. Men onkel Sigurd kan altsaa indrømme saant ialfald. Bedstemor for eksempel, hun vil ikke være ved at igrunden av≈skyr hun alt annet arbeide end saanne stillinger hvor en dame har noen under sig. Sætte folk i sving, det er egentlig det hun mener med arbeidsglæde.»
«Onkel Sigurd var nødt til at faa sig noe annet at gjøre. Det var broren som skulde hatt Rafstad. Han blev jurist, men fra først av var det fordi han hadde haabet han skulde bli lensmand efter faren han og.»
Det var første gang hun hadde hatt leilighet til at si hans navn. Hun hadde gruet til at høre sin mor og Ragna drøfte separationen. Det hun ikke var for≈beredt paa var denne paatrængende taktfulde taus≈heten. Kanske tænkte de ikke engang paa at være taktfulde, de var bare altfor optatte av det lille nye menneskekrypet de hadde faatt mellem hænder; litt aandsfraværende tok de imot den ældre barnløse sø≈

steren — enslags moderne ekvivalent for fortidens gammeljomfru-tanter. Hennes egteskap hadde været en saa helt privat affære, uten betydning for andre end henne selv; det gjorde ikke større indtrykk paa dem at nu var det forbi. Thali hadde sit paa det tørre likevel. Især paa det tørre ja —.

Mamma hadde jo heller aldrig gjort noe for at skjule hvad hun syntes om Sigurd. En helt ubetydelig fyr, besynderlig indfald av Thali som var saa dygtig, at samle op ham netop. Ragna likte ham, som hun likte de fleste mennesker, paa sin indolente godlidende maate. Noen varm og levende interesse kjendte Ragna bare for dem som hun kunde kalle «sine egne», men hun hadde sikkert aldrig følt sig i familie med Sigurd paa det viset.

«Du var altid gode venner med onkel Sigurd, Minda, ikkesandt?» Det slapp henne ut av munden, sagte som en liten klagelaat.

«Jo jeg likte onkel Sigurd vældig godt.» Minda satt litt. Og det var som barnet ogsaa kom til at si noget uoverlagt: «Mye bedre end onkel Sverre, det skal være visst.»

Først et øieblikk efter gikk det op for Nathalie — men nei, det kunde ikke være mulig —! Hun var saa temmelig sikker paa at det var mulig, det v a r slik. Jassaa, det var det de trodde. Haabet.

«Kaller dere ham ogsaa onkel?» sa hun tørt og spisst.

«I det sisste er de begyndt at si onkel Sverre om ham.» Brillerne gjorde pikebarnets blikk uutgrundelig, men Nathalie indbildte sig at det skulde være en advarsel, eller utfordring, eller kanske hun mente at gi en betydningsfuld besked —.

De satt oppe hos Ragna — i en luft som faldt Nathalie for brystet, endda balkondøren stod aapen. En svak lugt av lysol var kjendelig under alle de andre lugterne av blomster og parfyme og cigaretterne deres. Skyggen i rummet var farvet av de appelsingule markiserne som kveldssolen lyste paa; Ragna laa og saa saa pen ut i det varme skjæret. — Da piken kom og sa at nu var bilen her efter fru Nordgaard følte Nathalie det som en befrielse, men huff, det brydde henne ogsaa, for den idiotiske idéens skyld som Jenta hadde satt henne paa.

Moren fulgte henne ned og hilste overstrømmende hjertelig paa Sverre Reistad i havestuen. Uff, faen, hvad skal det være godt for, hun hadde jo hilst paa ham engang før idag.

«Vil du ikke drikke en kopp kaffe da Sverre før dere kjører? Det skal ikke ta et øieblikk —.»

«Neitakk fru Søegaard, jeg har netop drukket kaffe hos Per og Tordis. Neitakk, — nei vi kjører jo ditut paa en halv times tid —»

«Jeg har jo tænkt paa det i hele sommer at jeg skulde ta en tur ut og se paa det nye hotellet dit, men det er ikke blitt av. Jeg maa sandelig se at faa gjort alvor av det mens Thali er derute.»

«Ja det maa De endelig gjøre, fru Søegaard. Jeg skulde ha morro av at vise Dem rundt selv. Desværre maa jeg nok reise tilbake til Oslo næsten med det samme. Men jeg antar jeg kommer nedover igjen næste weekend —.»

Moren kysset henne varmt paa begge kinder, idet hun skulde gaa ind i bilen. «Ja saa maa du ha r i g t i g god ferie da barnet mitt. Ikke vær uforsigtig da, søte Thali mi —.» Huttetu, det var næsten som brudens avreise fra hjemmet —.

Uvilkaarlig rykket Nathalie godt op i sit hjørne og stirret stødig ut av vinduet. Fra utenfra fjordgapet seg banker av røkfarvede skyer opover himmelen, hvor de lette fjerskyerne i et høiere luftlag begyndte at lyse messinggule. Noen solnedgang over sjøen fikk hun nok ikke se ikveld. Fjorden var graa, med et svakt brunviolett gjenskjær, smaakruset urolig som den pleiet være om hverdagskvelderne paa denne tiden av aaret. — Det vil si, det var jo et trick av hennes hukommelse naar hun syntes at det var altid søndagskvelderne den laa stille og speilet himmelen i de lange glatte dønninger, og naar den var ordentlig oprørt, saa sjøerne dundret mot stranden og skummet føk langt indover veien her, saa var det ialfald ikke hverdag —.

«Din mor en sandelig kjækk,» sa Sverre engang.

«Ja kjære, hvorfor skulde hun ikke være det? Det er da ikke noen alder at snakke om.»

«Naa nei. Men jeg husker at du sa, hun var noksaa skral da de var inde i byen ifjor høst. Din svoger hadde sendt henne ind for at hun skulde tale med en specialist.»

Det er sandt, det er ikke ett aar engang siden mamma og pappa var inde sisst. Det kunde like godt ha vært i en annen tilværelse.

«Kanske du heller vilde ha sittet foran hos chaufføren,» spurte han; hun blev ved at se ufravendt ut av vinduet. — Sverre gikk med stokk endda, men det saas næsten ikke at han stakk litt paa foten. Han kunde snart begynde at kjøre selv mente han.

«Eikelandsvaag,» sa Sverre. De veirslitte gamle husene laa midt paa en slette mellem glattskurte granittkoller med yppig løvkratt indunder bergsiderne. Fra en rift i skydækket brøt et glimt av solen, saa bølgerne ute i fjorden fikk kobberglans, og kuene som kom rækende hjem saa aldeles røde ut. Den store eken som stod der hvor gaardveien bøiet ned hadde hun og Sverre tegnet engang mens de gikk i gymnasiet. De satt med skissebøkerne sine rett oppe i berget her. Fru Wille hadde ligget paa landet i Eikelandsvaag om somrene, saa Sverre var godt kjendt med folkene her, hun hadde vært paa tur med ham hit mange ganger.

Landeveien svinget ind i skog. De svære stengjerderne paa siderne var sunkne og mosegrodde; gjensynet med dem bevæget henne mildt. Hit hadde de pleiet at dra paa turer. Det var næsten ufremkomme-lig underskog mange steder, myrlændt var det, og længer inde laa noen smaavand mellem enslig opstik-kende koller av rødgraa granitt, hvor linden klamret sig indi bergskorterne og blomstret og duftet i juli. Skolens utflugter gikk altid til Kilen, men den ser en ikke fra landeveien. De fikk kjøpt melk og kaffe i et gammelt hus som hørte til baatbyggeriet og laa i græsset i en tilgrodd bondehave og spiste nisten sin. Saa mange syriner som der hadde hun aldrig sett noe sted i verden.

Hun begyndte at bli glad allikevel fordi hun var tatt hitned. Og denne misstemningen som hun var kommet i slog om i en behagelig vemodig følelse; husker du, hadde hun lyst til at spørre Sverre. I det samme sa han det:

«Husker du en sankthansnatt vi var ute paa Haa-øia — Nikolai hadde saanær skutt av sig fingrene? Her er det veien tar av ned til Kilen.»

«Jeg satt netop og tænkte paa det.» Nathalie smilte. «Masser av fluesopp indover, se — det var altid saan masse sopp i denne skogen.»

Igrunden behøvet det da ikke at være noe rart i at Ragnas barn sa onkel Sverre. Saa meget som han hadde vanket hos dem paa Sumarlide i alle de aarene han gikk paa skole i byen. Nikko hadde været med ham hjem i ferierne ofte og —.

«At dere ikke la hotellet i Eikelandsvaagen du? Hvor det er aapent helt ut mot havet. Istedetfor inde i den trange Holmekilen.»

«Kommer nok. Hvis Solstrand gaar saa blir det nok ikke længe til noen bygger et konkurrerende badehotell i Eikelandsvaagen. Men nu vet du at Hol-mekilen var kjendt allerede. Der laa en hel del som-merhus — men det er sandt, de er kommet siden vor tid.»

Kirken — en hvitmalt træbygning, begravet under kjempestore asketrær og almer. Indenfor det mose=grodde stengjerdet grodde høit gult græss over gra=vene; skakke trækors lyste blekt indi vildnisset av avblomstrede ulvebønner og busker av dagliljegræss. Nærmest kirken var de rustne jernstakitterne og em=piremonumenter paa nogen konditionertes gravsteder. Hun fikk lyst til at gaa hit op efter aftens —.

Grener subbet nedpaa biltaket; de kjørte i en tun=nel av løv langs den lille elven. Og saa var de ute ved kilen. Omkring de gamle stuerne laa teiner, og nett hang til tørk, og indimellem lyste de nye sommerhu=sene i Noas=ark=farver. Veien gikk nedenfor Holme gaards jorder, svinget — og der var altsaa Sverres hotel, paa den store sletten ned mot sjøen, akkurat der hvor en saa tilhavs et glimt mellem øerne og holmerne. Det laa pent —.

Han hjalp henne ut av bilen, saa næsten rørende forventningsfuldt paa henne og lo: «Ja saan ser her altsaa ut nu —.»

Sjøen var mørknet og himmelen disig overtrukket av brunrøde kveldsskyer. Den lille kolde vinden som pistret og vanket over det hele — det var da noksaa godt og kjendt lel, en høstkveld hjemme, litt efter sol=nedgang —.

Badehotellet — en lang toetagers bygning uten synlig tak, med baand av store vindusruter bortover facaden — der var ikke noe merkelig ved det. Far=ven paa det minnet om blek mysost, ialfald i denne be=lysningen. Annekset laa litt lavere nede mellem berg=svaene, det lyste ut av vinduerne der. Da døren blev aapnet til en oplyst hall virket det som at bli budt velkommen ind i varmen.

Praktisk anlægg og solid arbeide, det var det jo altid naar Sverre bygget, men der var aldrig noe originalt eller bemerkelsesværdig ved det, tænkte hun litt medlidende, og sa: «Ja vet du hvad — her ser til=talende ut!»

«Vi skal se paa alt sammen imorgen!» Han saa for=nøiet ut. «Det er fru Nordgaard, fru Pedersen. Fru Pedersen steller her nu da det er saa faa gjester.»

Radioen stod paa i et rum indenfor hallen, og fru Pedersen gikk foran Nathalie op trappen. Den rød=brune løperen stod godt til det lutede panelet og et tomatrødt trappegelender. Gamle billeder av seilsku=ter paa væggene — Gud vet hvor de har faatt tak i saa mange av dem — de begynder at bli sjeldne nu.

Det første hun saa da hun kom ind paa værelset var varmen i den lille kaminen — «Nei for et hen=rivende rum, fru Pedersen!» Fru Pedersen forklarte stolt at der var fire værelser med kamin i dette huset — egentlig dobbeltværelser da, men i denne tiden naar det er saa faa gjester skulde det gaa for det samme sa arkitekten. Der var klæskottet, der vaskealkoven, og hvis det var noe fru Nordgaard vilde saa var det bare at ringe. — Der var en lav sofa foran kaminen og en lav og bred seng med noen mørke puter ovenpaa det mørkviolette sengeteppet.

Gongongen gjorde et uforholdsmæssig spetakkel, den var nok beregnet paa at kalle sammen gjesterne fra stranden og skogen og holmerne. Hun kom til at huske paa andre sommerpensionater — og frygtelig uopdragne sommergjest=barn som sloss om at faa be=arbeide gongongen. Da hadde hun ikke brydd sig saa farlig om hvordan det var der hun bodde, hun hadde sitt at reise hjem til. Nu var hun blitt indrullert i den store armeen av enslige, ikke helt unge damer som skal leve hele aaret paa sommerferiens indtrykk som hun sa, den bestyrerinnen som Nathalie hadde truffet i Val=dres forleden aar —.

Sverre stod og ventet paa henne i hallen. «Vi spi=ser i peisestuen.» Der var bare det ene samlingsvæ=relset i annekset.

De andre gjesterne var en gammelagtig herre med spisst graatt skjegg og gammeldags guldbriller — for=fatteren Bernhard Berg. En ung gutt med permanent=

bølget haar — Edmund Jandel het han og var pen paa en maate — ikke noen tiltalende maate; han saa ut som han kunde ha indstudert sine ansigtsuttrykk foran et speil. Kjøbmand Aasen og frue var middelaldrende mennesker, korte og lubne og paafaldende like hver=andre; begge hadde barnslig rød og hvit ansigtsfarve og barnslig klare lyse øine.

Samtalen ved bordet var nærmest rettet til arkitekt Reistad, og han virket rent ut sagt litt komisk, saa for=nøiet som han satt og tok imot de noksaa naive kom=plimenterne for hotellet han hadde bygget. Da de snille menneskene fikk høre at det var hennes firma som hadde levert en hel del av tekstilvarerne var de straks parate til at uttrykke sin begeistring for dem ogsaa. Nathalie forsøkte at opmuntre sig selv — hun var her jo for at bade og være ute, og hun hadde faatt et deilig værelse. Men hun ønsket at hun ikke hadde reist hit. — Og den stekte flyndren var raa indved be=net, og poteterne kokt i smadder.

— Det var helt mørkt ute, protesterte Sverre, da Nathalie vilde gaa tur efter aftensmaten. «Herregud, du behøver da ikke at bli med — det er visst ikke noen som kommer og tar mig» — men ut og faa litt frisk luft vilde hun, og det var ikke tale om at hun kunde faa lov til at gaa alene for Sverre.

En iskold, stødig vind flakket omkring dem, og det enstonige bruset fra stranden — ja huttetu, det var da hjemlig nok paa en maate, mørk høstkveld ved fjorden. I løvtunnelen langs Holmeelven lugtet det sopp og vissent løv — det var ikke fristende at gaa langt.

Radioen buldret i peisestuen da de kom tilbake. «Jeg hadde tænkt — jeg har med noe tokaier som vir=kelig er god. Kan vi ikke ta den inde hos dig? — Aa jo da Nathalie, du har godt av en liten drink før du skal lægge dig!»

«Jeg er rædd at du angrer du reiste hitned?» spurte han — hun satt og saa ind i den vesle varmen,

hadde akkurat saavidt nippet til vinen og gjorde in=
genting for at holde liv i samtalen.

«Bo paa pensionat har jeg igrunden aldrig kunnet utstaa.» Nathalie grøsset. «Nu syns jeg at jeg har vært bra dum som kunde finne paa at gjøre det gang paa gang. Istedetfor at ta med paa fjellet om høsten og saan. Det maa være den gamle overtroen om gu=
dernes misundelse — at man kan forsikre sin lykke ved at gi avkald paa et stykke av den frivillig.»

«Du tænker bare paa det der hele tiden —?» spurte han lavt.

«Ja er det noe rart —!»

«Nei det er vel naturlig. Men er du sikker paa —»

«Sikker paa hvad?»

«Jeg vet ikke om du vil finne dig i at jeg sier det som jeg tænkte paa.»

«Det kommer virkelig an paa hvad det er.»

«Jeg vet at du selv har vært overbevist hele tiden om at du holdt like meget av din mand som i begyn=
delsen. Men er du sikker paa at det var slik?» — Hun vilde til at fare op, men han stanset henne. «Noen mennesker er trofaste, Nathalie, fordi det er trofast=
heten de elsker. Du er oprørt og — og — ja ulykke=
lig da rent ut sagt, det skjønner jeg sagtens, fordi Si=
gurd ikke har vært like trofast mot dig som du mot alt det som dere har hatt sammen. Men hvis du skulde være ærlig — jeg sier ikke at du har noen grund til at være specielt ærlig mot mig, og hvis du sier at jeg skal tie stille saa gjør jeg det paa øieblikket. Men hvis du skulde være helt ærlig, visste ikke dere to mindre og mindre om hverandre eftersom tiden gikk?»

«At jeg har visst mindre og mindre om Sigurd ef=
terhvert i det sisste er naturligvis evident. Det skal der ikke noen speciell ærlighet til for at indrømme.»

«Og han har rimeligvis villet vite mindre og min=
dre om dig.»

«Æsch — hvis du mener den derre vamle forstaa=
elsen som folk skylder paa naar de gaar og er ufor=

staatt i et egteskap —. Hvad har det med kjærlighet at gjøre, tror du?»

«Det har nok noe med den at gjøre allikevel Nathalie. Ikke med at to mennesker blir forelsket i hinannen. Men hvis det hænder at de blir det paa en saan maate saa det er som en likefrem formue av lykke var dumpet ned over dem, saa er det vanskelig at administrere formuen hvis de ikke efterhvert lærer at kjenne hverandre noksaa godt.»

Nathalie lo forbittret: «Du præker. — Du snakker forsyne mig som du skulde redigere kvinnesiden i ett eller annet lørdagsnummer.»

Sverre Reistad lo ogsaa: «Vet du at det har jeg gjort engang, Nathalie? — I din fars avis til og med, i to maaneder — mens din mor var paa foredragsreise. Jo — det var om vinteren det aaret da du kom hjem fra fjellet med Sigurd Nordgaard, og dere var saa forelsket i hverandre saa jeg har aldrig sett paa maken. — Naar jeg selv skal si det, jeg syns at jeg tok medicinen min pent. Ja ikke noe at takke mig for, at jeg var slaatt ut med glans kunde jeg vel nok indse. Men da skrev jeg altsaa betragtninger over kjærligheten paa sisste siden i din faders ærede blad fem lørdager i trækk, og Gud vet, jeg indbildte mig ialfald at det hjalp. —

— Og likevel tror jeg at jeg tænkte alt dengang — jeg hadde paa følelsen at dere kom ikke til at passe saa godt sammen i det lange løp.»

«Men d e t tok du dig i vare for at røbe! Du akcepterte ham i klikken vor og du lot som du likte ham rigtig godt. Du har likesom vært venner med ham hele tiden —»

«Vist likte jeg ham. Røbet — hvad skulde jeg ha røbet —! Jeg er ikke sikker paa om ikke jeg har satt vel saa stor pris paa Sigurd som noen av dere andre, ikke undtatt dig engang. Helt realistisk altsaa — som den han er, med sine gode sider og sin begrænsning —

— men naturligvis kan jeg ogsaa indse, det er vanskeligere at se realistisk paa en som man er gift med. Hvis to mennesker kommer sammen med saa forskjellige forutsætninger saa en saan nøgtern erkjendelse vilde føre til at man maatte gjøre vold paa sig for meget. Tvinge en til at lægge om sine vante tankebaner.»

«Hjelpe mig, skal naa du ogsaa snakke om forskjellige forutsætninger. Vet du at det sludderet har jeg hørt saa mye om nu saa jeg er kvalm av det.»

«Jamen det blir det jo ikke mindre sandt av. Du skal huske paa at de fleste av os gjør sig op etslags erotisk mønster i opveksten. Før de fysiske oplevelsernes tid begynder har vi oftest tænkt ut hvordan vi vil opleve dem. Før i tiden kaldte folk det at de hadde sine idealer. Og idealerne, eller mønsteret, eller skjemaet, er formodentlig ældre i forplantningens tjeneste end parringen.» Han lo stilt. «Du vet, fiskene — det er forholdsvis faa arter av dem som har funnet paa at slutte leken sin med parring. De trækker, de leker, noen lager saanne ynglegroper som laksen og ørreten; det er et skjema de har i sig og blir drevet til at realisere. Og det er sagtens det primære overalt — at man vil faa realisert sit erotiske mønster, faa sunget den tonen og bygget et saant reir som arten i en driver til. I virkeligheten er det vel det vigtigste for menneskene ogsaa — vigtigere end hvadfor et individ av motsatt kjøn en slutter leken sammen med.»

«Æsch du tøiser —! Ialfald er det da saa mange generationer mellem os og fiskene — hvis det er sandt som pappa paastod at vi stammer fra dem. Det var videnskapelig bevist, sa han. Det er videnskapelig bevist sa han og mamma bestandig naar de fortalte eventyr for os, akkurat som gamle folk paa landet begyndte med det var engang —»

«Naa saavidt jeg vet saa er naa vor avstamning fra fiskene ikke saa videnskapelig bevist saa der ikke kan være noe sandt i det.»

«Men ialfald saa raker jo ikke det mig da.» Nathalie drakk ut av glasset sit. «Trods alt, fisk har nu hverken Sigurd eller jeg vært noen gang da.» Hun kjendte at ikveld virket den vesle vinskvetten fort paa henne; hun blev ophidset og fikk lyst til at skravle aapenmundet. «Du har gaatt og trodd at det kunde ikke gaa med Sigurd og mig i længden? — Det har du neppe gjort — det er lett at si det nu bakefter, men der var ingen grund til at tænke slik. At en mand kan tulle sig bort, det er en hændelig ulykke, det behøver ikke at bety at den han er gift med ikke likevel er den som han passer sammen med i det lange løpet som et liv nu engang er. Her var det bare det fortvilede at den unge piken er saan saa han kan ikke gaa tilbake fra henne. Det er en kjendsgjerning som jeg har bøiet mig for. Men det er tilfældig, forstaar du, tilfældig!» Hun svelget haardt.

«Tilfældig ja. At han akkurat skulde raake ut for en slik ung pike. Faa invitation til at ta haand om henne og hjelpe og være litt formynder og litt forsyn ogsaavidere. Dermed var det vel gitt at det maatte gaa som det gikk. For det erotiske skjemaet som han gjorde sig op mens han var gutt — først tænkte han vel slet ikke paa at det var erotisk: naar han blev stor saa skulde han være saa snil saa snil mot sin mor. Han snakket til mig om sin mor etpar ganger — jeg husker at det gjorde indtrykk paa mig fordi jeg næsten ikke kan huske min mor, jeg var bare en seks aar da hun døde. — Min mor var som jora, sa Sigurd engang, alle suget kraft av henne og levet sit liv bortover hennes, hun var saa bortgjemt som jora av det som gror i den. — Da hun døde, saa blev vel mønsteret for ham, faar jeg noengang kjærring saa skal hun faa slippe at slite sig ut og aldrig bli takket og æret, bare krævet av og bestemt bort over hodet paa henne. Jeg skal være slik mot kona mi som jeg syns de burde vært mot mor.»

Nathalie gjorde en heftig bevægelse, saa hun veltet

vinglasset sit. Hun kjendte at hun var litt ustø paa benene da hun gikk efter et haandklæde for at tørke op. Sverre lutet sig fremover og stelte med varmen.

«Saa traff det altsaa slik at det blev dere to. Og dit mønster var kameratskap og selvhjulpenhet. Være en som ydet, ikke en som fikk —.»

«Det var aldeles ikke mit mønster som du kaller det! Gud skal vite at jeg har aldrig hatt noen principper i retning av at være selvforsørgende hustru og alt det der. Vi vilde bare gifte os, saa fort som mulig, men da var jeg nødt til at beholde posten min foreløbig. Ellers saa vet du da at alt det præket om selvbergethet og kameratskap i kjærlighet — jeg ialfald, og Gerda, vi var nærmest indstillet paa at si tvertimot til det hele. Det var bare Ragna som sa ja og amen altid, og giftet sig med en gammeldags god forsørger. Nei du — hvis jeg i det hele har hatt noe erotisk mønster saa var det vel det negative — aldrig noe som lignet menasjen hjemme!»

«Du mener, du vilde ha en mand som du kunde leve sammen med uten scener og braak og mas. Taushet er guld, ikke sandt, og tale er sølv, og hjemme hos dere var det rent som Mynten paa Kongsberg i den veien. Det skjønte jeg alt dengangen det, at det var derfor Sigurd fikk dig med hud og haar med det selv og samme — ja han var jo saa fordømmede vakker ogsaa den tiden, men vi andre følte da ogsaa at charmen ved ham var det der stilfærdige. — Vi var mere eller mindre usikre alle sammen — vi vigtet og blæret os og poserte for ikke at gi os blottelser. Han var totalt fri for suffisance — han fandt sig likesom i at være saan som han hadde natur til, i al beskedenhet og sindsro. Det var ialfald det som fikk mig til at indse, den der kunde jeg ikke ta op noen kamp med — han drømte aldrig om at være anderledes end han var, og jeg visste Gud hjelpe mig hverken hvordan jeg var eller vilde være, bare at jeg maatte ialfald gjøre mig anderledes, maskere mig —.

Men selv om du reagerte mot deres væsen og den maaten de bar sig paa — at de aldrig kunde ta sig tid til at tie eller tænke en tanke tilende før de skrek op om den — du vet, de har allikevel bestemt dit syn paa mange ting. Søegaards sa vi om dere alle sammen. Tænk paa hvor forskjellig du var likevel fra tante Kaja og Willerne — igrunden foragtet du kraftig mine kusiner med al den forsigtige smaa-lurheten deres — og tante som altid præket om at man maa stelle sig fornuftig og staa sig godt med folk som har indflytelse etcetera —.»

«Stakkar, det har ikke dine kusiner hatt stort igjen for vist. — Men du da Sverre, hadde du ogsaa et saant erotisk skjema? — Da du svermet for mig i vor grønne ungdom, var det ogsaa fordi du hadde digtet et saant stykke som du vilde ha opført i livet, og saa indbildte du dig at jeg skulde passe i hovedrollen?»

«Nei du, det var akkurat omvendt — stykket var digtet over dig. Eller Gerda. Fra først av var jeg like forelsket i dere begge. En dag mest i Nathalie, en annen dag mest i Gerda. Men altid i Søegaardssmaapikerne. Med de merkelige og begavede forældrene dere hadde og det frigjorte og straalende rare hjemmet paa Sumarlide. Ja du vet ikke, du, hvor storartet det tok sig ut i mine øine — oppe hos dere, det var aandslivet det, fridom og norskdom og Gud vet hvad ikke d e r var — ja du ler du!» Han lo med. «Og saa da dere blev voksne saa smaatt — dere tegnet og dere vævet, og du med trækkspil og sjømandssanger, og Gerda med luth og folkeviser — aa gudbevarremigvel! Faderns nittiaarsromantikk med sigøinertøser og sigøinerviser og hans svermeri for alt som smakte av kunst, helst naar det var saan litt dilettantisk — alt det var jeg jo proppet med da jeg kom til byen. — Jeg var jo igrunden et uhyggelig fromt barn i forholdet til min far, pius Æneas, svelget hvert ord som utgikk av hans mund uten at blunke. Gutter som ikke har noen mor blir ofte det, har jeg lagt merke til — det er moren som faar sønnerne til at kritisere sin far. Enten saa beundrer hun manden og vækker sønnernes kritikk med det — eller hun kritiserer ham og de merker det og faar op øinene for hans svakheter paa den maaten. Men naar tante Kaja misbilliget far saa vet du at min lojalitet mot ham blev bare stædigere. Og alt som tante hadde noe at utsætte paa blev storartet og herlig. Og hun hadde en masse at utsætte paa alle dere da vet du.»

«Det var altsaa egentlig din tantes skyld at du dyrket os da?»

«Ja og Audhilds og Turids og Hallgerds. — De var froskene som kvekket i dammen og dere søstrene fra Sumarlide noe saant som nymfer i lek langs stranden — Heyerdahl og Eilif Petersen, men du husker naturligvis ikke den der gamle malinga deres. Naaja, Ragna var jo bare ungen, og da hun blev større var det jo klart at hun var ikke nymfe et gran, et uhyre fornuftig menneske. Og straks Gerda blev voksen fikk hun voksne tilbedere og gav sig en god dag i grønne guttunger. Av og til var jeg fortvilet forelsket i henne, men i længden klarte jeg ikke at være det naar du var min kamerat — aa herregud hvor du var søt, Nathalie! Saa vakker — og saa alvorlig og real veninne har vel aldrig en gutt hatt! Nei du aner ikke hvor forelsket jeg var i dig!»

Hun rystet litt paa hodet: «Du var forelsket i saa mange du Sverre.»

«Langtifra — det var bare enslags frygtsomhet, eller blyghet. Jeg turte ikke vaage den avgjørende stormen paa dig før jeg v a r noe — jeg var rædd for at ellers skulde jeg bare bli ved at være den gamle skolekameraten din for dig, ikke noen glimrende figur just. Ja fan vet forresten hvad jeg tænkte, men jeg var rædd for dig slik, og saa fuld av forelskelse i dig saa det flommet over i mig, og jeg kom til at spille forelsket i hvert skjørt jeg saa — eller noe bortimot det da. Men det var likevel bare dig bestandig.

Har aldrig vært andre. Blir aldrig andre heller, Na=thalie. — Om jeg saa aldrig skal faa dig — du kom=mer til at bli den eneste kvinnen i mit liv bestandig.»

Uvillig trakk hun haanden sin ut av hans: «Nei Sverre, Sverre —.»

«Jo. Hvis du ikke vil ha mig denne gangen heller — herregud, jeg vil ikke banne paa at jeg ikke slaar an igjen med noen som jeg tilfældigvis opdager i ventenværelset, baade en gang og flere ganger. Av gammel uvane. — Vi er blitt slik desværre, saa vi tar det altfor lett med de lettvinte forbindelserne — det er rent galt i virkeligheten, det er nu min tro, og vi faar da streng nok straff for denne vanemæssige løsagtigheten vor ogsaa. Naar vi blir tilstrækkelig til=aarskomne og graakallria er over os, som de sier i Nordland. Sekstiaaringen som blir som barn igjen og indbilder sig at dette er kjærligheten, naar den gamle Adam leer paa sig og forlanger nattmat. Huff du, det er ingenting som faar mig til at grøsse slik som hver=gang jeg kommer op mot et slikt tilfælde av Jeroni=mus=erotikk. Og jeg vet at jeg gaar ikke klar det jeg heller. — Medmindre altsaa at du og jeg. — For du vet godt, ikke sandt, at vi to sammen, vi kunde nok faa noe saant ut av livet saa naar de frygtelige aarene kommer vilde vi møte dem uten skrækk for tomheten. — Tænk paa det, Nathalie — du ogsaa kommer til det punkt, før eller senere, da du indser at nu maa du forte dig, hvis det er noe som du vil ha av mand=kjønnet endda — erotikk, eller venskap, eller bare bevis paa at endda er du attraaværdig. Tænk paa det. sier jeg, for i vore dager blir Magdelonerne ogsaa gale av panikk — lar sig ydmyke av den første bedste drittgutt, for imorgen er det forsent til kjærlighet. — Synes ikke du ogsaa, da var det bedre at sikre sig i god tid — saa du kan gaa ind i de aarene sammen med en mand som vet hvem du er, som menneske. — Har kjendt dig saa langt tilbake som jeg. Jeg elsker jo hele livet dit, forstaar du, i hele dets utstrækning.

Saan at dit liv kommer til at være like kjært for mig naar det ebber ut som det var da det flødde i dig — og jeg var hunde-ulykkelig fordi du gikk din vei med en annen —.»

Det var næsten brændt ut i kaminen — skumt og lunt at sitte i den dype putesofaen, mens vinden fikk ruterne til at knirke svakt, og sjøen mól utenfor. Nathalie gjorde ikke motstand da han listet armen sin rundt hennes skuldrer og sagte drog henne saa nær sig saa hun kjendte varmen av ham. Men da han klemte til og ansigtet hans rørte ved hennes kind skjøv hun det bort — uten heftighet: «Nei, Sverre —

— Du er da egentlig forfærdelig kynisk — hvis dette skal forestille at du frir til mig? — Du foreslaar jo i virkeligheten at jeg skal ta dig — som enslags alderstrygd — saa jeg ikke senere, hvis jeg ikke i længden skulde klare at leve i det cølibat som jeg ufrivillig er idømt!

— Det er da det som du har sittet her og sagt —?»

«Jeg sa det nu ikke f u l d t saa kynisk da.»

Hun flyttet sig litt længer bort fra ham. «Ja nei Sverre, — s a a saklig greier ikke jeg at ta tingene.»

«Hvorfor skal det være saa frygtelig da at indrømme at det er ikke godt for mennesket at være alene? En mand og en kvinne sammen, saan er det naturligst at menneskene tar imot det som sker med os her i verden.»

Nathalie svarte ikke.

«Du vet at det er sandt, alt det som jeg her har sagt.»

«Det er sandt!» hermet hun. «Det sier du bestandig.»

«Ja — til dig har jeg vist aldrig sagt noe som ikke er sandt, Nathalie.»

Hun virret med hodet:

«Det tror d u. Men jeg tror du indbilder dig at du har været meget gladere i mig end du var i virkeligheten. Det er da ikke alle de andre affærerne dine som har vært rent ikkeno —»

«Henriette, mener du? Det var ganske visst ikke noen ren bagatell, men det var nu bare venskap da — nei du behøver ikke at le, jeg mener ikke at si det var platonisk, platonisk venskap er forresten en begreps-forvirring bare — det heter platonisk kjærlighet. Men det var nu likevel et saant ventesalsbekjendtskap. Hun ventet, og jeg ventet: naar du kom saa skulde vi ta toget sammen og reise, Gud vet hvor vi ikke skulde fare avgaarde —. Du kom bare aldrig, jeg holdt paa at gi dig op, mange ganger, men aldrig helt. — Naa, Henriette og jeg møttes saa at si i ventesalen, og til-slutt kom vi til at gaa fra stationen ifølge. Jeg skulde gjerne ha giftet mig med henne, jeg likte henne fabel-agtig. Men hun vilde ikke, hun var for klok. Hun skjønte nøiagtig hvor meget og hvor litet jeg hadde satt ind i forholdet. Jeg tror at hvis jeg virkelig hadde kunnet by henne noe som v a r noe til kjærlighet, saa vilde hun ha valgt mig fremfor den andre, med alle pengene hans. Hun var ikke beregnende, men hun var nøktern. Det var ganske rimelig at hun foretrakk en rik mand som elsket henne og som hun likte rigtig godt, fremfor en som tjente sommetider mere end sommetider og var glad i henne, men meget gladere i konen til en av sine venner. Vi var da saa meget sam-men i den tiden da jeg bodde hos Henriette saa du kan begripe at hun skjønte hvor landet laa.»

«Nei Sverre. Alt dette er noe du er kommet paa nu bakefter. Du tror det nu, antageligvis. Men du og Henriette Damm var da virkelig saa gode venner — ingen kunde begripe hvorfor dere ikke giftet dere — og Sigurd og jeg var ogsaa venner altid. Og Henriette var aldrig annet end søt og hyggelig mot mig. Og nu vil du ha at jeg skal tro, jeg var annet for dig den gangen end en svært god barndomsveninde og at Henriette gjennemskuet dig — Sverre, Sverre, nu digter du!»

Han lo.

«Du ogsaa gjennemskuet mig, Nathalie. Det passet dig bare ikke at vite det. Det er netop kunsten ved at være lykkelig og dydig, at man kan overse en hel del som man ser. — Men da du fikk bruk for at gjøre Sigurd sjalu saa fandt du ganske spontant paa den skrønen om at jeg vilde bile dig ut paa Nesodden og følge dig frem til Stranna midt paa natten i et Herrens veir. Du gikk ut fra som en selvfølge at jeg gjør alt du ber mig om — og at Sigurd uten videre vilde tro, jeg var til enhver tid parat til at opoffre min makelighet for et indfald av dig.»

«Herregud, er det noenting at graate for da, syns du!» sa han litt efter. Men da han flyttet sig litt nærmere indtil henne igjen reiste hun sig braatt:

«Du vet jo slet ikke hvad jeg graater for.» Han grep hennes haand og vilde trække henne ned i sofaen igjen, men hun strittet imot: «Jeg er saa trætt — det er bare derfor —.

— Tror du virkelig at jeg er en saan ting som du bare kan ta og plukke op, fordi den som hadde mig før har sluppet mig ned —»

Han reiste sig ogsaa. Hun gikk bort for at lukke op vinduet. Men det blaaste ind for meget. Sverre kom til, hjalp henne med at faa det igjen og viste henne ventilationsanordningen.

«Nei da, Nathalie — det er netop det jeg er rædd for. At bare fordi du ikke vil at det skal faa skin av det derre — at du er en ting og lar dig plukke op som du sier, saa er du godt istand til at mure dig inde i en liten hybelleilighet og paalægge dig selv at leve ene og gaa helt op i dit arbeide etcetera. Hvad sa ikke mamma om kvinnelig værdighet og respekt for sig selv — neida, Nathalie, jeg gjør ikke narr, gubbevarre mig vel, det er nu engang derfor jeg har gaatt og dyrket dig i alle aarene, Nathalie fra Sumarlide. Men du skal ikke gaa bort og bli saan yrkesnonne bare fordi det rent teoretisk er det som en stolt og helstøpt kvinne burde gjøre i dit tilfælde, hva? La folk gaa i kloster alt de vil, jeg har ingen fordommer i den retning, bare de har kald til det saa. Men du har saamen været i kloster i denne forretningen din længe nok! Gift dig med mig du — jeg vet hvordan du er, saa skal du faa det saan som det er naturlig for dig at ha det. — Du er ikke en ting, neida! men et klenodie som en annen har gaatt og tapt ut av hænderne sine av bare klossethet — jo du kan huske paa at da tar jeg det til mig, saasandt jeg kan.»

Hun stod stille i armene hans — den grove tweeden i jakken hans var saa god mot panden, og varmen av ham lunet henne. «Du maa ga nu,» sa hun sagte, men rørte sig ikke. Haanden hans som krøket sig over hennes isse gjorde henne godt — det var saa rart at la sig kjærtegne av en som hun aldrig før var blitt kjælet av. Hun hadde lyst til at han skulde kysse henne — bare for at prøve hvordan det var. Men hun blev ved at si: «Men nu maa du gaa —?»

«Maa jeg det?» spurte han sagte. «Faa se paa dig da —?» Han bøiet hodet hennes litt bakover. Alt i Nathalie skalv likesom av usikkerhet.

«Du skal ikke plage mig saan, Sverre. Det er ikke snilt av dig.»

Han blev ved at se paa henne. Saa lo han, den rare lille latteren som de kaldte taterlatteren hans i gamle dager.

«Neinei, hvis du tar det paa den maaten saa! skal jeg ikke plage dig da.»

«Det er vist frygtelig sent ogsaa,» klaget hun. «Jeg er saa trætt —.»

«Javel da.» Han kysset henne. Nathalie tok imot — rart rolig iagttagende. Den store næsen hans var saa fremmed indved ansigtet hennes, men han kysset godt, tilforlatelig likesom.

«Godnatt da Nathalie, sov godt! Du maa være trætt stakkar, jeg tænkte ikke paa det. Ja saa gaar jeg da, siden du sier at jeg skal?»

— Det blev koldt omkring henne da han hadde sluppet henne. Men det var bare fordi hun var trætt, og litt ør av vinen hun hadde drukket, at hun hadde denne skuffede fornemmelsen i kroppen. Hun var klar nok i hodet til at indse, det var en dumhet som hun hadde avholdt sig fra at begaa —.

I en fart ryddet hun op litt i rummet, klædde av sig og krøp forfrossen sammen midt i den fremmede sengen som bredte sig kold og altfor stor omkring henne paa alle kanter. Og da hun først laa der følte hun sig behagelig avspændt efter dette — opgjøret, eller hvad en skulde kalle det. Hun gjespet av kulde og træthet og visste, at nu kom hun til at sovne med det samme.

Hun vaagnet med fornemmelsen av at hun var undsluppet en snare. Men hun kjendte sig litt usikker ogsaa og gruet en smule til at møte Sverre idag.

Det var sandt naturligvis, at paa en maate hadde hun oversett noe som hun ante, og bare tatt fordelene av at hun altid kunde regne paa sin gamle ven Sverre. Hun hadde ikke engang reflektert over det, men han dækket et litet behov i henne — hun ogsaa likte at la sig beundre for ett og annet som hun visste at Sigurd ikke la merke til ved henne; hun likte litt opvartning, hun likte smaa-opmerksomheter som hennes bevisste begreper om gjensidighet i et kjærlighetsforhold ikke hadde tillatt henne at fiske efter hos Sigurd. Kvinnen paa god gammeldags facon, den svakere og den edlere halvpart av menneskeheten, som en mand forkjæler og raljerer litt — det hadde hun aldrig ønsket at være for Sigurd. Men faa en liten smak av hvordan det var —?

For a l v o r hadde hun aldrig ønsket at noen mand skulde se noe slikt hos henne. Det hadde bare vært paa lissom at Sverre spillet denne rollen som hennes kavaller — hadde hun trodd! For ham ogsaa hadde da vel forholdet for eksempel til Henriette Damm vært alvor, den tiden det varte, og det med henne spøk og jargon, men med en liten blid eller sentimental undertone — de hadde vært barn sammen, hans første erotiske flyveforsøk hadde gaatt mot henne. — Naturligvis var hun paa det rene med at han engang hadde vært svært forelsket i henne, mens hun aldrig hadde vært forelsket i Sverre Reistad, ialfald ikke noe videre. Skjønt hun engang hadde forsøkt at indbilde sig at hun var det —.

Nei du digter, Sverre. Fordi om du tilfældigvis er ledig paa torvet i øieblikket, og jeg er blitt ledig —. Det skulde bare manglet at jeg hadde latt mig narre i garnene dine. Det kunde blitt temmelig forfærdelig for os begge det. — At der var noe trøstende, eller opmuntrende, i at bli beilet til, eller lovprist, av en annen mand, naar ens egen har sviktet en saa grundig — det nyttet det jo ikke at negte for —.

Da hun kom ned til frokostbordet satt bare parret Aasen der — de andre hadde spist alt.

Veiret var helt straalende, luften blaa og blid og mætt av lys, med kirkeklokkeklang inde fra landet. Sverre gikk nede paa berget da hun kom ut paa terrassen — han opdaget henne straks og skyndte sig opover.

«Du har nok ordentlig sovet du — det var godt det!»

Kirkeklokkerne hørtes sterkere og svakere med luftdraget.

«Har du forresten noensinne vært inne i Holme kirke? — Neimen da skal vi virkelig gaa ditop efter gudstjenesten — den er aldeles henrivende indi, det nydeligste rokokkointeriør —»

Han viste henne hovedbygningen fra kjelder til takterrasse — og garager og uthus, og det lille varmbadanlægget paa badehuset. Det var saa praktisk og godt alt sammen; Nathalie var interessert, ogsaa paa forretningens vegne, for det planlagte utstyret. Og samtidig inderst inne utaalmodig.

Bakefter gikk de op til kirken. Den var virkelig værd at se. Der var en god altertavle ogsaa — en del av figurerne sen-middelalderlige, og en oblateske, et utsøkt stykke barokk sølvsmedarbeide.

Sverre foreslog at de kunde gaa litt indover langs elven. «Men orker du virkelig gaa saa meget for foten din?» Han forklarte at han burde netop gaa —.

I de bratte bergvæggene paa nordsiden av dalen hang linden fastklamret og lyste med blekgult løv. Noen ospetrær var aldeles røde og noen var falmet til en farve som minnet om voksbønner, men bjerken hadde det deilige varme skjæret som gammelt guld. Paa jorderne skinnet haaen saftig grøn mot løvtrærnes høstpragt, og de smaa gaarderne som laa her opefter dalen dormet søndagsfredelig under store gamle tegltak som kuplede lønnetrær drysset sit brogede løv ned paa. Herregud, vist er her vakkert herhjemme og —.

Det var fuldkommen fjollet, men hun var litt nervøs ved tanken paa at de kom til at bade aldeles alene sammen. Netop fordi de hadde gjort det saa ofte før — uff, det var som alle gamle minner rummet farlige muligheter for nye betydninger.

Men da de kom nedover til Solstrand igjen ljomet alt gongongen til middag. — Sverre hadde ikke med ett ord snudd indpaa dette de snakket om inatt.

Og endda mens de satt over kaffen paa terrassen hørtes bilen som kjørte frem.

«Aa fankern, allerede! — Ja da maa jeg nok si farvel. Jeg ser nok nedover til helgen. — Ja gid du maa like dig her da, Nathalie. Det er jo paa en maate min skyld som fikk dig hitned, saa jeg vil si dig, jeg kommer til at gaa med en ank for hvordan du trives her. Men hvis bare dette veiret holder saa —.»

Hun var sint paa sig selv, og syntes det var komisk ogsaa, men hun var litt skuffet da han var reist. Jamen det *er* flaut, naar man er forberedt paa at være forstandig, resignert, blidt avvisende overfor en mand — og han saa ikke gir en anledning til at spille ut den mindste sindsbevægelse. Uff, man vet ikke større om sine egne skrøpeligheter saa længe man sitter lunt indsvøpt i kjærlighet og lykke. Men er man kastet utenfor saa faar man vite litt av hvert om sig selv.

Badet var herlig. Men det var saapas koldt i luften saa det var bare at klæ paa sig med en gang og gaa en tur utover langs stranden efterpaa.

2.

De første morgnerne vaagnet hun til en verden av bløt og vaat, hvit taake. Sommertider var den saa tætt, saa naar hun gikk paa stranden skimtet hun knapt de nærmeste holmerne. Man kunde tro at det var selve havet som strakte sig indunder skoddevæggen og slikket bergene. Knattringen av en motorbaat som hun ikke kunde se, og lyden av noen som rodde ute i taaken gav henne en følelse av uendelig ensomhet.

Det snaue græsset i bergskorterne var gustent, og de blomsterne som hører til i stranden stod i frø. Geraniumarterne hadde blodrøde blader og sprikte med rødgule storkenebb. Og alle de blaagrønne og gulgrønne veksterne med stenglerne i floker og kjøttede blader var falmet og ru av smaanøtter. Hun hadde kunnet dem alle da hun gikk paa skolen — botanikken var ett av de faa fagene som hun hadde hatt interesse for. Eller interesse var sagtens for sterkt sagt, da hadde hun vel ikke gitt det op med det samme hun var færdig med gymnasiet. Men hun hadde ialfald hatt morro av at snaske i sig en hel del noksaa planløs kundskap om botanikk og geologi og insekter og fugler. En saan hobby gav jo henne og Sverre Reistad paaskudd til at streife omkring —. Det var farlig, som hun stadig blev

minnet om alt de hadde hatt sammen i overgangs-
aarene — nu da hun var tilbake igjen paa deres gamle
tomter. Alene — forlatt av den som hadde behersket
hele den voksne delen av hennes liv. Igrunden var
det næsten fantastisk, hvor nært og realistisk hun
husket nu igjen mange ting som hadde vært glemt
og utvisket saa længe hun levet sammen med Si-
gurd —.

— Men det var for vildt allikevel at mistænke
Sverre for saa stor snedighet saa han skulde ha be-
regnet alt dette. I det hele, hun foretrakk at tro,
dette med hans uforanderlige kjærlighet til henne
under deres forskjellige oplevelser hver for sig paa
andre hold — det var noe han fandt paa nu. Som
han engang hadde funnet paa alle historierne om
sin tater-farfar. For at gjøre sig interessant. Det
hadde han altid hatt en svakhet for. — Det var
rigtig det, at hun hadde forelsket sig i Sigurd Nord-
gaard *ogsaa* fordi han var helt naturlig. —

En ting som Sverre hadde sagt var saa rigtig saa
det var som hun blødde indvendig naar hun vaagnet
om natten og husket paa det. Den tiden efter fal-
litten, da Sigurd gikk og ikke hadde noe at gjøre,
men hun arbeidet, det hadde vært en krise, skjønt
ingen av dem vilde tilstaa det. Med sin fornuft hadde
han akceptert det, det var jo godt at hun ialfald
hadde posten sin. Men med sine instinkter var han
aldrig kommet helt over det. I det aller intimeste
forholdet deres var noe blitt forandret. Selv den
første vinteren deres, da de ikke var officielt gifte
og det var meget som var plagsomt og vanskelig,
hadde han bestandig tatt henne med enslags animalsk
uskyldighet. Som han var overmodig brennsikker
paa at de to var kommet sammen, fordi de *skulde*
ha hinannen. — Overmodet hans var blitt borte den
gangen, men de hadde begge forsøkt at indbilde sig,
det var bare naturens orden — ingen kjærlighet und-
gaar at forandre farve med tiden.

— En natt drømte hun at hun var i storstuen paa Rafstad. Egentlig var den ikke særlig pen — de digre tømmerstokkerne i væggene var malt lyserøde, fremskapet og skjenken nøttetræsfarvete med hvite marmorerte fyllinger. De væggfaste bænkene og det gamle langbordet hadde faatt staa i fred i sørenden, men ved ovnsvæggen stod et mahognymøblement med grønt ripstrækk som gammellensmanden hadde kjøpt paa en auktion. Likevel var der en egen hygge over denne stuen, hun kunde aldrig huske paa den uten glæde. Men i drømmen kjendte hun bare uro ved at være der. Hennes svigerfar laa og sov middag paa sofaen — Sigurd var ikke inde, men hun visste at han gikk og rumsterte ute paa kjøkkenet. De skulde likesom avsted ett eller annet sted hen, og hun var rædd for at de skulde bli forsinket —.

Gi taal —. Snart falmer minnet om alle drømmer. Hun husket at hun hadde drømt ett eller annet ekkelt om Sverre for en tid siden; da hadde hun været aldeles elendig med det samme hun vaagnet, men nu var indtrykket utvisket som en film der har ligget i solen —.

Utpaa formiddagen brøt solen igjennem, og saa var det straalende høstveir, varmt som midt paa sommeren. Nathalie raadde badehuset alene — Berg og Jandel badet ute paa en av øiene, og fru Aasen oplyste at hun og hennes mand hadde sluttet for iaar; det hadde været saa mye brennmaneter i vandet en stund —.

Nathalie gikk lange turer. En dag gikk hun over aasen og helt ned til Kilen, men det var kommet nye folk i huset ved baatbyggeriet. Og hun var simpelthen saa nervøs saa hun hadde ikke lyst til at gaa hjem igjen over skogen alene. Hun likte ikke at møte kuer og løshester, og da hun støkket en andefamilie oppe ved den gamle isdammen skvatt hun saa hun skalv længe efterpaa. Hun gikk landeveien tilbake til Holmekilen.

Dagen efter hadde hun bestemt sig til at gaa op til den gamle gruben. Men da hun var kommet et stykke forbi den sisste plassen blev hun saa beklemt av ødet i skogen saa hun snudde.

Fru Aasen kom springende efter henne en dag da hun var paa vei op til landhandleren — hun slog sig i følge med Nathalie. Næsten med en gang sprakk hun op i undring — om ikke fru Nordgaard ogsaa syntes at Berg og Jandel var et rart par? Aapenbart fandt hun det ytterlig spændende, om det skulde være noe slikt som hun hadde læst saa mye om — ja noe perverst altsaa? Nathalie moret sig noksaa godt med at skuffe hennes haab, hun antok den mest trøstende mine hun kunde præstere og forsikret at det var vist saa uskyldig saa. — Hun trodde forresten nærmest at det var det — fra Bergs side. Den gamle herren hadde formodentlig en faible for gutten og gjorde sig ikke rede for at den kunde ha dypereliggende grunder end den officielle: Jandel skulde bli kunstner og Berg vilde hjelpe ham frem. Ikke før hadde Jandel faatt rede paa at hun ledet Hytter og Hus saa kom han rasende med en braate tegninger og viste henne — utkast til exlibris og billedtepper og likt og ulikt, meget fælt. Han lot til at være sjelden talentløs, med en viss færdighet i at efterligne forbilleder. Men Bernhard Berg var vist heller ikke videre kunstnerisk anlagt. Fru Aasen hadde faatt fatt i de to bøkerne som han hadde gitt ut for en femogtyve aar siden og vilde endelig laane Nathalie dem. Det var noe sentimentalt sprøit, men den ene hadde gjort lykke i sin tid, det husket hun nu — de andre unge pikerne paa tegneskolen syntes at den var fin og yndig. — Berg var forresten en søt og pen liten gubbe. — Men det var likevel selsomt som hun dumpet op i alslags mulige og umulige minner fra sin egen forhistoriske tid — her paa dette tiptop moderne badehotellet til Sverre.

Forresten saa hun ikke stort til de andre gjesterne. De spillet bridge om aftnerne nede i peisestuen. Men Nathalie hadde aldrig været noen ivrig kortspiller, og siden hun blev gift hadde hun omtrent ikke spillet annet end svarteper og komét i barneselskaper; Sigurd hadde en positiv uvilje mot kortspil. Han hadde sett for meget av det hjemme — det var ikke for ingen⸗ting, sa han engang, at de gamle paa Tangen hadde holdt det for syndig, og hans mor hadde altid været lei sig, naar faren kommanderte guttene til kortbordet.

Sigurd og Sigurd og Sigurd —. I bund og grund følte hun sig som landsforvist, og hun undret sig paa om hun noen gang skulde bli vant til at leve ham foruten. — Sommetider grep hun sig i at længte til⸗bake til forretningen; der hadde hun da ialfald dagen optatt. Skjønt der var nok at grue sig til, naar hun kom til byen. Naar Sigurd hadde flyttet sine ting skulde Hildur pakke hennes, det hadde hun lovet. Leiligheten hadde de faatt leiet ut — hun maatte finne sig hus i løpet av høsten. Men det gad hun ikke tænke paa nu —.

Hun fikk lagt litt i kaminen hver aften; det var ialfald hyggelig, og saa satt hun oppe hos sig selv, læste og sydde og gikk tidlig iseng og laa og læste paa sengen.

— Moren meldte sig til middag en dag, med to veninder som ogsaa hadde lyst til at se Solstrand bad — «tante Marie og fru Bühre, du har ikke noe mot det vel, Thali mi?» Samme kvelden kom regn⸗veiret sigende ind over land, og det strilet ned jevnt og fint, taaken laa tætt, da hun gikk opover til post⸗aapnerens, hvor rutebilen stanset denne tiden paa aaret.

Mamma hadde tatt med Jenta og — Lilleminda forsømte skolen paa grund av hodepine, forklarte hun, og det blev roligere for Ragna naar hun reiste hitut med dem. Det blev temmelig fuldt i den lille peisestuen med saant indrykk. Nathalie fikk tak i nøklerne og viste moren og damerne rundt — hovedbygningen, garagerne, det lille varmbadanlægget. De var vildt begeistret og yttret ønsker om at feriere her næste sommer, den ene ivrigere end den andre. «Og tænk saa morsomt at det er Sverre Reistad —.» «Tante Marie» hadde været deres lærerinne i middelskolen. «Jeg sa det bestandig, den gutten blir det nok noe av.» Fru Bühre var litt i familie med fru Willes mand. De gamle damerne fordypet sig i emnet Sverre Reistad, og rett som det var minnet de Nathalie om ditt og datt fra skoledagene. — Minda satt og glodde som en ugle, og Gud vet hvad jentungen tænker, sikkert kritiserer hun os alle, tænkte tanten.

Nathalie hadde haabet at de skulde ikke ta imot hennes indbydelse til at bli til kvelds ogsaa — rutebilen gikk tilbake til byen klokken syv. Men de blev enige om at spleise til bil, og de holdt ut til klokken var over elleve. Nathalie var nær ved at graate av trætthet den sisste timen.

Lørdag formiddag hadde rutebilen pakker med til fru Nordgaard. Fra Sverre — konfekt og bøker. Indi laa en billett. Han hadde glædet sig saan til at komme nedover, men var blitt forhindret. Haabet at hun fremdeles likte sig og at hun fikk hvile rigtig godt.

Fremdeles —? Hvor han hadde faatt den idé fra at hun i det hele var noe begeistret for stedet her! Indi sig gikk hun og regnet op alt hun hadde at utsætte paa Solstrand: beliggenheten ved den indestængte Holmekilen, fru Pedersens mat som var rigtig vond. Rengjøringen var saa som saa — men saanne lave og brede møbler som ikke er til at komme indunder hverken med støvsuger eller klut er da ogsaa ytterlig upraktiske. Uff hvor ekkelt og uhygienisk her maatte bli, i sæsongen, naar gjester rykket ut og ind efter hverandre i værelser som det var umulig at faa ordentlig rengjort —.

— Saa blev hun staaende og lo. Saa skuffet var hun altsaa, fordi han ikke kom. Men hun kjedet sig, faktisk. Det pleiet hun aldrig at gjøre naar hun var alene — men det var før i verden, da hun altid glædet sig inderst inde til hun igjen skulde være sammen med Sigurd.

Her var ikke morsomt. Berg og Jandel hadde bedt henne med i motorbaaten en dag; de var ute paa en av øiene. Men hvad skal en gjøre ute paa de smaa knausene denne tiden av aaret — ikke kan en bade og ikke koke kaffe. — Det var sandt og at det var væmmelig med maneter i vandet. Aasens skulde reise søndag — det var ikke større tap forresten. Men bli her hele ferien, nei det gad hun ikke —.

Der var kommet folk i noen av sommerhusene — de var nok nede paa weekend i det deilige veiret. Men hun kjendte ingen av dem.

Om kvelden gikk hun ned langs stranden i brutt maaneskin — store svarte, lysrandede skyer seilet over den blaableke natthimmelen. Men hun holdt sig ved vandet — hadde ikke mod længer paa turer ind-over landet om natten.

Nei, hun bestemte sig til at reise tilbake til Oslo om en uke; resten av ferien sin kunde hun ta naar det blev sne. Fru Totland blev aapenbart glad da Natha-lie nævnte det i telefonen, «jeg kommer ind paa man-dag eller tirsdag.» Stakkar, hun hadde det vist ikke videre godt, men nu fikk hun jo snart permission.

Veiret var ikke noe at skryte av denne andre uken. Om fredagen regnet det voldsomt fra morgen-stunden av, men utpaa dagen blev det oplet, og solen skinnet da Nathalie gikk ut efter middag. Det var bundløst sølet paa landeveien, men lav og moser paa de gamle stengjerderne æste saa lysende frodige i sol-streifene. — Det var skogbundens tid nu — med ned-faldne bjerkeløv i den røde blaabærlyngen, blanke tyttebærkranser omkring mauerstuer og gamle stub-ber, en uendelighet av mosearter, og sopp, sopp i alle mulige farver og former. Guldgule svamper av finger=sopp, lakkrød og lærbrun fluesopp med hvite perler paa, lyslilla slørsopp og en art mørkt graablaa risker som saa vidunderlig vakre ut der de grodde hvor mosedækket var tyndt og stierne dækket av nedfaldne barnaaler under furuerne.

Hun var gaatt over gjerdet ind i skogen da det kom en bil ute paa veien. Det var jo Sverres. — Han saa henne ikke, han kjørte gjennem sølevandsdam=merne saa vasspruten stod —.

At han kommer alt idag da —? Nathalie fulgte stien som hun tilfældigvis var kommet ind paa. Den førte utover nesset mellem Holmekilen og Kilen. Vinden hadde gjort lyst mange steder hvor det var mest løvtrær. Det var en seljeart hvis nedfaldne bla=der er helt violette paa undersiden, med sølvskjær av fugtighet — helt siden hun var barn hadde hun syntes de var saa vakre. Rart forresten at bladene altid fal=der med undersiden op. Hvordan var hun kommet til at snakke med Gerda om det forresten — Gerda hadde vist sagt noget om at leve med retten av sig selv vendt ut — eller hadde h u n sagt det? Bladene de dør ialfald med vrangen op.

Oppe paa en bar bergskolt saa hun sjøen helt ut til kimmingen. Vandet var mørkt blaatt og himmelen lys, stripet av vindskyer. Det var vaatt at sitte i lyn=gen, men hun var saa vaat alt saa det gjorde ingenting. Hun vilde sitte og ta sig en cigarett —.

Nedenfor berget laa en myr med noen smaavand, næsten gjengrodd av gulnet stargræss. Det var vist der hun hadde møtt kuene forleden — da kunde hun ta den stien hjemover. I granene bak henne tittret og pyret noen smaafugl som hun ikke kunde faa øie paa — granmeiser var det vist, Furulusa kaldte Sigurd granmeisen —.

— Sommetider syntes hun næsten at det var ikke virkelig sandt, hele det livet hun hadde levet med Sigurd. Det var fordi det var saa bittert saa hun orket ikke tænke ordentlig tilbake paa det — nu naar hun visste hvor meget av den lykke som hun hadde følt sig trygg i aldrig var annet end illusion. Paa en maate hadde hun nok vært i god tro naar hun indbildte sig at de to kunde da aldrig komme bort for hinannen — men hun hadde hele tiden forsætlig oversett en hel del som kunde varskudd henne om faren, de holdt paa at gli fra hverandre. Nu syntes hun — med det kjendskap hun hadde til ham maatte hun erkjenne, han vilde sagtens nok finne sig tilrette i det nye livet. Minnet om de seksten aarene han hadde levet med henne kom til at falme, om noen aar vilde han synes at livet med den nye konen og barna var enslags direkte fortsættelse av den ungdommen som episoden med henne selv var en paranthes i —.

E n slags mose hadde hun ikke sett hernede — den ilskende lysegrønne som vokser i puter langs smaa vandsig paa høifjellet. Altid perlet av vanddraaper, og oftest gror det sammen med mosen en liten fin rødstilket dueurt som ogsaa hører fjellet til. Denne mosen pleiet de at ta ind og lægge bord av omkring peishellen, naar de pyntet i sætra til helgen — Sigurd hadde lært henne at gjøre det, for det brukte de her, sa han —.

— Nu kom hun altsaa aldrig mere op paa det fjellet hvor hun og han hadde færdedes sammen. Og det var allerede som det fjellet bare skulde ha vært til i en drøm —.

Nede paa myrerne kom hun ind paa en gal sti; den førte ut tilslutt paa noen store sletter ved vandet. Regnskyer kom trækkende indover nu igjen, sjøen saa ut brunagtig og graa under dem. — Dette tungsindige aftenlyset var saa gammelkjendt — vakte ekko av stemninger fra dengang hun var purung pike og bemegtiget sig hvert saant dystert naturindtrykk for at gjøre det til ett med sine egne uklare følelser — av utaalmodighet med alt som holdt henne tilbake i hjemmet og skolen og smaabyen, av forventning mot det som hun i sine tanker kaldte «livet». — Den høstlige strandengen med de enslige høie enerbusker, suset av bølgerne og det hvite glimt av brændingens bue langs fjæren, marehalmtusterne som leet sig urolig paa sandbeltet og den mørke borden av tare i høivandsmaalet — det hørte med alt sammen. Da hadde hun ikke visst om noen Sigurd.

Med enslags tilfredsstillelse konstaterte hun at hun kom nok ordentlig forsent til aftensbordet. Det gikk ikke an at komme frem rundt odden, hun maatte op igjen i høiden. Hun lot være at gjøre sig klart hvad det kom av at hun gjerne vilde komme hjem for sent; hun var ikke rædd længer for at gaa alene paa skogstierne, skjønt det mørknet fort nu — og da regnet begyndte at falde igjen blev hun næsten oprømt.

Det var helt mørkt da hun kom hjem. «Gud Fader bevare mig, hvor har du været i dette veiret» ropte Sverre Reistad; han rev op ytterdøren med det samme hun lot dørhammeren dundre. «Jeg ante ikke paa hvilken kant det kunde nytte at lete efter dig engang, ellers vilde jeg ha gaatt og møtt dig —.»

«Godaften. Men kjære, kommer du alt idag da? Men snille dig, du har da ikke ventet paa mig? Jaja, haaber du ikke er altfor sulten, for jeg er nødt til at bytte — jeg er vaat som en kraake —.»

Foran den lille ilden i kaminen var det en nydelse at skifte fra inderst til ytterst. Hun fikk skikk paa haaret sit og frisket op ansigtet. Det perlekjedet av agat og jade og kinesiske mynter som Sverre hadde gitt henne engang han kom fra utlandet passet godt paa den rustrøde silkekjolen —.

«Nei saa festlig da!» Nathalie gjorde sig lys i stemmen. Bordet var flyttet bort foran peisen og der var lys i staker paa det. Det var dækket til to. Sverre oplyste at Berg og Jandel hadde tatt ind til byen for at gaa paa kino.

«Jeg er skrubbsulten — aa saa deilig!» Fru Pedersen kom inn med et fat kreps — fra Fardal oplyste Sverre, han hadde kjøpt dem underveis. «Ja skaal da Nathalie, det var endda vel at du kom tilrette tilslutt.»

«Men du, hvad er det for noe —?» Han hadde talt med Hytter og Hus igaar, og da sa de at hvis han kunde vente til mandag skulde han faa tale med fru Nordgaard selv.

«Det passer ikke saa godt allikevel at jeg er borte længer.» Nathalie forklarte om fru Totland.

«Det er ikke det at du ikke har likt dig her da?»

«Aa jo da, her er ikke saa værst.» Det vil si, det var jo igrunden for sent at reise til sjøen —. Og de andre gjesterne var saamen bra nok, men ikke noe at være sammen med i fjorten dager.

«Du som vilde bo mutters alene paa Gusslund. Jeg skal si dig en ting, Nathalie, jeg tror ikke at du trives saa godt med at være alene som du selv tror.»

«Alene et sted hvor der ingen andre er, det er vel noe annet end at være alene hvor der likevel er folk. Forresten —.» Smilet hans irriterte henne, saa buset hun ut med alle sine klager paa stedet her — fru Pedersens slimete sauser og halvraa eller sundkokte poteter, den daarlige rengjøringen og de upraktiske møblerne som det ikke var mulig at komme til indunder. I det hele, hevde sig som et førsteklasses sted, det trodde hun aldrig at Solstrand kom til —.

«Hysch da, hysch da, saant maa du forsyne mig ikke si!» Sverre lo av fuld hals. «Faar selskapet rede paa at du kritiserer stedet her saa grusomt saa kan jeg faen ikke skaffe dere flere bestillinger.» Møbleringen var da ikke han ansvarlig for, ialfald ikke alene. Og fru Pedersens matstell hadde etablissementet ingenting med, hun hadde tatt paa sig av ren velvilje at stelle for noen pensionærer i annekset efter sæsongen.

«Du skrøt av at hun var saa storartet» blaaste Nathalie.

«Vel, saa var mit indtrykk galt da —.»

«I virkeligheten skjønner du dig ikke noe paa mat skal jeg si dig! Du vil endelig late som du er kræsen og nøie, gourmet og vinskjønner og Gudvethvad. Du vil saa gjerne som du vil leve spille rollen som herremand og levemand du Sverre, men i virkeligheten —»

«— i virkeligheten er jeg det lille Gudsordet fra Berdal som syntes at dere levet overdaadig paa Sumarlide, sammenlignet med det som jeg var vant til.»

«Uff!»

«Uff ja. Men spis og drikk nu da, Nathalie — dette er da vel godt ialfald?»

«Men den tiden du var Henriette Damms leieboer? Hun var da simpelthen fantastisk flink til at lage mat. Helt raffinert som husmor.»

«Ja bevare dig vel — det var der hun var størst som kunstnerinne —.»

«At du ikke giftet dig med henne, det begriper jeg ikke.»

«Du vet at hvis du bryr dig om at høre, hvorfor det ikke blev av» — han saa paa henne med et slags smil — «saa er der ingenting jeg heller vil end fortælle dig det. En gang til, og saa mange ganger du vil høre paa mig, Nathalie.»

«Nei Sverre —.» Da han reiste sig og kom rundt bordet bort til henne gjorde hun en liten avvergende bevægelse, men hun var saa trætt.

«Jeg gaar bare op og vasker mig,» sa hun, og viste frem hænderne sine. Bordet som de hadde spist kreps ved saa pent ut paa en maate, saa uryddig som det var — men de høirøde skallerne tok sig ut i skjæret fra lysene som var næsten brændt ned i stakerne. «Kan vi ikke gaa op til dig — fru Pedersen er vist gaatt over til sig selv alt.»

Vand flommet nedover ruterne, og da Nathalie gløttet paa døren til terrassen stod regnet som en vægg utenfor; det sprutet op fra fliselægningen. Veiret var som en avgjørelse — det ringet henne ind sammen med Sverre Reistad.

Oppe paa værelset hennes fikk han ilden til at blusse op i kaminen mens hun vasket og vasket sig inde paa det lille kottet.

Hun hadde fyldt op rummet sit med høstløv og røde og svarte bær i vaser. Paa kamingesimsen og paa skrivebordet stod skaaler fulde av moser og sopp — smaa sirlige spademorkler og korallagtige fingersopp. Nathalie kjendte pludselig en overvældende sorg ved synet — det skulde ikke være sandt at ingen brød sig om det, naar hun gjorde det vakkert og hjemlig hos sig. — Hun vilde ikke være alene, det hadde hun været saa længe, saa længe alt —.

«Jeg er trætt, Sverre — jeg tror jeg gaar iseng med det samme.»

«Gjør det du. Faar jeg komme ind naar du har lagt dig da?»

Hun begyndte at graate. Da han kom bort og tok henne ind til sig graat hun mere. Det gjorde godt at bli omsluttet og rugget —. Endelig engang var det da hennes tur til at faa være den lille stakkaren som noen vilde plukke op og pyse om. «Jaja, kom ind da vel,» suttret hun. «Hvis du virkelig bryr dig om mig — som er saa tøiset —.»

«Gudskelov for at du det er,» hvisket han og kysset næsten pusten ut av henne før han slapp henne.

Lynende fort klædde hun av sig, smatt op i den store sengen og krøp sammen indtil væggen. Hun hadde slukket alle lysene uten ett paa kamingesimsen, skjæret av det flakket over loft og vægger, og regnet drev mot ruterne. Som hun hadde kastet sig ut gjennem tid og natt og laa her, et gussnaaslig litet dukkebarn med vidt opsperrede øine, ventet Nathalie. —

— Han kom, indhyllet i enslags sort silkekaape, baldyret med en stor krysantemum i guld paa den ene skulderen. Og midt i det at hun var som litt beruset, svævende svimmel av lyst til at glemme og opleve noe sindssvakt, var der et litet koldt gran av snus=fornuft i hennes sind — Gud hvor likt det var Sverre at skride omkring i en saan mandarinhabitt, for det var det vel —.

— Næste øieblikk hadde han kastet forklædningen og smøg ind hos henne. Med et søkk av forfærdelse opfattet hun at han r e v henne indtil sig, og at nu var det han som hadde tatt spillet ut av hennes hænder, — hun kunde ikke bestemme noenting længer —.

3.

Da hun vaagnet holdt det paa at bli dagen ute — taaken stod hvit mot ruten. Hun laa alene i sengen — saa husket hun hvad hun hadde gjort. Hun blev liggende som lamslaatt. Og med det samme dukket erindringen op om andre ganger, da hun hadde vaag=net med en følelse av skam og forfærdelse over noe hun hadde drømt — og befrielsen, naar hun fikk san=set sig, Gudskelov, det var bare en drøm. — Nu var det som det skulde ha været advarsler, og hun hadde ikke gitt agt paa dem.

Nathalie slog hænderne for ansigtet, kastet sig rundt og blev liggende sammenkrøket indtil væggen. Den teatralske gestusen hjalp — hun hadde faatt ut=løsning for sin første vettløse fortvilelse. Ett nu dæmret det for henne — v a r det saa skrækkelig da —?

Hun kjendte en haard kold klump som drog i nattkjolen oppe over brystet. En brosje —. Nathalie tok den av, satte sig overende og stirret paa den, helt forbløffet —.

Et digert beist av en brystnaal i biedermeierstil var det — men vakker paa en maate. Vridde og slyngede baand i rulleguld, emaljert i mørkegrønt og laksrosa, med noen store perler i midten og tre perlebesatte dobber. — Henriette Damm hadde hatt en lignende, bare at den var mindre og den dominerende farven mørkeblaa. Sverre hadde gitt henne den en gang han kom fra Kjøbenhavn — den skulde ha tilhørt grevinne Danner.

Det var saa pussig saa hun hadde lyst til at le, og det var jo paa en maate rørende. — Hvad Sverre hadde tænkt da han dekorerte henne med denne kongelige morgengaven før han gikk ind til sig selv inatt var kanske svært rørende. Og samtidig krøp det i henne av uvilje, og hennes angst tok bestemtere form.

Aajo, hun kunde godt være forfærdet over det som hun hadde begaatt. Hun var fanget, og Sverre slapp vist ikke taket saa lett, naar han først hadde faatt henne dit han vilde. Det var til at le og graate over. —

Men egentlig visste hun ikke hvorfor hun pludselig skulde føle en saan bundløs mistillit til Sverre Reistad bare fordi hun godvillig hadde tatt imot ham som sin elsker —? Og det stod ikke til at negte — hun hadde latt sig rive med inatt. Det var kanske derfor hun følte sig saa oprørt — hun hadde hatt en elsker, en tilfredsstillende og meget sympatisk elsker. Men hun kunde ikke foresvindle sig selv at hun elsket ham.

— Men hun hadde da vært glad i ham paa en maate bestandig, hatt tillit til ham, som ven. Ja hun regnet med hans venskap som et tilliggende til sit liv, en godt og trygt hjemlet besiddelse. — Hun hadde bare vært viss paa at det var henne som bestemte paa hvilken fot de skulde møtes —.

Det skræmmende var denne tanken som hun ikke kunde bli kvitt — at han hadde gaatt frem efter en snedig, eller dypt uttænkt plan for at faa henne hit. Men saa slog hun det hen — saa utspekulert var han likevel ikke, han kunde ikke v i t e at det skulde virke slik paa henne, omgivelserne herhjemme, ensomheten, den modløse trættheten som hadde besatt henne efter alt hun var blitt kastet frem og tilbake mellem i hele sommer. — Det vilde jo si at han kjendte henne saa meget bedre end hun kjendte sig selv — og at hun egentlig ikke kjendte Sverre. Hun hadde aldrig brydd sig om at kjenne ham annet end fra en bestemt side. — Cisisbeatet het en novelle av Mauritz Hansen, husket hun — det var vist om et saant forhold mellem en gift kone og en mand som hun holdt som enslags erendssvend.

Uff, hun var rædd ham. — Men hun var nu vel ogsaa mere uskikket end kvinner flest til at indlate sig paa saanne eventyr; det som Sverre kaldte det erotiske skjema hadde aldrig for hennes vedkommende omfattet problemet, hvordan trækker man sig bedst og pynteligst ut av et kjærlighetsforhold —. — Og et instinkt i henne protesterte mot at hun skulde gi op sin frihet i hænderne paa Sverre —.

Da det banket paa døren fór hun op — hun skjønte at hun maatte ha faldt i søvn igjen allikevel. Men da Sverre kom ind og hun saa uttrykket i hans ansigt maatte hun smile — Herregud, saa styggpen som han var! Minnet om de bitre meditationerne i den første opvaagningen blev uvirkelige. — Igrunden, hvorfor skulde det være saa forskrækkelig. Bedre at være glad og gjøre det bedste ut av det — det var da Sverre, hennes ældste ven i verden. Hun gjengjældte kyssene hans og ante, med en skygge av angst under glæden, at hans kjærtegn vilde vist altid faa henne til at føle anderledes for ham end hun gjorde, naar hun ikke var sammen med ham —.

Naalen — han lo genert da hun takket for den. Han hadde hatt den liggende i mange aar. «Du skulde faa den, det var meningen hele tiden. Da du hadde været femten aar i forretningen — jeg trodde jo at de skulde gjøre fest for dig da, middag og taler og saan.»

Nathalie rystet paa hodet — nu likte hun haanden hans som lekte omkring haandleddet hennes. «At du virkelig husket den dagen! Det var vist du den eneste som gjorde —.»

«Jeg skjønte det. Derfor saa vilde jeg ikke minne om det. Jo du, jeg har altid husket alt saant naar det var dig. — Men saa lot jeg den ligge da — om det skulde komme en anledning —.

— Jeg hadde den med for fjorten dager siden. Jeg hadde halvveis haabet at det skulde bli enslags bortførelse da jeg kjørte dig hitned.» Han lo. «Nu faar jeg altsaa bortføre dig til Oslo istedet — hvis det virkelig er dit alvor at du vil reise ind paa søndag.»

«Jeg har allerede bestilt køie du, til imorgen kveld. Ragnas lille pike skal døpes, saa jeg maa ta ind fra morgenstunden av.»

«Jamen da ringer jeg ind til Ragna og sier at jeg er her, saa ber hun nok mig ogsaa.»

«Er du gal! Du har da vel ikke klær med dig heller —.»

«Naar jeg er tilreisende? Behøver jeg vel ikke at møte op i selskapsantrækk.»

«Snille dig, det er planlagt i større stil. Denne broren til Mads fra Amerika skal komme ned og døpe henne, de har opsatt hjemreisen sin bare for det samme. Det er en hel haug av dem. Og gamle fru Adler skal bære henne og ialfald en av døttrene er med. Jeg synes Ragna sa vi blir toogtyve til bords.»

«Vel. Du vil ikke ha mig med, skjønner jeg.» — Hun vilde absolutt ikke. Bare tanken paa at troppe op med ham i en saan familiesamling vakte den kulskende angstfornemmelsen fra imorges tidlig.

«Hvad skal du ha paa dig?»

«Jeg fikk ny — graa chiffonfløiel. Den hænger borte i kottet der,» sa hun for at være imøtekommende mot ham. Sverre hadde altid lagt merke til det naar hun hadde paa sig noe nytt pent. — Han gikk straks bort og lukket paa kottdøren.

«Den er jeg sikker paa maa klæ dig nydelig. Samme farve som øinene dine. Kan jeg ikke faa kjøre dig ind da i det mindste?»

«Vi skal i kirken først vet du. Jeg klær mig om hos mamma.»

«No doing — er det det du mener?»

Nathalie lo: «Du faar nok se mig i den en annen gang.»

«Det er vist en premiere paa Nationalteatret til uken — skal vi gaa dit?»

«Kan vi snakke om siden. — Men du, nu maa jeg virkelig op.»

Han var allerede ved døren, da snudde han sig og sa, som han var oprømt over sit heldige indfald:

«Men Nathalie — du vet du kan faa op frokost paa et brett. Vil du ikke heller det?»

«Nei det vil jeg sandelig ikke!» Hun lo: «spise paa sengen har jeg aldrig kunnet fordrage.»

«Neinei,» sa han straalende. «Jeg vil jo heller spise frokost sammen med dig idag, kan du vite.»

Ikke før var hun blitt alene saa kom den forstemte følelsen igjen, av at være blitt tatt til fange. Som naar de lekte bro=bro=brille da de var barn — da endte det ogsaa med at man blev «tatt til fange» og skulde vælge, vil du ha epler eller pærer. — Men det var der da ikke noe skrækkelig ved. Hun forsøkte at faa til at det var d e n fangestemningen.

— Paa Rafstad kom de altid op med kaker og kaffe paa sengen til dem, mens de ventet paa at det skulde bli saa varmt i værelset saa de kunde staa op. Borte i ovnen pep bjerkekubberne, de var gjerne islagt utenpaa. Men det hørte likesom med til julen paa Rafstad at de fikk kaffe paa sengen. Det var sandt at ellers saa likte hun det ikke —.

Hjertet hennes bibbret mellem ulystfornemmelser og en følelse av nytt haab. Var det bare hennes fan=tasi som var paa spill, naar hun syntes at baade Berg og Jandel og fru Pedersen maatte skjønne paa Sverres væsen hvordan forholdet mellem dem var blitt? Og at det var det han vilde — befæste sin position, gjøre det vanskeligere for henne at rømme fra ham? Saa var han saa indtagende og søt mot henne, glad paa en saan klædelig maate saa hun ogsaa blev glad; igrunden, hvorfor skulde hun ikke kunne lære sig til at holde av sin gamle kamerat paa en ny maate, gjorde hun det ikke alt? — Sverre stakkar kunde da ikke vite at hun i sit stille sind tænkte paa flugtforsøk. Det vilde simpelthen ha vært upassende av ham at mistænke henne for slikt — efter inatt!

Solen brøt frem mens de satt og spiste frokost.

«Har du ordentlig paa bena dine? Ja. Skal vi gaa over høiden og ned til Kilen? Det er saan pen sti forbi isdammene —.»

«Jeg har vært der du. Jeg har næsten altid gaatt opover aasen naar jeg gikk turer. — Det er et annet sted som jeg har mere lyst til at gaa.» Hun ventet litt. «Husker du en gammel grube hvor vi var engang? Det er vist indover i retning av Ravnedalen.»

«Møkkelaasen, det vet jeg godt hvor er,» sa han glad. «Husker du at vi var der engang? Gerda var med, og Nikolai, og han derre telemarkingen som fikk indstilling til teologisk embedseksamen siden, kan du huske hvad han het?»

«Dreng Bondal — ja han fikk indstilling ja. Det var vældig romantisk deroppe syntes jeg. Vi kastet stein ned i et gapende svart svelg og hørte at det plasket i vand dypt nede. En liten foss var der ogsaa. Og Dreng og Nikolai gikk og plukket prøver av stein —.

— Der er en fortælling av Mauritz Hansen om en gammel grube; den tænkte jeg mig altid foregikk der. Husker du at vi laante Mauritz Hansen hos Wingfeldts? Jeg har aldrig læst noe av ham siden, men mon der ikke er en hel del som er godt i det? Meget av det staar saa levende for mig.»

«Har du lyst til at ha dem? Jeg maa vel kunne faa dem antikvarisk skulde jeg tro.»

«Nei Sverre, du maa ikke begynde med det. At ville gi mig alt mulig.»

«Jamen naar jeg syns det er saa morro da?»

Det var ikke den veien som hun hadde slaatt ind paa da hun gikk her forleden — de skulde gaa længer opover langs elven, sa Sverre. Olderkrattet var saa vakkert med solskinnet paa de graa stammerne, nu da kronerne var luftige og lette og det løvet som satt igjen i toppene var sykelig lysegrønt. En sisikflokk skvittret ivei foran dem, hang med de lyse buksiderne op og plukket i olderkonglerne.

— Og han var ikke værst maset med dette nye som var blitt mellem dem. Hvor veien var bred nok til det tok han hennes haand og gikk og svinget med den. — Lekte han at de var gutt og pike igjen tro?

De kom ut av skogen ved en gammel gaard som laa avsides under en bratt bergvægg. Kornet stod ute paa staur her endda, og husene saa ældgamle og graa ut, med malingen næsten slitt vækk av vind og veir.

«Ravnaas. Hvor det spøker, vet du.»

«Det kunde se ut til det ja.»

«Du har da vel hørt om gamle Jonas Ravnaas vel, og Hinmanden som holdt hesten for presten da han kom og skulde berette ham? Det var jo din bedstefar — han var kapellan her i Riisnes og Holme som ung, Nikolai Søegaard.»

«Nu du sier det husker jeg at pappa nævnte noe slikt engang. Men du vet, han var ikke saa gode venner med farfar, han snakket aldrig meget om ham.»

«Jo da, Jonas Ravnaas gaar igjen her. Og nede i Kilen, paa baatbyggeriet, der spøker det ogsaa saa det staar efter —.»

Veien indover var gjengrodd, vandt sig som et mykt grønt baand indover gjennem fin skog av store susende graner. Sverre stanset, tok og krystet henne ind til sig:

«Nathalie du! Skal vi kjøpe et sted hernede —?

Til at være paa om somrerne. Og naar vi blir gamle saa flytter vi hitned for godt og pusler med bier og kaniner og tipper og alt saant — og sitter i solen og lar det gro mose paa os.»

«Det kunde kanske være noksaa deilig.» Hun smilte dovent lykkelig imot ham.

— Det var meget længer til gruben end hun husket. Men omsider kom de ut av skogen. En slette med kort avbeitet græss strakte sig opover mot det gapende mørke hullet i berghallerne. Smaa rogn og bjerk grodde paa takene over noen halvraatne skur; der var slagghauger og fallefærdige hytter, og ganske rig=tig var der en liten foss ogsaa i elven som randt forbi, med rester av en trærende og et maskinhus formodent=lig nedenfor dammen.

Sverre kom drassende med en bordstump som han la over etpar stener. Bortover berget grodde vild efeu. Det var vaar dengangen de var her — hun husket det hadde blaanet av blaaveis indimellem efeuen. «— Men det er mange flere hus her end jeg husket — ikke saa romantisk og øde.»

«Den var i drift en stund under krigen. Kai See=husen hadde med det. — A propos Seehusen — vet du at han ligger paa klinikk i Oslo og er blitt operert. Kræft i endetarmen har jeg hørt.»

«Uff da.»

«Saa det er vist bare et spørsmaal om maaneder. Datteren kom hjem i vinter — den der godseieren i Sverige som hun blev gift med var vist en ordentlig dritt. Saa han har da hatt sitt, Seehusen og stakkar.»

«Jeg undres om Gerda —.» Gerda, tænkte Na=thalie — det vilde være likt henne om hun kom styr=tende hjem bare for at faa se ham en gang endda.

«Ja stakkars Gerda. Det er synd paa saanne Sol=veig=naturer i vore dager. Det var sikkert bedre for dem før i verden — den officielle moral holdt dem i ørene saa de berget sig unda fristelsen til at bruke surrogater. Og de kjendte sine pappenheimere, hadde ingen naive illusioner om Pererne sine mens de satt og ventet paa at han skulde faa dummet sig færdig, men elsket ganske realistisk Per som han skulde ha været — gutten derinde som de selv var mor til og Gud far til, med det bestemmelsens merke paa sin panne, som Pererne ikke pleier at la sig afficere av.»

Nathalie nikket. «Det har du vist rett i.»

Han skottet bort paa henne — saa saa de begge hver sin vei. Og Nathalie skjønte, han visste det selv — et øieblikk ialfald — hvor faafængt det var for henne at ville begynde med en ny mand. Faafængt, faafængt —. Men netop derfor, i angst og forvirring, la hun sig ind til ham og tok ham om halsen. Hun maatte prøve at trodse det i sig som vilde dømme henne til at bli alene.

4.

Arbeidet i forretningen kom til at bety noe nytt for henne denne høsten. Hun hadde altid erkjendt at hun var heldigere stillet end de fleste kvinner — og mænd med for den saks skyld: hun hadde et arbeide som hun virkelig kunde interessere sig for, ærlig og redelig. Hun kunde lett ha faatt en stilling som var bedre lønnet, men hun foretrakk at bli hvor hun var; der var hun forholdsvis selvstændig. Og naturligvis hadde hun paa en maate likt at være uavhængig økonomisk ogsaa. Det hadde da ogsaa været tider i hennes egteskap med Sigurd da alting vilde ha været vanskeligere, dersom ikke hun hadde kunnet forsørge sig selv. I mange aar — saalænge hun endda haabet, fra maaned til maaned, at hun skulde faa barn — hadde hun gaatt og drømt om at livet skulde bli vidunderlig, naar hun engang kunde faa slippe arbeide utenfor sit eget hjem. Hun hadde altid kjendt en dyp fryd naar hun var færdig med noe arbeide i huset — hadde stelt istand et soveværelse, solen stod ind av det aapne vindu og gulvet var fugtig efter vasken endda. Eller hun dækket bordet pent og hadde laget god mat —. De var blitt saa uhuslig opdraget, saa baade hun og Gerda var kommet til at regne alt husarbeide til de skjønne kunster. — Nu var hun ikke længer saa viss paa at hun kunde ha vænnet sig til den økonomiske avhængigheten av en mand, skjønt — aajo, aajo, hvis det hadde vært Sigurd saa —.

Men nu begyndte hun at føle sin stilling i Hytter og Hus som en strategisk position. Hun kunde falde tilbake paa den hvis — ja hvis altsaa Sverre gikk altfor vidt i sin iver for at arrangere hennes liv for henne. Hun tilstod ikke for sig selv at igrunden vilde hun helst ikke gifte sig med ham. Naar de var sammen paa tomands haand var hun nok forelsket i ham til en viss grad. Men aldrig før var hun blitt alene saa vaagnet den murrende engstelsen igjen: hun hadde altid vært rædd for at bruke den erotiske harmoni som hun kunde faa til med den hun elsket, saa den skulde binde, hvis ikke de følte sig glade i hinannens selskap ogsaa naar de var mætte av hinannens kjærtegn. Snakk om hvor forfærdelig det er naar egtefolk ikke faar den fulde fornøielsen ut av nætterne sine — ulykken kommer nok like ofte av at de ikke gaar godt i spand sammen, men nætterne smir en lænke som de ikke klarer at bryte endda de sliter i den og drar hver sin vei dagen lang. Hun hadde paa følelsen at hun og Sverre kom vist neppe til at dra godt sammen. Men han var en indsmigrende elsker, og altid fikk han henne til at bli svak og myk. Men bakefter laa hun med en lei fornemmelse av at det var kyndighet, øvelse i elskovskunsten, som han overvandt henne med.

Imidlertid lot det til at han absolutt vilde binde henne. Hun blev ved at synes det var besynderlig. Det maatte være stædighet, like meget som kjærlighet, naar han aldrig hadde kunnet bekvemme sig til at kassere det som han kaldte sit erotiske mønster, men hadde hatt det liggende bortgjemt et sted i sig: om han skulde faa anledning til at realisere det en=gang —.

Og naar hennes skilsmisse var i orden blev det vel til at han giftet sig med henne. Men tanken gjorde henne urolig — Sverre vilde administrere hen=nes liv saa svært, og hun hadde ikke lyst til at la sig administrere paa den maaten —.

«Her kan du da ikke bli boende — saa litet hyg=gelig for dig,» uttalte han sig bestemt, første gangen han kom op til henne paa hotellet. Med en eneste gang la han ivei og skulde skaffe henne leilighet. Han visste noe som akkurat kunde passe for henne — for at hun kjøpte sig aktieleilighet vilde da være aldeles meningsløst. Indimellem to nybygg oppe i nærheten av Sankthanshaugen laa en gammel træ=villa; den skulde rives naar gaten blev brutt igjennem her, men det sker naa hverken iaar eller til næste aar da, forsikret Sverre. Underforstaatt, inden den tid er du gift med mig.

Nathalie syntes ikke at stedet saa særlig ind=bydende ut. Det var en halvannen etages villa i dragestil, med en rest have omkring. Noen store gamle almetrær utenfor vinduerne gjorde det mørkt inde. — Og likevel greiet Sverre at placere henne der før hun fikk sukk for sig — hun visste knapt selv hvordan det var gaatt til at hun hadde leiet kvisten og skrevet under kontrakten.

«Det er da ingen mening i at du kjøper møbler,» mente Sverre. Sigurd hadde faatt leiet ut den gamle leiligheten deres møblert, og forresten hadde hun liten lyst til at flytte med sig noe videre derfra. «Endel kan du faa laane hos mig. Og saa vet du at din mor har satt en hel del av dagligstuemøblementet paa loftet, der blev ikke plass i den nye stuen hen=nes. Jeg er sikker paa at hun overlater dig det med fornøielse.» Sverre ringte til Ragna, og Sverre fikk ordnet med forsendelsen. — Mamma og Ragna gikk vel da ut fra at nu var hun forlovet med Sverre Reistad.

Det gjorde vist ogsaa hele personalet i Hytter og Hus, slik som Sverre rendte der og ringte til henne og kom for at hente henne og gav gode raad uten at være blitt spurt. — Hun sa det til ham, i en temmelig irritert tone, en aften da han kom op til henne i den nye leiligheten; han skulde hjelpe henne at faa den i orden.

«Jeg vet ikke av,» sa han eftertænksomt, «er jeg blitt værre til at gi dig raad end jeg har vært da? Det er vist en feil jeg har hatt bestandig. Men jeg har aldrig før merket at du hadde saa meget imot det.»

Det var sandt — Sverre hadde hatt en svakhet for at gi folk raad bestandig. Og hun hadde likt godt at sitte og lægge op raad med ham før, om alt saant som ikke var saa vigtig.

«Jamen nu nøier du dig ikke med at gi mig raad længer. Ialfald er det som du gaar ut fra uten videre nu, at naar du har raadet mig til noe saa blir det slik, basta. — Det ender med at folk tror,» sa hun heftig. «At det er m i g som er strøket fra manden min, fordi jeg vilde ha en annen —»

«Ja om de nu tror det da? Er det dig saa om at gjøre at alle mennesker skal vite, det var din mand som strøk fra dig for en annens skyld?»

Nathalie taug.

«For den sisste versionen synes da jeg maatte være mere saarende for din stolthet.»

«Min stolthet —.» Hun trakk paa skuldrene. De stod og saa paa hverandre, blev stille begge to.

Nathalie flyttet ind i den nye leiligheten sin en lørdag, og Sverre blev hos henne om natten. De spiste frokost sammen næste morgen i den nye stuen hennes. Den hadde mørkt brystpanel og imitert gyl=denlærs tapet som minnet om tapetet i dagligstuen hjemme. De gammeldags blaagrønne plyschmøblerne fikk en vakker lysende farve ialfald den stunden solen stod paa her — hele interiøret minnet henne om Su=marlide. I det samme sa Sverre det: «— du har da faatt det hyggelig her. Det minner om hjemme hos dere. Og der v a r nu vældig hyggelig, paa en egen rar maate. Synes jeg.»

Var det det han vilde leke, undret hun — at hun var blitt Nathalie fra Sumarlide igjen, og det var d e n Nathalie han hadde faatt. — Men hun selv hadde jo truet sig til at tro, naar Sigurd først blev gift med sin vesle Anne saa vilde han snart føle det som han hadde tatt op igjen sit liv paa det punkt hvor hun var brutt ind i det; alle de aarene de hadde levet sammen kom til at indkapsle sig som et frem=medlegeme i hans bevissthet og synke tilbunds. Trodde Sverre det samme om henne?

Hun blev fuld av godhet for ham, fordi hun visste det var svært naivt, hvis han trodde slikt. Saa var de bare venner og vel forlikte hele den dagen. Det nyttet ikke at angre nu — bedre at gjøre det bedste ut av det som var hændt.

Han sa bestandig Nathalie, hadde gjort det altid, og det likte hun saa godt. Thali var skrækkelig stygt, hun hadde aldrig kunnet fordrage at de kaldte henne det, men alle hjemme gjorde det, og da Sigurd hørte det begynte ogsaa han straks at si Thali, Thali mi —.

Hun blev nødt til at gjøre en hel del av fru Tot=lands arbeide. Stakkars Alfhild Totland hadde det vist alt annet end bra. Frygtelig besværlig var hun nu, og nervøs og nedtrykt ogsaa. Nathalie var nok=saa fornøiet for at hun fikk kontrollere den annens forhold litt nærmere, samtidig med at hun lettet henne arbeidet. Ja ikke for det, fru Totlands bok=førsel hadde nok vært i orden hele tiden siden sisst.

Men Nathalie hadde jo tatt paa sig ansvaret da hun greiet braserne for henne den gangen. Og fru Totlands økonomi var vist noksaa fortvilet. — Stadig kom hun til Nathalie og bad om at faa ta op forskudd paa lønnen sin; det beløpet de pleiet at faa i gratiale til nyttaar hadde hun alt «laant» av Nathalie til babyutstyret — og saa begyndte hun at laane smaabeløp rett som det var — det var gjerne ett eller annet hun skulde kjøpe med sig hjem. «Jeg syns likesom at jeg maa hygge litt for mand min denne tiden. Han kommer til at gaa aldeles for lut og koldt vand er jeg rædd, den tiden jeg skal være borte.»

Nu hadde hun vænnet sig til at betragte Nathalie som etslags forsyn som rent selvfølgelig gav henne en haandsrækning saa ofte hun trængte det. Men der var aldrig noen som hadde umaket sig med at hjelpe Alfhild Totland før. Faren hadde ingenting turdet koste paa barna sine med den første konen efterat de var færdige med middelskoleeksamen, fortalte hun engang. De maatte selv betale den lille utdannelsen de hadde faatt med det lille som var til dem efter deres mor, det forlangte stedmoren.

Fru Totland skulde ha permission fra første november. Men en av de sisste dagene i oktober blev hun saa daarlig midt paa formiddagen saa Nathalie tilbød at faa fatt i en bil til henne: «De maa gaa hjem, kan De skjønne.»

Fru Totland saa op paa henne over kanten av vandglasset som Nathalie rakte henne. Hun var vettskræmt i øinene; under pudderlaget grinte de brune skjollerne i ansigtet hennes mot graablekheten. «Kan De ikke følge mig, fru Nordgaard — jeg er saa forfærdelig rædd!»

Nathalie tok paa sig hatt og jakke. Det var kanske like godt at et menneske var med fru Totland.

I bilen satt hun og klemte Nathalies haand: «aa jeg er saa rædd, jeg er saa rædd. — De maa bli med mig, fru Nordgaard — aa gjør det da! Jeg maa reise op med det samme, til den damen som jeg skal være hos. — Det holder paa og kommer alt skjønner De — aa følg mig da saa er De snil!»

Hun saa virkelig ut som det skulde var sandt. «Men det er da en hel maaned for tidlig, fru Totland —.»

«Nei det er ikke, det er tiden nu.» Hun grov frem en entrénøkkel. «Kofferterne mine staar i entréen — en stor brun en og en haandkoffert. Aa bli med mig da fru Nordgaard!»

«Men var det ikke bedre da at Deres mand —?»

«Nei nei jeg vil ikke ha med Tobben, han kan ikke gjøre noe allikevel saa.»

Chaufføren lot heldigvis til at være en ældre, forstandig familiefar som beroliget henne, mens de var oppe og hentet kofferterne. Der var daarlig luft i entréen. Døren stod paa vid gap ind til et værelse hvor Totland satt ved et uryddet frokostbord. Han kom ut da han hørte de fremmede i entréen.

«Deres frue er blitt syk.»

Han var ikke ordentlig paaklædd og saa uflidd ut. Bare det rødlige haaret hans skinnet velpleiet og permanentbølget om hans pene gutteansigt — Jandel, husket Nathalie, hun hadde ikke før kunnet komme paa hvem Jandel minnet henne om. Tobben Totland tok paa sig en ytterfrakk og fulgte med chaufføren og Nathalie ned. Han gikk i tøfler.

Nathalie stod og ventet et stykke unda, mens mand og kone tok avsked. Det var forbausende fort besørget, Totland tøflet ind i porten igjen og Nathalie forsøkte at forklare videre til chaufføren den adressen som fru Totland stønnet frem. Hun hadde leiet sig ind hos en jormor oppe paa Romerike. Mellem Hauersæter og Dal ja, nikket chaufføren, han visste hvor det var.

Saa kjørte de, og fru Totland begyndte at graate sagte. «De syns vist jeg er rar som har narret Dem. Men jeg hadde tænkt da, skjønner De, at jeg vilde ha hele ferien min i behold naar jeg hadde faatt det. Saa jeg kunde være isammen med det i ro og fred de tre maanederne ialfald. Jeg har jo ønsket det saa bestandig, at jeg kunde faa et nytt barn istedetfor lille Gunnar. For De kan ikke tænke Dem som jeg har savnet ham bestandig —.»

«Det skjønner jeg nok. Naar bare dette er overstaatt,» sa Nathalie trøstende, «saa tænker jeg at De skal være ordentlig henrykt.»

«Det er derfor jeg vil være deroppe, forstaar De — i ro og fred med ungen min en stund ialfald. For jeg skjønner ikke hvordan det skal bli naar jeg kommer hjem med den.» Hun graat igjen. «Jeg er saa fortvilet, fru Nordgaard, jeg kan ikke faa sagt det, for Tobben er saa sint saa sint. Han vilde absolutt ikke at jeg skulde faa det — det var derfor han gav op jobben sin i reisebyraaet, for han kunde godt blitt fast, men da jeg ikke vilde gjøre noe med det saa sluttet han paa trass. Han vil ikke dele mig med noen, skjønner De, jeg skal værsgod bare leve for ham —»

«Hysch da fru Totland, De maa ikke —» Inderlig ulykkelig og genert lette Nathalie efter noe hun kunde si, som ikke lød altfor taapelig. «Naar barnet først er der saa skal De se, kanske Deres mand blir like glad i det som De er. De skal se, det kan godt hænde at det gir ham ny interesse i livet,» forsøkte hun at opmuntre.

Men fru Totland satt og saa fortvilet frem for sig:

«Han var ikke glad i Gunnar — ja ikke at han var slem mot gutten stakkar, det maa De ikke tro. Men han kunde ikke taale at han skrek eller suttret det mindste, og saa var han saa sjalu fordi det tok saa mye tid for mig at stelle ham —»

De kjørte gjennem skog. Fru Totland skar ansigter og ynket sig naar bilen hompet paa den sundkjørte veien, hun satt og nidklemte Nathalies haand. Hvert øieblikk slog sølevandsspruten mot vinduerne, og utenfor stod taaken tætt. Det var vakkert, granen glinsende grøn og de nakne løvtrærne dryssende fulde av draaper paa hver kvist. Indover laa bregnerne brune og kruset sig i den svellende friske mose⸗grunden.

«— han er jo nemlig til den grad neurastheniker! saa det er ikke mulig at bebreide ham det mindste for det,» sa fru Totland ivrig. «Stakkars Tobben, han kan ikke for det selv at han er slik, og saa er han saa skrækkelig gla i mig saa han blir aldeles *fra* sig bare ved *tanken* paa at jeg interesserer mig for noe annet end han, forstaar De. Det er alt⸗saa et kompleks han har saa han kan ikke det mind⸗ste for det. Han har savnet en mors ømhet nemlig — saa frygtelig! Hans mor var saan verdensdame nemlig — ingen ømhet og varme at faa der nei, al⸗drig! Tvertimot, hun drev og skulde herde ham be⸗standig, baade fysisk og psykisk, og det er han blitt slik av, aldeles patologisk forstaar De. Det er der⸗for han klynger sig saan til mig — du er den eneste som har vist mig litt moderlighet sier han bestandig. Jeg er jo saa frygtelig gla i ham —. Men i alle disse maanederne jeg har gaatt slik — aa De kan tro at jeg har hatt det grusomt! Somme tider var jeg sande⸗lig nær ved at tape taalmodigheten med ham — jeg syntes ikke at jeg orket ham, men jeg hadde satt mig i hodet at jeg *vilde* ha dette barnet, naar det først var blitt slik —»

Nathalie klemte den desperate haanden som klemte hennes: «Det kan gaa meget bedre end De tror, fru Totland,» trøstet hun forsagt.

Fru Totland klynget sig til stroppen ved vinduet. «Aa Gud, aa Gud, saa fælt det er! Jeg hadde glemt aassen det er, men naar det begynder saa kjenner en igjen alting — aa jeg er saa rædd, fru Nord⸗gaard!»

Nathalie var lyksalig da de omsider kom frem —

hun hadde saa smaatt vært rædd for at barnet skulde komme til verden i bilen.

Stedet saa trivelig ut — en ny villa som laa noksaa avsides paa en haug ovenfor et litet vand. Og jormoren gjorde et godt indtrykk, hun var frøken, i førtiaarene, virket nøgtern og grei.

Fru Totland satt i en amerikansk gyngestol ved vinduet, mens frøken Vaalengen, jormoren, gikk ind og ut og dækket bord — Nathalie skulde ha kaffe før hun kjørte tilbake.

«Her var saan masse svaler da jeg var her og leiet,» sa fru Totland sørgmodig. «De er nok reist nu — men jeg har aldrig sett saan masse svaler i mit liv. Hele luften var fuld av dem, og det var saa pent naar de fløi og krysset om hverandre —.»

Gjennem taaken skimtet mørk skog paa den andre siden av det vesle vandet og vissent siv i vassenden. Den nyplantede lille haven utenfor vinduet saa pjusket ut i slaskeveiret, men der var noen snebærbusker med hvite bær som perler.

«Det blir naa vist ikke noe for alvor da, før til natten,» sa frøken Vaalengen. «Er det søster kanske?» Hun betragtet Nathalie med velvillig agtelse — den nye brune tweedsdragten hennes var meget smart.

«Bare veninde. Vi er i samme forretning,» oplyste Nathalie.

«Ja skulde det allikevel bli før jeg tror da, saa kan jeg godt ringe til Dere hvis Dere vil —.»

«Tusen takk, det var snilt. Men jeg har ikke privattelefon der jeg bor nu.»

«Men er det ikke et sted hun kan ringe til da,» faldt fru Totland ind. «Hvis det skulde gaa galt — aa lov mig at De vil komme op da hvis jeg skulde dø, saa maa jeg faa se Dem først, fru Nordgaard — lov mig at De vil ta Dem av barnet da, hvis at det skulde leve og jeg dø.»

Nathalie tænkte sig om. Hun hadde ikke lyst til

at gjøre bekjendtskap med de to forretningsherrerne som bodde nedenunder. Saa opgav hun Sverres telefonnummer.

«Arkitekt Reistad,» forklarte fru Totland jormoren.

Vel, for faen — hun var sagtens forlovet med ham paa en maate, saa kunde det jo være det samme hvor kjendt det var. «Saa skal jeg be om at der blir sendt bud op til mig —.»

Telefonbeskeden fikk hun næste formiddag i forretningen . Fru Totland hadde netop faatt en stor kjekk gutt. Det hadde gaatt saa pent saa, det var bare velstand alt sammen naa. Nathalie maatte love at se opover næste dagen; det var lørdag.

«Da kan du la mig kjøre dig,» sa Sverre; hun sa at hun blev sikkert for trætt til at gaa ut med ham om aftenen.

Det var vakkert da de kom op paa Romerike. Ikke nær saa tætt taake som iforgaars og et rart blaaviolett lys i taaken. Himmelen hang lavt over de lave aaserne, og det blev uendelig vidt utover de store sletter.

Hvis hun kunde faa et barn med ham, tænkte Nathalie; hun satt foran hos Sverre og saa fremover den sølete veien som bilen aat op. Saant hadde en jo hørt før. Da kunde hun komme til at føle sig hjemme hos ham. Akvariet hans og hans sjeldne kaktus, og vinterhaven som han snakket om at bygge — det kunde gaa an at være gift med alt det der da, interessere sig for det tilmed. Nu gruet hun naar hun tænkte paa at hun kanske engang skulde leve hver dag mellem det. Da vilde der, ogsaa fra hennes synspunkt, bli en mening i alle disse hobbyerne hans som hun ante at han dyrket, fordi de dannet som enslags bolverk mot noe i hans natur — det som han, og hun med, kaldte taterblodet i ham. Hvis de hadde barn.

Det var næsten mørkt da de kom frem, og fru Totland laa og saa ganske kjekk ut i det lune lyset fra nattbordlampen. Bare haaret hang og dasket i striper nedover ansigtet hennes, bølgerne var gaatt ut av det.

«Hun skal netop til at bade ham» hilste hun op=spilt. «Saa kan De faa se ham ordentlig. — S a a sund og kraftig, sier frøken Vaalengen. — Gid jeg er saa glad, fru Nordgaard!

— Totland har vært saa søt og snil — han var her baade igaar og idag. Uff jeg angrer rent paa alt som jeg sa om ham her om dagen, han er jo saan nevrastheniker saa det er ikke noe at lægge brett paa alt som han sier. Han er virkelig frygtelig glad i mig paa sin maate, han var nok mest rædd for at det skal bli for meget for mig med en liten ogsaa. Men nu tror jeg han er noksaa stolt av gutten sin allikevel —.»

Frøken Vaalengen hadde pakket ut det lille mørke=røde livet. Saa aldeles nyfødte var det ikke ofte Nathalie hadde faatt se dem, og hver gang gav det henne et litet sjokk — at det er noe saa i n d v e n=d i g ved et saant aldeles nyfødt menneskebarn. Endda er det saa meget en del av en annen kvinnes indvolder, saa der er noe ekkelt, eller indecent, ved det for den som ikke er av samme kjøtt og blod. Og likevel er det helt mirakuløst yndig ogsaa — de ørsmaa fuld=komne menneskehænderne, og føtterne som er ganske runde under fotsaalerne fordi de endda ikke har rørt jorden, med tærne som en krans nydelige smaa tytte=bær. — For henne som har født et saant litet menne=skefrø ut av kroppen sin — nei det maa være en rent ufattelig lykkefølelse at se og røre ved sit eget ny=fødte barn netop mens det endda er rynket og foldet sammen efter morslivet som en sprettende blomst efter knoppen den har sprengt. For faren, saasandt han har igjen i sig den mindste rest av det gammeltestament=lige mandsinstinkt som vil se frugt komme op av sin sæd — for de gamle i en slegt som oplever livsfor=

nyelsen i barna sine, naar de ikke oplever annet i sig selv end kroppens langsomme hendøen. —

Alfhild Totland pratet og pratet. — Da frøken Vaalengen la gutten til hos henne sank hun likesom ind i sig selv et øieblikk, i dyrisk dyp fred. De lyse-brune øinene hennes fikk et uttrykk av vaakenhet og trygghet paa en gang — som øinene til en hund naar noen den er glad i godsnakker med den. Men straks efter gav hun sig til at skravle igjen, opspilt og ustanselig.

«Nei fru Totland, — jeg er bare rædd jeg har sittet her for længe alt. De trenger sikkert til ro nu —.»

«— og hils! Tænk at Magnus ogsaa vilde være med — jeg er saa rørt, jeg var jamen ofte saa sint paa ham i den sisste tiden, men han somler slik naar han skal kopiere — ja si tusen takk til dem alle for kransekaken. Og tusen takk for alle de yndige tingene til Lillegutt, og for alting. —

De maa komme igjen snart fru Nordgaard. Aa gjør det da — det er langt hitop ja, men jeg er saa frygtelig ensom i verden vet De, jeg har jo ikke et menneske som staar mig nær, uten Tobben altsaa —.» Og saa begyndte hun at graate igjen. Av bare forvirring fordi hun ikke kunde finne paa noe at si bøiet Nathalie sig ned og kysset henne fort paa kinden.

«Ja stakkars menneske,» sa Sverre da de kjørte nedover. Trods alt, din mor har sikkert altid overvurdert mandfolkene. Som det herskesyke, men edle og virkelystne kjøn — din far med andre ord. Ja Herregud ja.»

Sigurd, tænkte Nathalie. Naar han faar se sit eget barn, da maa nu vel jeg endelig gli helt ind i skuggeheimen for ham —.

5.

Høsten gikk, den ene dagen som den andre. Nathalie hadde vænnet sig til Sverre syntes hun selv. Hun gjorde aldrig indvendinger naar han talte som han uten videre forutsatte, de skulde gifte sig saa snart separationstiden hennes var utløpen.

Hun følte ikke noen overstrømmende begeistring ved tanken. Men hun var jo ikke saa ung længer, hun kunde vel ikke skruet sig op til at vente det straalende av livet sammen med n o e n. — Og saa var hun vant til at være sin egen herre. Det var vel det som Sverre ogsaa var — rimeligvis tænkte han ikke over det naar han bestandig tok alle bestemmelser for dem begge, som det skulde være en selvfølgelig sak. Han husket vist simpelthen ikke at hun ogsaa var vant til at træffe bestemmelser om sitt. — Stranna hadde han solgt, fortalte han en dag, «jeg har jo kunnet være der saa litet de sisste aarene. Og jeg gikk ut fra at ikke du hadde lyst til at komme ditut igjen.» Det var sandt, men han kunde da gjerne ha talt med henne om det først. Nu vilde han faa sig et annet sommersted. Spørsmaalet var bare, hvor — en hytte i nærheten av byen som de kunde bruke aaret rundt, eller et hus ved sjøen hjemme.

«Javel,» sa Nathalie. «Men bestem dig ikke da, er du snil, uten at fortælle mig det. Hvis det altsaa er din mening at jeg ogsaa skal faa bruke det.»

Han blev litt forlegen: «Nei selvfølgelig gjør jeg ikke det. — Synes du jeg er saa egenraadig da,» spurte han, underlig uskyldig.

«Egenraadig —.» Hun lo. «Du synes vist ialfald at raad er det saligere at gi end at ta imot.»

Sverre saa forbauset paa henne — saa lo han ogsaa. «Jeg faar se til om jeg kan forbedre mig da.»

Der var igrunden liten mening i det, syntes hun selv. Men Sigurd hadde hun altid hatt den mest ubegrænsede tillit til. Han hadde sviktet henne saa grundig som det gikk an. Men likevel var hennes følelser for ham, især naar hun ikke bentfrem tænkte paa ham, men bare kjendte deres samliv som en bakgrund for sit liv nu — Sigurd var en som man absolutt kunde stole paa, en mand som der ikke fandtes svik i. Sverre hadde aldrig sviktet henne. Og hun skjønte at i alt væsentlig var det sandt naar han paastod at han hadde holdt av henne altid, helt siden de var halvvoksne. Det var da virkelig enslags trofast kjærlighet, selv om det mest hadde været en fantasilek, jeg og Nathalie — en saan kjærlighet som forekommer oftere i bøkerne end i livet. Skjønt, den forekommer kanske oftere i livet end i bøkerne, hvis en regner med at en saan kjærlighet kan leve i et menneskes liv som vandaarerne under jorden, uanfegtet av de historier det indlater sig paa forresten. — Hun hadde ikke skygge av grund til at føle mistillit til Sverre. Men hun stolte ikke paa ham. Tvertimot.

Den egentlige grunden til det laa vel kanske i noe fysisk. Ikke at hun ikke var fornøiet med ham som elsker, for det var hun — sommetider mere end hun likte at huske paa bakefter. Det var denne uforklarlige skrækken hun hadde for at han skulde bli en vane som hun ikke kunde bryte. Skjønt det var jo liten mening i at være rædd for det naar hun hadde bestemt sig for at gifte sig med ham, og det hadde hun, om hun ikke bentfrem hadde sagt det til ham. Noe med hormonerne kanske — det som en vet for litet om. Livsrytmen, som Sverre snakket om. Synge sammen, klinge sammen kaldte en av mammas dameboksforfattere det i gamle dager. Da hadde hun syntes det var noe erkevæv. Men kanske damen allikevel hadde snudd bort i noe faktisk her, endda hun uttrykte det saa skapagtig.

Sverre Reistad snakket om hvad de skulde gjøre i julen, men Nathalie erklærte at hun hadde allerede vært for meget borte fra forretningen dette aaret. Og naar fru Totland hadde permission fikk hun jo mere at gjøre end ellers i vareoptællingen og aarsopgjøret. — Hun hadde absolutt ikke lyst til at reise omkring med ham slik, men det lot ikke til at han skjønte det. Ett var at hun gad ikke gjøre anstalter for at skjule sit forhold til ham — men likefrem farte rundt med Sverre som de skulde være mand og kone, — nei det kunde hun saa godt vente med til de virkelig var det.

— Som oftest bare tittet hun paa aviserne før hun gikk hjemmefra om morgenen; hun tok dem med i mappen sin og læste dem mens hun spiste middag. Saa det var inde paa Grand, mens hun satt og ventet paa Hildur som hun hadde avtalt møte med, at hun fikk se annoncen:

Vor kjære datter

Anne Randine

døde idag fra sin lille datter og os.

Sissel Gaarder født Aasen. Halvor N. Gaarder.

Først kjendte hun sig bare slaatt dum — det minnet om den legemlige fornemmelse en faar efter et ubendig skrell, saa det flyr dott i ørerne paa en som folk sier. Men hun blev rædd ogsaa — for alt det som skulde gaa op for henne naar hun virkelig begrep at Adinda Gaarder virkelig var død. — Alt som hun hadde gaatt og tænkt sig om Sigurd siden han kom bort for henne — hvordan han skulde kjenne sig hjemkommen til sit eget folk, bli skuffet, kjede sig kanhænde med den andre og længte tilbake til d e r e s liv sommetider — alle disse fantasierne hennes løste sig op i ingenting nu —.

— En drøm, hadde han selv lignet denne forelskelsen sin med, og nu maatte han vel være vaagnet da. Skjønt, en opvaagning hadde det vel vært alt den gangen da hun og han skilte lag — og da han blev nødt til at tilstaa hele historien for henne. Eller kanske han alt var blitt vækket av drømmen sin med det samme han opdaget at den hadde faatt følger. — Stakkars mand, han var vist blitt vækket en række ganger, og det temmelig brutalt. Men nu var det da aldeles slutt. — Hun var død, den lyse piken med de purunge øielokkene og barnehaaret. — Det var stor synd for henne og, men —.

— Men det er større synd paa os som ikke har ungdommen engang. — Han v a r ikke færdig med mig, det var langt fra det — om han nu hadde latt sig drive bort i dette eventyret med en ung en. — Og jeg, — ja herregud, det som jeg har gaatt og tænkt om Sigurd, disse forsøkene paa at utmale mig hvordan han hadde det nu, og hvordan han skulde faa det, det har i virkeligheten vært væsentligere for mig end det som jeg prøvet at arrangere for min egen fremtid, med Sverre —.

Det var urettfærdig, det visste hun selv, at hun nu følte en saan forbitrelse imot Sverre. H a n kunde jo ikke vite — skjønt Gud vet hvad han visste. Det var vel netop derfor hun hadde følt sig saa utrygg overfor Sverre: hun visste ikke hvad han skjønte og tænkte. Kanske sandheten ikke var anderledes end han sa, de underfundige utregningerne hans eksisterte i virkeligheten bare i hennes egen daarlige samvittighet som gjorde ham saa ugjennemsigtig for henne.

— Hildurs yngste smaapike krysset speidende mellem bordene. Hun kom med besked om at mor var blitt forhindret. Pikebarnet vilde vist gjerne bli buden paa middag med tante Thali, men Nathalie lot som hun ingenting skjønte. Hun orket ikke. Hun var bare altfor glad for at slippe Hildurs selskap nu.

Med det samme hun laaste sig ind i entreen sin om kvelden kjendte hun lugten av Sverres tobakk. Det gav et rykk i henne av fortvilet utaalmodighet.

Han spratt op med det samme hun kom ind — han hadde sittet og læst. — De omgjorte moderatørlam-perne med skjermer av gammelt tyllsbroderi gav saan behagelig belysning, og det blaagrønne plysch paa møblerne fikk en mangfoldighet av farvenuancer — fra akvamarin med sølvskjær hvor loen var sittet flat, til mørkegrønt som minnet om furuskog i skyg-gen. — Uff, det er interiørarkitekt han skulde ha vært, tænkte hun irritert — det var Sverre som uavlatelig flyttet litt paa tingene hennes og bragte henne nytt som igjen gjorde det nødvendig at flytte om og ordne litt anderledes herinde. Til stuen var blitt helt nyde-lig og samtidig aldeles imiterte et interiør fra Bjørn-son- og Ibsen-tiden — dekoration til Gengangere. Hun hadde næsten latt sig bedaare av den elskvær-dige, fordringsløse hyggen som præget disse rummene — nu kjendte hun pludselig enslags panikkagtig vrede mot denne esken som Sverre hadde gjort istand for at putte henne ned i den.

«Trætt?» spurte han. «Tænkte jeg næsten. For alle tilfældes skyld gjorde jeg litt istand til dig her hjemme.» Klikket i bryterkjeden da han tændte i spisekroken indenfor verandaindsnittet gikk henne paa nerverne. «Jeg tænkte næsten du ikke brydde dig om at gaa noen steder iaften. Saan før jul vet jeg jo at du har altid en strid tid.»

«Aa, nede hos os merker vi nu ikke saa meget til juletrafikken endda saa det gjør noe.»

Naar alt kom til alt hadde han kanske ingen bak-tanker — han bare mente at være omsorgsfuld fordi han elsket henne. Som Sigurd hadde villet være — men hun lot ham ikke faa lov, for da elsket hun selv, og saa vilde hun være den omsorgsfulde —.

«Dans l'amour il y a toujours un qui baise et un qui tend la joue.» Hun hadde sagt det høit uten at tænke paa det — det var ett av tante Nannas citater som hun forsøkte at huske.

Sverre tok omkring henne, bøiet hodet hennes til siden og kysset henne saa haardt paa kindet saa det gjorde vondt i halssenen.

«Nei — ikke gjør det da!» Hun fikk taarer i øinene — det var bare nervøsitet. Han hadde sett dødsannoncen han ogsaa, det var hun viss paa.

De drakk the — slet igjennem en hel time uten at si noe om det som de begge tænkte paa. Men tilslutt holdt ikke Nathalie ut længer:

«Har du sett at hun er død — den nye kjæresten til Sigurd?»

Han nikket. «Synd paa den pene piken. Og paa forældrene — hun var eneste barn.»

Da Nathalie ikke sa noe tok han op igjen:

«Synd paa Gaarders. Jeg la merke til at de averterte ikke saan som katholikker bruker, med R.I.P. og bekjendtgjørelse om rekviemmesse og slik. Det betyr vel at hun er død ubodfærdig da, stakkars liten.»

«Ubodfærdig — hvordan da?»

«At hun regnet sig for forlovet med ham da vel. Eller noe saant.»

«Den ene gangen jeg snakket med henne,» sa Nathalie eftertænksomt. «Da forsikret hun nu høit og dyrt at hun aldrig giftet sig med en fraskilt. Men det var altsaa før vi blev separert.»

«Hun kan jo være kommet paa andre tanker. Naar hun fikk vite at han virkelig blev fri og kunde gifte sig med henne allikevel.»

«Barnet, det lever altsaa,» sa Nathalie sagte.

«Det ser saa ut ja.»

«Jeg undres paa hvad Sigurd vil gjøre nu jeg.» — Hun m a a t t e si det.

«Du mener hvad d u vil gjøre!» Saa skarpt og rart sa han det saa hun fór sammen.

«Jeg! kan vel ingenting gjøre jeg —.»

«Naa Gud ske lov endda for at du indser d e t!» Han aandet langt ut.

Men hun kunde ikke la være at snakke om det. Om en stund sa hun:

«Hvordan i alverden finner du paa at j e g skulde foreta mig noenting nu?»

Sverre Reistad gikk bort og satte sig ved det lille salonpianoet som han hadde faatt anbragt heroppe. Det var en del av det møblementet som han hadde overtatt for Henriette Damm da hun giftet sig. Han aapnet det, men blev sittende og rørte det ikke. Hun saa paa det bøiede hodet hans. Oppe paa issen begyndte skallen at skinne lys under haaret.

«Du fikk brev fra ham her om dagen saa jeg?»

«Angaaende leiligheten. Vi faar solgt den nu.»

«Skrev han noe om det som du nævnte?»

«Han skriver aldrig om annet end det rent praktiske. Om det har jeg hatt etpar brever fra ham siden han reiste fra byen.» Men han hadde aldrig været noe større tess som brevskriver — og som hun hadde elsket de klossede forretningsbrev-agtige lapperne hans, med noen tafatte sætninger til slutt som bare hun forstod at læse et langt kjærlighetsbrev ut av —.

Sverre snurret rundt paa pianokrakken, kom bort til henne igjen. Han stod over henne, saa lang og saa mørk — han var som en skygge, han var som en mur, som alt der staar i veien og hindrer et menneske i at gaa dit det vil —.

«Nathalie!» Han stanset, som han maatte ta sig sammen for at beherske sig. «Du maa ikke gaa bort og gjøre noe dumt nu.»

«Dumt, hvad mener du. — Det er vel dig og mig nu,» sa hun utfordrende.

«Det skulde gjerne være det ja.» Han satte sig paa kanten av skrivebordet hennes — slik han pleiet at sitte paa sit eget arbeidsbord paa sit kontor.

«Det later ikke til at du stoler altfor meget paa mig,» sa Nathalie som før.

«Aa jo. Men derfor behøver jeg vel ikke at være for trygg paa at ikke du smetter fra mig igjen.» Der fikk han det skjeve, uglade smilet som hun husket fra skoledagene. «Du vet hvad de fortalte om saanne som hadde vært bergtatt i gamle dager? Den første tiden slog de sig balstyrige for hver bækk de kom til og skulde over, de vilde tilbake til berget igjen.»

Nathalie smilte flygtig: «Altid skal du digte om tingene til noe saant romantisk. — Er det Sigurd da som er enslags bergkonge liksom?»

«Neiggu om han er nei. Men han har vært det for dig, for det er nemlig du som er romantisk. — At det virkelig kunde bli dig og mig m e d t i d e n, det er jeg sikker paa. Men jeg vet godt at i øieblikket er din følelse for mig ikke mere end noksaa, noksaa. Men jeg er saa glad i dig saa jeg er sikker paa —. For at si det bent ut, Nathalie — vi er snart begge to i den alderen at vi forandrer os enten vi vil eller ikke, naturen sørger for det. Da er det naturlig at man søker tilbake til de forutsætninger man er gaatt ut fra — ja undskyld ordet, jeg vet at du ikke liker det, men det er saan. Det er noe tøv at like barn leker bedst, men naar man kommer over en viss alder saa lever man bedst sammen med den man har, ja forutsætninger da for satan, tilfælles med. Og som er glad i en for det man er i sig selv. Sigurd blev vækk i dig fordi du var noe nytt som han oplevet og noe fremmed som han opdaget. Jeg er gla i dig akkurat som du er i dig selv. Du kan huske paa at det har ikke vært noe gjildt at være bergtatt længer end de var ganske unge.»

Nathalie satt med hænderne i fanget — opgitt av sørgmodighet. Det lød saa sandt alt han sa. Det v a r sagtens sandt, bare ikke for henne.

«Jeg har sagt dig det før, jeg skjønte godt at du blev forelsket i ham. Men i den sisste tiden, Nathalie — nu bakefter maa du da føle selv hvor krampagtige de var, alle disse forsøkene paa at indbilde dig selv at forholdet mellem dere var fremdeles i orden. — Naturligvis kan jeg tænke mig at mange ganger snakket du uten at tænke over h v a d du sa. Men rent ut sagt, du gjorde da saanne ting i desperation som simpelthen ikke var dig værdige —»

«Selvfølgelig gjorde jeg det,» sa hun utslitt. — «Hvad vet forresten du om det?» spurte hun pludselig. «Hvad er det du tænker paa —?»

«For eksempel da du lot din svigerinne faa det indtrykk, at det kunde likegodt være mig som hadde vært for gode venner med frøken Gaarder —»

«Men er du aldeles vanvittig —!»

«Sonja Nordgaard har gaatt og fortalt baade den ene og den annen av vore bekjendte at du hadde sagt til henne, det skulde ha vært som enslags forlovelse eller noe lignende mellem frøken Gaarder og mig. Skjønt jeg altsaa knapt kjendte henne.»

«Det har jeg aldrig sagt!» Hun forsøkte at huske. «Du nævnte dette her i sommer engang at jeg skulde ha fortalt Sonja noget slikt. Jeg husker ikke hvad det var længer. Sigurd skulde ut en aften her i vaar — han sa at det var et selskap, og du skulde dit, og en doktor Gaarder og noen andre Gaarders her fra byen. Jeg sa vist noe om det til Sonja, hun kom opom mig samme kvelden.»

«Og Sonja visste selvfølgelig like vel som alle andre at doktor Gaarder var en kjendt norsk gutte- og jenteslagter den tiden han praktiserte her i byen ialfald. Saa trakk hun sine slutninger.»

«Og det tror du at jeg har gjort noe for at hun —?»

Han blev braatt mørkerød i ansigtet:

«Det har jeg ikke sagt —»

«Du som gaar og indbilder dig at du kjenner mig bedre end alle andre —»

«Jeg mente det ikke slik —»

«Ja hvad mente du da?»

«En kan jo komme til at si saa meget. — Du ogsaa vel. For at dække en du er glad i kunde du vel si noe uten at tænke over at andre kunde lægge det ut værre end det var ment. Især naar den annen er en som Sonja, et ansvarsløst litet prækeskaft —»

«Nei. Nei Sverre. — Det er bedre at du gaar nu. — Det derre som du har regnet ut at jeg skulde ha funnet paa, det er litt for taterlurt det, skal jeg si dig. Det nytter ikke for dig og mig at snakke om det — du maa heller gaa —»

«Nathalie —» Da han kom et skritt nærmere tram=pet hun i gulvet: «La være mig! Det er saa ekkelt saa jeg orker ikke —. Kan du ikke gaa da — før du pla=ger mig ihjel —»

Men da han snudde sig mot døren ropte hun efter ham:

«Er det noe som Sonja har gaatt og kringkastet dette? — Sigurd ogsaa har naturligvis hørt det —?»

«Ja jeg begriper jo ikke at du kunde være saa ufor=sigtig naar du snakket med henne. — Du maa da for=staa det, Nathalie, om du er aldrig saa opbragt mot mig, jeg sier ikke at du ikke har grund til det; det er rigtig det at jeg burde kjendt dig saa godt at jeg ikke et øieblikk trodde at du hadde sagt noe slikt med hen=sigt. — Men jeg ogsaa har da følt det saa ekkelt saa det gaar ikke an at faa sagt det — at bli blandet op i denne affæren paa den maaten. Jeg har saavisst ikke vært noen Josef. Men denslags er nu engang ikke min genre.»

«Nei jeg forstaar det.» Hun sank helt sammen av elendighet. «Det er væmmelig for din skyld og. Og den unge piken da — som er død nu!»

«Ja det er det værste.»

«Aa gid det hadde vært mig! — Nei — nei ikke rør mig da er du snil — du maa heller gaa —. Jo det er det eneste du kan gjøre for mig nu — at du gaar, saa jeg faar være alene, for nu greier jeg ikke mere. Jeg gaar og lægger mig nu, jeg har noe som jeg kan ta —»

«Gud bevare mig vel, Nathalie —»

«Neida, neida,» lo hun hysterisk.

Men efter dette gav han sig naturligvis ikke. «Jeg skal ikke ta i dig, naar ikke du vil. Men du kan vel la mig faa gi dig pulveret, saa jeg vet hvor meget du tar.»

Gid det hadde vært mig, gid det hadde vært mig, blev det ved at kime og ringe indi henne mens hun klædde av sig. Og hun syntes at hun mente det ogsaa.

Men da hun var kommet iseng kaldte hun paa Sverre, og hun fandt sig i at han gav henne sovepulveret. Han ryddet op i værelset efter henne, aapnet vinduet paa klem, slukket taklampen og la et silketørklæ over nattlampen. Det var noe velgjørende i at bli stelt for saan. Og da hun begyndte at døse av var det beroligende at se lyssprækken i døren til stuen og vite at han satt derinde —.

III.

1.

Ved inngangen til utstillingsplassen stod vandet simpelthen i sjøer som det randt bækker fra utover veikanterne. Skyerne veltet fra hverandre i det samme, og en flom av sollys fikk resterne av skaresneen opefter jorderne til at blinke som sølv, men den vissne engen blev gylden og granholtene ly-sende grønne, likesom nyvasket efter vinteren. Noen vindusruter oppe i lien speilet hele solen og straalte hvitt lys fra sig. Det varte bare en liten stund, saa sank de blaagraa og rykende hvite skyerne sammen i saater igjen; solgløttet strøk over det øverste av aasen, laa der litt, og saa sluknet det.

Nathalie hadde faatt katalog. Hun skrævet og steg for at komme frem saa tørskodd som det var raad til. Saan i sneløsningen var det litet praktisk med en sauhvit sportsdragt; hun hadde tatt den like-vel, for den var meget penere end den brune, men det var fælt som den var blitt tilskvettet paa veien hitut.

Det var et aldeles helvetisk leven som stod ut fra de gamle rødmalte skurene rundt utstillingsplassen — bikkjer gnellet og bikkjer gjødde og harehunder glammet med frygtelig maal. Nathalie fandt de graa dyrehundene. Det var nummer fjorten — Markus-ragga.

Tispen klemte sig flat mot bakken inderst i spil-tauget. Med det vakre mørke hodet paa fremlabberne laa hun og voktet aarvaakent paa fire maaneds-gamle hvalper som drultet og lekte sig, og paa de fremmede menneskene som stanset utenfor nettingen og snakket til dem.

Hun hadde bare faatt tredje præmie. Nathalie læste igjennem lappen med bedømmelsen som var hængt ut paa stolpen ved spiltauget. Opdrætter M. Tangen, Aasbygda — det maatte være Markus naturligvis, søskenbarnet hans —. Da hadde han faatt den der da —.

Nathalie gikk et slag bortover langs baasene — stanset foran en pragtkar av en hanhund — første-præmie i vinnerklasse. Halvveis vendt nedover mot plassen holdt hun øie med menneskene som drev mellem skurene.

Han skulde være her for at se paa noen hare-hunder; hun fikk høre det rent tilfældig igaarkveld paa hotellet — noen karer ved bordet bortenfor hennes snakket om utstillingen. — Nu syntes hun med en gang, uff nei, det var da et tosket indfall at gaa hitut. Hvorfor kunde hun ikke like godt stukket indom butikken og spurt efter ham. Istedetfor at fly hit ut for at møte ham tilfældig —.

Sin fraskilte mand burde man da i vore dager ikke være s a a blyg overfor. — Men det var det at sisste gangen hun traff ham, paa Stockholmstoget, reiste hun for at møte Sverre; de sang paa sisste verset av den ulyksalige forlovelsen sin endda. Saa hun trodde selv at hun hadde været noksaa ufri, den stunden hun snakket med Sigurd. Og glad til blev hun da det viste sig at han skulde ikke længer end til Arvika. Hun hadde været rædd for at Sverre skulde se, de kom med samme tog. Da vilde han vel ha trodd, det var det møtet som hadde gitt henne en puff saa hun gjorde det som hun alt var viss paa at hun kom til at gjøre.

Men efter det altsaa — saa mange ganger som hun hadde sett navnet hans paa det grønne glassskiltet, og de to utstillingsvinduerne med radioapparater og lamper og elektriske ovner, naar hun kjørte gjennem Storgaten — hun hadde ikke kunnet ta sig sammen til at gaa ind og hilse paa ham. Hun kunde vel funnet et paaskudd — latt som hun vilde be ham om raad med ett eller annet, men nei —. Et glimt av ham hadde hun da ogsaa sett etpar ganger. Den ene gangen var han paa motorcykkel og for forbi, saa han saa henne sikkert ikke. Sisst var for seks uker siden. Hun var i vestibulen, og saa med en gang stod han utenfor indgangen og snakket med en annen herre. Hun opfattet at den andre vilde ha ham med ind. — Saa rømte hun op trappen, og da hun hørte stemmen hans nedenunder bestilte hun theen sin op paa værelset, saa rædd var hun for at træffe ham i spisesalen. — Og nu patruljerte hun her i dette bikkjelevenet og lot som hun besaa jagthunder av alle mulige racer med sakkyndig interesse — og haabet at møte ham. Det var saa dumt saa nu burde sandelig alle daarers formynder ta sig av saken.

— Nede ved ett av skurene holdt de vist paa at bedømme, men det var en engelsk setter som de hadde fremme —

— i det samme løp han næsten bent paa henne —.

«Goddag Sigurd!»

«Goddag —» Han saa svært overrasket ut. «Er du paa disse kanter — det var uventet maa jeg si, at træffe dig her!»

Hun følte sig urimelig skuffet. Igrunden ventet hun da at han skulde visst hvor ofte hun hadde vært her det sisste aaret. I saanne smaabyer pleier alt at spørres —.

«Jeg har vært oppe og besøkt Alfhild Totland. Hun ligger paa Bjørkli — men det vet du kanske, hun har vært der over ett aar alt.»

«Nei det visste jeg ikke. Stakkars menneske. Hvordan gaar det med henne?»

«Aa det er nok daarlig det. De har forsøkt operaog alt mulig, men resultatene har ikke vært noe kryte av. Moren døde av det og begge brødrene. Saa jeg har vært oppe og sett til henne av og til. Du husker kanske, hun har ingen slegtninger, ialfald ikke paa denne kanten av landet, og vist ikke mange kjendte i Oslo; manden monopoliserte henne noksaa totalt.»

«Ja stakkar. Jeg husker henne godt. Pen dame det første hun var hos dere. Hun hadde en liten gutt som hun mistet?»

«Ja — hun fikk en siden forresten som lever.»

«Ja, det var trist. — End du da, hvordan lever du —?»

«Jotakk. End du?»

«Aa jo da. — Vil du undskylde mig et øieblikk?» Der stod en mand som aapenbart ventet paa Sigurd. «Det skulde være hyggelig at snakke med dig litt — hvis ikke du har noe imot det da?»

«Nei kjære. Jeg gaar her saa længe jeg. Det er mange pene dyr her. Du har hund du og, ser jeg?»

Sigurd forsvandt med manden. — Han saa godt ut — var blitt meget tyndere, og hadde faatt friluftsfarve i ansigtet. Haaret hans var vist noksaa graatt, men det synte jo litet paa blonde —.

— Det faldt henne ind med en gang — om det er noen som han er interessert for —? Hvad vet jeg — han kan jo for eksempel godt være forlovet for alt hvad jeg vet. Han er da en pen kar endda, og forretningen hans gaar ganske bra, sier de, om det nu ikke er saa straalende. Folk liker ham, vil gjerne ha med ham at gjøre. Og paa saanne smaasteder pleier det at kry baade med unge og ældre piker. Her er desuten et sted hvor baade enker og fraskilte fruer slaar sig ned i større antal. Det vilde næsten vært rart om Sigurd hadde gaatt fri. Og hvorfor skulde han det forresten, han e r jo fri saa —.

Hun snudde rundt et hjørne og saa ham. Han

og den andre herren var oppe hos hunden, saa paa hvalpene vist —.

Det som Asmund snakket om saa haanlig sisst hun traff ham — at Sigurd skulde være blitt religiøs — var saavisst ikke noen hindring. Ikke rettere end Nathalie visste saa pleiet denslags heller at føre med sig venskaper som alt vippet paa randen av enslags erotikk, mellem de grepne individer av begge kjøn —.

Den fremmede gikk, og Nathalie slentret opover. Sigurd stelte med noe inne hos hundene.

«Pent dyr,» sa hun for at si noget. Tispen var pen forresten, hun stod og støtte den svarte snuten sin ind i Sigurds haand.

«Ja — jeg hadde haabet at hun skulde kommet høiere op i præmie. Men hun var ikke i form da stakkar. — Hvalpene her, de er fine — faren første=præmie i vinnerklasse — ja han er ikke her paa ut=stillingen, han er noksaa gammel —»

«Er den ogsaa din?»

«Nei det er en dame her i byen som eier'n.»

Nathalie kjendte et sting av mistillit til damen med hunden.

«Det er hyggelig for dig at du kan ha hund igjen.» Han hadde hatt harehund da de giftet sig. Men da han fikk stillingen i kompaniet maatte han skille sig av med den — der kunde han ikke ta den med paa kontoret, og den kunde ikke være alene hjemme i leiligheten og ikke løpe paa gaten hele dagen heller.

«Aa ja da. Naa har jeg forresten hatt henne borte en stund. En kan ikke godt ha hvalper i et hus hvor der er smaabarn vet du. Og jeg fikk den vesle jent=ungen min til mig for en tid siden.»

De gikk side om side nedover mot utgangen og tidde stille.

«Du har altsaa ikke — ungkarsmenage da?» spurte Nathalie spakt.

«Nei jeg har et ældre menneske oppenifra dalen

som steller for os. Svært bra og prægtig, men fæl til at skjemme bort ungen. — Saa naa spiser jeg hjemme og alting.»

«Hun er tre og et halvt aar nu —? Søt vel?»

«Du vet at jeg syns det,» sa han og smilte fort.

«Hvad heter hun?» Nathalie spurte som mot-villig.

«Anne Sissel.»

— Men blir naturligvis kaldt Anne, tenkte Nathalie.

«Du kanske blir her i byen noen dager da?» spurte han.

«Nei jeg maa reise tilbake i eftermiddag.»

«Ja du har vel ikke tid til at være fra længer heller paa denne tiden. — Skal du indover nu, for saa kunde du kjøre med mig. Hvis du vil da —»

«Ja takk. — Jeg gikk hitut, det er saa vakkert veir, men fælt til føre dere har —.»

— Det var en gammel skrabb av en chevrolet, og vand og søle sprutet naar den hoppet i dumpene.

Og her satt hun altsaa ved siden av ham og kunde umulig finne paa mere at snakke med ham om. Nu syntes hun at hun skammet sig — hvorfor hadde hun igrunden eglet sig indpaa ham paa denne maaten. — Fordi hun hadde tænkt paa ham bestandig i alle disse aarene, mere eller mindre distinkt, men ett sted i tankerne hennes hadde han vært bestandig. Naa, det lot ikke til at forurolige h a m at hun satt her — hadde hun merket at det det gjorde saa vilde hun ikke ha vært noe skamfuld. —

Han spurte hvordan hennes mor levet. Og Nikolai. Og søstrene.

«Gerda kommer kanske hjem en tur isommer.»

«Hun har vært i Norge noksaa meget disse aarene? Jeg traff henne i Oslo for to aar siden.»

Det hadde Gerda slett ikke nævnt. — Igjen for-søkte Nathalie at snakke fornuft for sig selv — det faar være maate med at spekulere paa hvad alting betyr, bare det angaar ens egen person. Oftest betyr det ingenting. — Gerda og han har kanske truffet hverandre paa gaten og vekslet noen ord, Gerda har ikke syntes det var noe at nevne. Gerda og jeg talte saa litet sammen den gangen; Kai laa for døden, Sverre var netop død. — Naar man er ulykkelig fordi man tror man har lidd urett snakker og snakker man gjerne om det til dommedag; — naar man er ulykkelig fordi man vet at man har gjort urett er det lett at holde mund.

De var inde i byen nu: «Skal du til hotellet vel —?»

«Jatakk. — Du skal kanske tilbake til forretningen du?»

Han lo: «Jeg skal sætte ind bilen, men saa skal jeg hjem til middag. Jeg spiser middag klokken ett naa.»

«Tja hva. — Det er vel igrunden ikke saa stor forskjel, lunsj eller middag —.»

Han hadde stanset utenfor hotellet. Nu stod de, og ingen av dem kunde rigtig faa sig til at si farvel.

«Hvis jeg visste hvad hun hadde saa. — Men nu vet jeg sandelig ikke om jeg tør —? For ellers kunde jeg ha spurt om du vilde blitt med hjem til mig.» Hans forlegenhet var saa aapenbar saa hun blev sjæleglad.

«Jeg kan jo gaa med og se hvad du har,» forsøkte hun muntert. «Du kan skjønne at jeg vil gjerne se hvordan du har det,» sa hun spakere. Og helt alvorlig: «Jeg kunde ha lyst til at se den lille piken din, hvis jeg faar lov da.»

Han ogsaa var blitt alvorlig. Og hun satte sig ind igjen ved siden av ham.

— Det var en vidtløftig bakgaard til den gaarden hvor han hadde forretningen sin, — lange lave skur og tømrede uthus, staldrum kunde hun lugte; en liten verkstedsbygning av beton. Øverst ved gjerdet stod noen gamle popler og lyste mot luften med kvae=blanke knopper.

«Montøren skal bruke den,» forklarte Sigurd da han kom ut igjen, «saa vi maa gaa. Men det er altsaa et stykke —.»

«Det er jo saant deilig veir.» Lyset brøt ut uavla=telig paa nye steder fra den urolige blaaskyede him=melen. Gaardsrummet laa opover bakken, og vand randt nedover i smaabækker som skyllet rusk og hestemøkk sammen i demninger, saa et gammelt smaa=bymenneske fikk lyst til at sparke dem sund og slippe løs vandsilderet med de sagte klirrende issmuler.

«Ja i Oslo er vel alting meget længer kommet end her?» De gikk gjennem en port i gjerdet og var ute paa en bakgate hvor lysmalte træhuser laa bak hvite havestakitt. Men like bakom husrækken kom gran=skogen ned og næsten ind i byen.

Sigurd skraadde opover en sidevei. Smaa flun=kende nye villaer var bygget utover i en gammel havnehage, og store bjerker stod igjen her og der i de smaa haverne med nyplantede frugttrær og spede busker.

«Her bor jeg.» De stanset begge. Huset var smørgult og firkantet, skulde nok være funkis. Det laa lunt i en krok mellem gamle trær, og indenfor grinden holdt en liten jente paa i en snehaug, saa de saa bare den himmelblaa bukseenden hennes og de skrævende benstabber, hun hadde paa sig en blaa strikkedragt.

«Hei paa dig, Anne!» Da han ropte saa hun op et øieblikk, saa snudde hun det trillrunde høirøde ansigtet vækk og fortsatte i snehaugen sin.

Sigurd stod i grinden: «Skal du ikke komme og si goddag da? Du maa komme og si pent goddag kan du skjønne. Kom hit da vel —,» det gjorde ikke spor av indtrykk paa ungen, og han smilte undskyl=dende til Nathalie: «Hun er litt genert.»

I det samme kom hun, og hun saa ikke det mind=

ste genert ut, der hun stod og tørket de røde vaate hænderne sine paa maven av genseren og iagttok faren og den fremmede damen.

Hun var akkurat en saan en som alle sier om — nei for en deilig unge! — Luen hadde hun mistet, og det gule barnehaaret klisset indtil den runde stridige skolten hennes i store ringer som mørknet fugtig. Brennende varmt var det runde ansigtet, og av den skarpe vaarluften var hun skrubbet paa kinderne og saar under næsen. — Hun er ikke pen igrunden, tænkte Nathalie — det glupske som er over mange smaabarn var ualmindelig utpræget hos denne her. — Til de blir en fire-fem aar ialfald minner jo de fleste smaabarn i ansigtsbygning om primitive ville racer: panden kuler sig rund og haard og den tykke lille næsen er flat og indtrykt ved roten, munden er graadig stor i forhold til den svake haken. Man regner med det naar man sier at et barn er vakkert — det skal ha et ufærdig ansigt, lubbent saa tiden har stoff nok at arbeide i, og en liten snute som ikke ligner voksne menneskers næse og mund.

Hun stod og saa op paa Nathalie, og de store blaa øinene hennes var paa farve akkurat som strikkedragten — de hadde et vaktsomt uvenlig uttrykk. Ikke gjensidig sympati ved første blikk, tænkte Nathalie, og høit sa hun: «Saa straalende godt hun ser ut du. Og søt» — litt lavere, men saapass høit saa den lille fienden skulde høre det og la sig blidgjøre en smule.

Hun tok ikke ringeste notis av farens forslag — gi damen haanden da Anne, pene haanden — saa vi faar se at du k a n — Anne gav hverken pene eller stygge haanden. Men plutselig rakte hun haanden til Nathalie allikevel — den var iskold og vaat av sneen — og øieblikket efter tok hun paa laasen til haandvæsken hennes, det var en blomst av utskaaret gult glass.

«Aa er denna tel da — faa sjaa!»

«Du faar da vente til vi kommer op ialfald.» Nathalie smilte.

«Ska 'n væra me oss op da?» spurte Anne og rynket brynene.

«Det var meningen det ja.» Sigurd lo.

Barnet la i trav foran dem opover mot huset; hun passet paa at labbe akkurat der hvor det randt vand, saa det sprutet for hvert skritt. Hun var oppe i trappen alt, da de kom i gangen — traadte med en fot paa trinet og drog den andre efter, enden hennes lyste himmelblaa og bred og avvisende.

Stuen som Sigurd førte henne ind i var ikke svært stor men lys — virket endda lysere fordi den var saa sparsomt møblert. Han hadde den gamle dragkisten fra deres hjem, og det blaa hjørneskapet med malerier paa dørfyllingerne av fantastiske bygninger og trær og jegere i rokokkodragter — ja det var jo rimelig at han hadde beholdt dem, han hadde arvet dem efter en onkel. Ellers var der ikke stort annet av møbler end noen staalrørstoler og bordet midt paa gulvet. Det var dækket til to og et barn paa den blaablomstrede voksduken.

«Vi skal ha saftsuppe og kjøttkaker, sier frøken Nordskriden — det er nok ikke noe du liker.»

«Jo kjære dig,» sa hun dumt. — Saftsuppe og kjøttkaker — hun kom til at huske paa de første aarene sine i Oslo, da hun var ung pike paa hybel. Det var staaende retter paa de spisestederne hvor hun pleiet gaa.

«Faa sjaa paa 'n naa da,» sa Anne og tok efter Nathalies haandvæske. De hadde faatt av henne ytterplaggene. Hun var nettere slik med den skjære lille halsen bar, og bare runde armer. Hun lignet ikke Sigurd det mindste, hun lignet sin mor vist, men var helt anderledes likevel. Hun var nok det som man pleier at kalle et pent barn, robust og lys, men hun saa ikke ut som hun skulde bli saa pen, naar hun vokste til. —

Sigurd forhandlet med frøken Nordskriden. Hun pleiet at spise inde, skjønte Nathalie, men nu vilde hun spise paa kjøkkenet, naar her var en gjest, og gi Anne maten hennes derute. De sa du til hverandre — naaja, det var jo rimelig, de var landsmennesker begge to. — Hun var mørk og rank og pen — omkring femti aar vist, et staselig menneske.

«Eg veit ikkje om fru Nordgaard hugsar meg,» sa hun, da hun merket at Nathalie saa paa henne. «Eg har no levera handdukar te Hytter og Hus i mange aar — eg var inne og tala ve dykk ein gong eg var i byn da ma — Kari Nordskriden.»

«Jovisst, det husker jeg godt. — Men det er en god stund siden snart, har De sluttet at væve, frøken Nordskriden?»

Bror hennes giftet sig, oplyste hun, og saa blev det slik at hun tok ut da og fikk sig plass. —

Anne begyndte at hoste og spytte og grine. Hun hadde faatt op Nathalies cigarettetui og suget paa en cigarett til den var aldeles opbløtt. Sigurd og frøken Nordskriden tørket henne i munden og trøstet henne med mildt smaaskjenn, mens Nathalie sanket sammen indholdet av haandvæsken sin, som jentungen hadde spredt utover stolene. Og saa kunde de sætte sig tilbords.

«Jeg spiste paa hotell før nemlig, saa det er litt primitivt stell her,» undskyldte Sigurd, «dækketøi og saant har jeg ikke faatt anskaffet større av endda. Det var først da jeg fikk henne der hit at jeg maatte til og føre egen husholdning —

— She was with her grandparents, you see, but then her grandfather died a year ago and her grandmother now in january. So she has been with me only four months —»

«Neimen aassen er 'e du pratær naa da Sigurd!» skrek barnet, og saa storlo hun.

«Voksne snakker saan sommetider naar det er noe som unger ikke trænger høre.»

«Gjer de meire da — du er saa snaal naar du talær slik.»

«Det er svært saa for sig hun er,» bemerket Nathalie forsigtig. Frygtelig bortskjæmt, tænkte hun — Knut er meget meget søtere, penere er han ogsaa. Og uvilkaarlig sa hun det: «Jeg har hatt fru Totlands lille gutt boende hos mig i vinter; han er omtrent paa alder med henne der.»

«Har du det du. — Ja da vet du vel, de er ikke saa greie, saanne. Bor du paa det samme stedet —?»

«Ja. Det har staatt for tur til at skulle rives aldrig saa længe, men det ser ikke ut til at skulle bli av med det første. Ja du vet naturligvis ikke hvor det er, det er en saan blindgate —.»

«Jeg gikk forbi der engang ifjor.»

Anne klasket skeen sin av al magt ned i tallerknen, saa saftsuppen skvatt utover til alle kanter. Hun syntes vist at de voksne snakket for længe uten at ta notis av henne. «Neimen Anne, saa uskikkelig du er — det er vist bedst at du kommer ut paa kjøkkenet og spiser. — Jeg skal faa i noe varmt vand, forhaabentlig gaar det av, naar det blir tatt med det samme,» sa han til Nathalie. Det saa temmelig fælt ut paa den hvite silkeblusen og det graahvite vadmelsskjørtet.

— Det var nok frøken Nordskridens værelse hun var blitt vist ind paa. Over barnesengen i kroken hang noen religiøse billeder og et fotografi av Adinda Gaarder. — Frøkenen kom med varmt vand og haandklær. Litt efter var Sigurd i døren —

«Hvordan gaar det? — Jeg er sandelig saa flau — leit at hun skulde finne paa slikt. Hun er ikke vant til at her kommer noen. — Tja, jeg tænker paa at før i verden hadde jeg altid saa mye at si paa ungerne til Asmund. — Men det er neimen ikke saa lett at faa skikk paa dem —

— Du har forandret haarfacon vist?» spurte han. Nathalie rystet paa hodet:

Jeg har sluttet at farve det — det er vel det kanske

som gjør at det virker fremmed.» Hun saa ansigtet sit i speilet, og det graastripete sorte haar. Han kom saa nær saa hodet hans synte bakom hennes.

«Ikke fremmed — tvertimot. Du er mere lik dig som du var det første jeg kjendte dig, nu da du har faatt mørkt haar igjen. Da du hadde det rødbrunt — det passet ikke saa godt til dig —.»

«Det var da brunt — det var ikke noe rødt i det.»

«Jassaa? Jeg syntes altid det virket rødagtig. — Men det var kanske fordi søstrene dine var rødhaaret at jeg fikk det indtrykk.»

Kjøttkakerne var blitt halvkolde imens. Anne var noenlunde spak efter den sisste præstationen sin; hun furtet litt fordi hun ikke fikk øl, men hun gav sig da forholdsvis fort. Det blev spetakkel igjen da de var færdige med at spise og Sigurd sa, nu fikk hun faa paa sig og gaa ned og leke. Men det endte ialfald med at frøken Nordskriden tok henne med sig.

«Er hun fælt uopdragen syns du?» spurte han og smilte genert.

«Hvis jeg sa, nei hun er da saa velopdragen saa — vilde du tro at jeg mente det?»

De lo. «Ja jeg begriper ikke hvad jeg skal gjøre — hun faar mig til at le, naar jeg skal til og være streng, og da vet du at jeg er solgt.»

«La være at være streng da vel. Og bli ordentlig sint engang imellem.»

Frøken Nordskriden satte frem kaffe paa det lille røkebordet ved vinduet. «Kanske du vil skjenke,» bad han. «Denne kannen er slik saa jeg søler bestan⸗dig naar jeg skal skjenke av den.» Nathalie skjenket kaffen.

«Sint, sier du. — Det er ikke saa lett det, Thali, at bli sint paa en saan liten en. Især ikke naar man altid har denne følelsen av at det er henne som har rett til at være sint paa mig.»

«Hvis du tænker saan,» sa Nathalie. «Hvis du skal gaa omkring med en saan — skyldfølelse be⸗

standig — overfor din egen datter. Saa blir det jo værst for henne i længden.»

Han svarte ikke.

«Og saan som verden er blitt — saa kan vel alle forældre ha like god grund til at be barna sine om-forlatelse fordi de har satt dem ind i den. Herregud Sigurd, naar du ser paa alt det som sker omkring os — synes du virkelig det kan bety saa forfærdelig meget, om den lille piken din er kommet til verden saan litt uregelmessig?»

«Det er noe annet likevel, naar en har skyld som er saa aapenbar saa en kan ikke undgaa at indse den. — Skyld i alt det andre, det har vi selvfølgelig ogsaa — alle sammen. Men naar det er et saant konkret til-fælde som er utgangspunktet for ens erkjendelse av det. Og barnet staar akkurat midt i utgangspunktet.»

«Ja det kan naturligvis ikke være noe hyggelig for dig. Hvis hun betyr enslags dørvogterske for utgangen til din syndserkjendelse, eller hvad du kal-ler det. Men neimen om det blir noe hyggelig for jentungen heller, hvis du har tildelt henne den rollen. — Det er synd paa henne naturligvis, at hun ikke har noen mor. Men at moren døde kan da ialfald ikke du for. Hadde hun levet saa hadde dere vel været gifte for længe siden, og barnet hadde hatt et normalt hjem.»

«Saan hadde det nok ikke gaatt. Gifte sig med mig vilde hun ikke. Det var det sisste jeg hørte fra henne. Jeg fikk et brev — det var skrevet fem dager efter at Vesleanne kom til, dagen før hun døde. De fandt det efterpaa og sendte det. Og hun var ikke slik saa hun vilde ha bestemt sig om igjen.»

Nathalie betænkte sig litt:

«Jeg har talt med henne en gang — men det for-talte hun dig vel. Hun opsøkte mig — det var for-modentlig sisste gangen hun var i Oslo kan jeg tro.»

«Nei. Det visste jeg ikke. Jeg traff henne jo al-drig efter at hun var reist sin vei fra Apaldhaugen den vaaren. Og de siste maanederne skrev hun ikke heller. Før tilslutt altsaa.»

Gudskelov — saa visste han ikke hvor fæl hun hadde vært mot den arme jentungen. Hun hadde vært rædd for det, mere end hun vilde være ved for sig selv. — Bakefter hadde hun aldrig vært istand til at begripe det — at hun kunde være saa utgjort grusom mot et menneske som hadde det vondt. — Visst hadde hun skjønt at Anne Gaarder mente det alvorlig naar hun sa, at hun ikke vilde gifte sig med en fraskilt — og saa var hun saa ung og saa stædig. — Ja henne hadde hun villet gjøre usikker — om hun kunde faatt henne til at stelle sig saa hun kom til at leve i enslags lykke som uavlatelig blev gnaget sund innenfra, av samvittighetsnag. — Det var vel saan hun hadde tænkt, saan hun vilde hevnet sig —.

Hun gyste litt, og da hun saa at Sigurd saa paa henne sa hun fort:

«Hun visste altsaa at hun skulde dø da, stakkars —?»

«Nei tvertimot. Det var vist ingen som ante uraad. Hun hadde blødd svært, men de trodde at faren var aldeles over. Men saa kom det igjen, og alt de gjorde med henne saa nyttet det ikke noe.»

— Ja Gud vet hvordan jeg igrunden hadde tænkt at dette møtet skulde artet sig, undret Nathalie. Fire aar — der var rendt meget vand i fjorden i den tiden. Hun kunde selv se — det var noe latterlig ved det ogsaa. De var gaatt fra hinannen, for at slaa følge med hver sin annen — og nu var Adinda Gaarder død, og Sverre Reistad var død. Hadde hun indbildt sig at nu, efter at de hver for sig hadde sittet alene saa længe som en tekkelig gammeldags sørgetid, nu skulde hun komme hit og lage istand enslags indledning. Og derefter kunde de ta op igjen traaden hvor den var blitt avbrutt —? Det maatte være det som man kaller at slaa sine pjalter sammen. —

Aa nei da. De fire aarene som de ikke hadde hatt

sammen, de var nok ikke saan at hoppe over. — Hun hadde tænkt det ogsaa, at hun skulde faa sagt ham, det var forbi alting mellem Sverre og mig før han døde. Men nu trodde hun ikke at hun orket snakke med Sigurd om sit forhold til Sverre. Hvad han saa hadde tøiset sig bort i, — slikt var han likevel for redelig til at skjønne noe av. Om han aldrig saa meget hadde løiet henne fuld den gangen — det var ikke spørsmaal om en gradsforskjel, men om en væsensforskjel.

«Du forstaar,» sa han, da de hadde sittet og tiet saa længe saa hun knapt husket hvor han sluttet. «Naar man har skiplet et annet menneskes liv, og saa det — dør. Da blir det saa uigjenkaldelig, og uoprettelig. Jeg tror altsaa at hun hadde nok greiet at komme sig paa rett kjøl igjen, hvis hun var blitt i live. Men saa døde hun. Og hun er mor til Anne. Som er havnet her hos mig nu da. Hun er mitt barn. Og jeg kan ikke si annet end at jeg er blitt svært glad i henne.»

«Det forstaar jeg vel. Men netop derfor, Sigurd, saa maa du da forsøke — ikke at grave dig ned i forestillinger som gjør forholdet mellem dig og barnet dit aldeles uholdbart. Du er da nødt til at opdrage henne paa en eller annen maate. Al opdragelse er kanske bare saa som saa — og det er ikke godt at vite hvadslags verden det blir en skal opdrage barna sine til at leve i. Men likevel maa du da forsøke at gi ungen din noe som hun kan holde sig til i livet. Hvis du altid skal gaa og føle dig — skyldig — overfor henne, saa blir ialfald aldrig du hennes holdepunkt i verden. Og det skulde du vel gjerne være vel?»

«Jeg?» Han lo litt. «Det maa du da være den sisste til at synes — at jeg duer til holdepunkt i livet — for noen. Stakkars Anne da.»

«Stakkars Anne, hvis ikke du kan mande dig op til at slaa en strek over det som har været. Glemme den der ulykkelige historien som du rotet dig bort i halvveis uten at ville det — saa meget saa du ialfald faar igjen tilstrækkelig selvtillit til at barnet dit kan ha tillit til dig.»

«Tillit. Ja hvis du mener at hun skulde gjerne tro, jeg vil gjøre alt for henne som staar i min magt — saa ønsker jeg naturligvis det. Men at jeg skulde slaa en strek over det dumme og — ja syndige — som jeg har gjort og konstruere mig op enslags selvtillit som hun kunde ha tillit til — nei!»

«Altsaa — du mener, hun skal vokse op til at se paa dig som en øm og kjærlig far og en svak mand?»

«Naar det er sandheten da? Det første jeg faar se til at bibringe henne er vel virkelighetssans.

— Du sier at verden er saan saa noen hver kan ha grund til at be barna sine om forlatelse forat man har satt dem ind i den. Men det er vel netop ulykken det, at vi alle er saan saa vi v i l ikke huske vore egne synder. Ikke vore synder og ikke fædrenes synder — fædrene dem pynter vi op til noe romantisk noe, enten det er et folks eller en samfundsklasses historie, eller bare vor egen slegts. Naar vi opdager at det vi har bygget vor selvtillit paa var bare opdigtning, saa digter vi en annen historie om aassen vi var i vikingetiden, eller om germanerne i broncealderen, eller om den menneketypen som de skal opdrage i Russland eller Tyskland eller Rom, bare de har hatt magt nok længe nok. — Saa kan vi bygge vor selvtillit som mennesker paa mennesker som vi aldrig har sett og er trygge for at vi ikke skal faa se. — Ja saan er vi blitt — saapas har vi lært siden din far og mor, ja min far og da forresten, hadde saan selvtillit til de menneskene som de levet midt iblandt.»

«Selvtillit til a n d r e mennesker som de levet midt iblandt — hvad mener du med det?»

«Jo — de var jo sikre paa at hvis bare alle de andre vilde tro og mene det samme som dem og gjøre saan som de sa at de skulde, saa vilde alting bli utmerket. — Det er netop noe saant som jeg i k k e vil lære Anne op til — menneskelig selvtillit skal hun ikke ha tillit til, hverken hos mig eller andre.»

«Med andre ord — du vil opdrage henne til at stole bare paa Gud?»

Han nikket.

«Ja det der vet du at jeg ikke kan følge dig i. — Men naar du sier, at nu tør vi ikke længer tro paa andre mennesker end dem som vi er sikre paa at vi ikke risikerer at faa se — du har da ikke sett Gud, Sigurd! — Nu tror du formodentlig at du skal faa se ham naar du er død. — Men hvis der ingenting er efter døden, saa oplever ikke du heller at du blir skuffet. Saa for den saks skyld synes jeg nok at du kunde like gjerne tro paa det klasseløse samfund, eller det nordiske menneske — eller spiritisternes lære om at banaliteten er sterkere end døden.»

«Se Gud vet du at vi ikke kan. Men vi kan da erfare at Gud ser os. Kristus — hvis man virkelig læser hans testamente til alle mennesker saa blir man nødt til at tilstaa, h a n har sett dig og mig og hver især av os, han har sett os alle akkurat saan som vi er.»

Nathalie satt litt.

«Du vil altsaa gi barnet dit en kristelig opdragelse. — Jaja. Gud vet forresten om du faar held med d e t. Ærlig talt saa er det mitt indtrykk, at denne her Anne Nordgaard, hun er ikke egentlig from av naturen. Hun virker som en rigtig frisk og freidig jævelunge syns jeg.»

Han smilte litt men sa ingenting.

«Du snakker om synd,» sa Nathalie sagte. «Du syns vel det ogsaa da Sigurd, at v i syndet — da vi indrettet os som vi gjorde, f ø r vi hadde været hos byfogden. — Kanske du mener at det endte saa — ynkelig — fordi vi hadde begyndt det paa den maaten?»

«Synd var det vel, men ikke paa den maaten som

du vist mener — dengangen tænkte vel hverken du eller jeg at vi noensinde kunde — svikte hverandre. Det skulde være os to saa længe vi levet, det mente vi begge aldeles sikkert, og det er jo det det kommer an paa, mere end paa formen og ceremonierne naar en lover det. Men jeg ialfald, jeg blev hovmodig utover alle grænser, av det at jeg fikk dig. — Ja ikke at jeg ikke var usigelig glad i dig, for det vet du at jeg var. Men jeg merket jo at du saa en hel del i mig — at du idealiserte mig, kan jeg næsten si. Jeg visste at jeg var aldeles ikke det som jeg var i dine øine, tvertimot, jeg var en rigtig almindelig fyr. Men jeg blev overmodig fordi du var saa forelsket i mig, saa jeg elsket ikke dig bare, men jeg var paa en maate forelsket i mig selv ogsaa — altsaa i det billedet av mig som du hadde staset ut —»

«Herregud Sigurd!» Nathalie smilte bedrøvet. «Paa den maaten blir jo al forelskelse syndig da!»

«Hvis man ikke kan være forelsket uten saan — selvforgudelse, saa er den vel ogsaa det da.»

«Ja hvis der da finnes en rett og from kjærlighet saa maa den naa være fordømmede kjedelig, syns jeg.»

«Det vet jeg altsaa mindre om, for det har jeg al⸗drig prøvet. Men jeg vet at den andre — arrogante og selvbeundrende — den ender i kjedsomhet.»

Langsomt blev Nathalie mørkerød i ansigtet:

«D e t har du likegodt ikke fortalt mig før. At jeg kjedet dig.»

«Er du gal!» Han ogsaa blev rød. «Jeg var da ikke kjed av dig! Men du var litt kjed av m i g, det kunde jeg ikke undgaa at merke. Jeg merket det bedre end du selv gjorde, tror jeg, for naturligvis vet jeg at du var glad i mig endda, men saa morro syntes du ikke mere det var at være det; det var rimelig og det. Og jeg var noksaa lei og kjei mig selv —»

Nathalie satt og saa ut av vinduet. Det svaie kvist⸗hænget paa bjerkene i hagen glitret og stripet luften hver gang der kom et gust av vind. Paa tomten mel⸗

lem huset og nabovillaen var Anne sammen med no=en større barn, de kastet sten efter en gammel træ=butt som laa og fløt i en stor blaa vandpytt.

«Jeg syns ikke du er retfærdig, Sigurd, naar du gir mig skylden for at du var saa lei og kjei dig selv. Jeg kan ikke skjønne at jeg noensinne har gitt dig grund til at tro, jeg var litt kjed av dig, som du sier.»

«Det var vel det og da at jeg syntes, du hadde saa god grund til det. Du hadde — overvurdert mig slik, til at begynde med. Og du hadde kommet med saanne store forventninger. Jeg var blitt en fiasko. Det blev aldrig annet end det samme for dig — til og fra for=retningen. Det samme og det samme. Selv om vi endda kunde — mykne op hverandre naar vi var sam=men. Likevel var det da som om alting holdt paa at størkne for os?»

Nathalie slog heftig med hodet: «dette høres jo som du var furten rent ut sagt. At det var din for=fængelighet som — hvorfor smiler du slik?»

«Det var bare det du gjorde med hodet — naar du blir heftig, det minnet mig om da du var ung pike, da hadde du det kastet. — Visst var det for=fængelighet. Det var det som gikk op for mig siden, da jeg blev alene. D a begyndte jeg at skjønne hvad de mente naar de snakket om at synden var ophav til alle ulykker i verden — bedstefar og morbror Kristen og alle de — læserne, som jeg var med og gjorde narr av. Endda jeg var glad i morsfolket mit igrunden. Men jeg hadde ikke skjønt dengang hvad de snakket om. Ja det og var jo forfængelighet, av en annen art igjen — jeg gikk ut fra at far og Simen og Asmund maatte ha rett, for vi paa Rafstad hørte til storfolket i bygden — og Tangen var endda mye mindre gaard da jeg var gutt og pleiet at ro mor, naar hun skulde over og se til dem. Da du var der hadde morbror Kristen brutt op saa mye nytt land saa den var mere end dobbelt saa stor —»

Nathalie smilte: «Det er altsaa Gammel=Sjur Tan=

gen da som har endt med at omvende dig egentlig, Sigurd?»

«Du kan godt si det saan. — Jeg indsaa ialfald at jeg hadde vært hovmodig som gutt alt av noe som bare var en illusion. For annet var det ikke naar jeg var kry av at borte hos os trængte vi ikke stræve slik paa livet løst som de gjorde paa Tangen, og vi g a d ikke stræve saan som de gjorde med tanker om rett og urett og synd og naade og hvor kommer vi fra og hvad er det vi stræver for her paa jora —. Det var liksom ikke overlegent nok for os at være saa alvorlige.»

«Du har aldrig rigtig trivdes i byen, Sigurd,» sa Nathalie om litt. «Det var vel hovedgrunden til at du gikk og blev kjei dig.»

«Det ogsaa ja.»

«Det er den samme historien med dere støtt.» Hun holdt paa at gjøre dette kastet igjen med hodet som han hadde smilt av, men tok sig i det. «Dere vil vækk fra jora — men i byen vil dere ha rett til at gaa og være sinte paa byen og —» Da han smilte litt sa hun heftig: «Men her da — her er det da Herren fryde mig hverken ordentlig by eller ordentlig land — syns du at du er kommet paa din rette hylle her da? Trives du med at bo her?»

«Stedet er bra nok. Og jeg negter ikke, jeg liker bedre at ha min egen forretning end være ansatt hos andre.»

«Ja det er saa rart med den kristelige ydmykheten — men det faar jo bli din sak! Naa. Men altsaa — hvis du hadde sagt fra før — for ti eller fem eller seks aar siden — og vi sammen hadde gjort dette eksperimentet, slaatt os ned i en smaaby, saa du kunde forsøkt dig paa din egen haand igjen, saa tror du at det ikke skulde ha gaatt i filler saa grundig for os —?»

«Hvad vet jeg. — Ialfald saa kunde jeg da ikke ha bedt dig om at gi op en saan stilling — som du hadde skapt dig helt ut ved din egen dygtighet —

sikker og fri og overordnet og alting — for at stryke avgaarde med mig rent paa det uvisse.»

«Det kunde du godt! Dengang var tiderne endda slik saa det skulde vært mig den letteste sak av verden at faa satt igang noe her. Jeg kunde gjerne ha arbeidet hos dig i din forretning. For den saks skyld — det turde jeg den dag idag. Jeg har fireogtyve aars erfaring, jeg har da enslags navn paa en maate, og forbindelser av det ene og det annet slag — jeg skulde nok klare det!»

Igjen rødmet han heftig:

«Du tror da vel ikke noe slikt, Thali! At jeg hadde noen — skumle hensigter med det, da jeg bad dig bli med mig hjem?»

«Skumle hensigter!» Hun var midt imellem latter og graat. «I Herrens navn, hvad er det du kaller skumle hensigter. — Om du nu hadde tænkt, at kanske var vi ikke saa færdige med hverandre allikevel, og da vilde det være f o r kriminelt dumt om vi ikke vilde være ved det.»

«N u har jeg jo mindre end noensinne at by dig. — Jeg begyndte her paa bar bakke for mindre end fire aar siden — ja det gaar ikke saa værst, men det er da det hele. Et barn har jeg og, og du har god grund til at være forutindtatt mot Anne. Du tror da ikke det, at jeg vilde foreslaa dig — efter det som jeg bød dig den gangen — at jeg vilde foreslaa noe som i realiteten bare kunde bety at du skulde komme hit og — hjelpe mig med at faa skikk paa affærerne mine igjen—?»

Nathalie satt ganske stille.

«Nei,» sa hun sagte. «Naturligvis. Det vet jeg nok at du aldrig vilde gjøre. Hvis det bare var for — hjelpens skyld. At du ikke — trængte mig av andre grunner.»

«Det kunde jo ikke bli tale om annet — nu. Ja ikke fordi at ikke jeg syns det var frygtelig med Sverre Reistad. Jeg syntes det var frygtelig, da jeg saa det i avisen. — Og jeg skjønte da ogsaa at det var naturlig — at du kom til at slutte dig til ham som du visste om at han var paalitelig, og en av dine egne, og dere hadde været venner helt fra dere var ganske unge. Du kan da skjønne at jeg syntes, det var naturlig at du gikk til ham. Og ikke annet end hvad jeg selv hadde været ute om.»

«Visst var det frygtelig. Men det var forbi mel=lem Sverre og mig alt en stund før det hændte.» — Saa hadde hun faatt sagt ham det allikevel. — «Det var en misforstaaelse, hele den forlovelsen vor. Fra begge sider.»

Hun slog ned øinene sine, da hun merket at han saa paa henne. Sier han ikke noe nu, tænkte hun, saa blir jeg vel rent ulykkelig. Det gjorde henne be=klemt ogsaa, bare hun rørte bort i dette med Sverre — og likevel vilde hun gjerne ha visst om han hadde hatt det vondt, om han hadde tatt sig nær av det at hun var en annens? — Bryr han sig om mig mere i det hele tatt —? — I det samme ringte entréklokken.

— Damen som kom fykende ind, med en diger graa dyrehund i hælene paa sig, var liten og sped og fiks, omtrent paa deres alder. Hun braastoppet:

«Aa undskyld! Jeg ante ikke at du hadde frem=mede —!»

Sigurd forestillet — fru Fjalstad, fru Nordgaard. «Vil du ha kaffe, Ingjerd — den er vist kold for=resten, men hun har sikkert mere ute —»

De drakk kaffe igjen, og fru Fjalstad snakket om hunden sin og om Markusragga og om utstillingen. Hun lot til at kjenne hvert eneste dyr ut og ind, navn og avstamning. Det var hennes bror som eiet Løv=haugens Feiom. — Nathalie satt og kunde ikke for=drage henne, endda hun var vist igrunden rigtig søt.

«Men jeg maa vist desværre» — Sigurd saa paa klokken. «Jeg lovet overlægen at være paa sykehuset ved firetiden, det er om diathermien —»

«Uff, har jeg sittet og heftet dere —! Aa skal fru

Nordgaard reise i eftermiddag. — Kjære, kunde du ikke sagt det da, Sigurd, at jeg kom ubeleilig — dette kunde jo godt ha ventet til en annen gang.»

«Jamen det gjorde du da ikke, Ingjerd.»

De gikk nedover i følge alle tre. Fru Fjalstad prattet hele tiden. Hun var enke, opfattet Nathalie, og hennes brødre og Sigurd hadde hytte sammen et sted inde paa fjellet. Fru Fjalstads gutter var saa glad i Nordgaard. — Ved apoteket sa hun farvel, hun skulde ind dit.

Sigurd gikk med Nathalie den lille beten ned til hotellet.

«Ja — det var rart at være sammen med dig engang igjen, Thali.»

«Ja og stor hyggen fikk du ikke ut av det, har jeg indtrykk av,» sa hun nervøst.

«Saant skal du ikke si. Du vet da at jeg er takknemlig fordi jeg fikk snakke med dig engang igjen. — Faar jeg se dig en annen gang du er heroppe?»

«Hvis du bryr dig om det saa. — Men jeg har ikke pakket endda, saa jeg faar nok si farvel nu — farvel da Sigurd, og takk for naa.»

Veiret var blitt jevnt graagustent da hun satt i toget og kjørte nedover. Nathalie fandt frem sitt haandarbeide og cigarettetuiet — opdaget at det var tomt. Ungen hadde brukket sund alle cigarettene i det, og hun hadde glemt at kjøpe nye. Vel, hun fikk vente da til siden, i spisevognen.

Isen laa endda her oppe i denne enden av sjøen. Den var mørk og raatten, fuld av raaker som speilet den bleke himmelen. Skogaaserne saa mørke ut, og jorderne forfrosne, med snefonnerne som holdt paa at krype tilbake fra den visne volden; pløielandet laa raatt og svart med snevand i furerne. Kraaker var der alle steder — Sigurd og fru Fjalstad hadde snakket om det: der var blitt lagt ut gift mot kraakeplagen ivaar, og en fin hund hadde faatt i sig av den —.

— Det var utrolig igrunden, men det var en eventualitet som hun aldrig hadde tænkt paa — at der kunde være en fru Fjalstad for eksempel. Ja hun visste jo ingenting, det behøvet ikke at bety noe at de var dus, eller at hun kom stupende ind til Sigurd paa den maaten for at snakke bikkjeprat.

Men selvfølgelig var det deroppe et frygtelig sladderhull. Akkurat som alle andre smaabyer. Alle kjendte naturligvis til hans historie med Adinda Gaarder. Saant gjør ikke en mand mindre tiltrækkende — nyfikenhet er et virkningsfuldt afrodisiakum. Og nu, da han satt der saa rørende alene med den lyse, appetittlige ungen — det er klart at der var sagtens saa mange kvinnfolk som var rede til at komme og hjelpe ham, saa de stod vel likefrem i kø. Og nu hadde hun altsaa sluttet op i køen — for det var vel det som hun hadde gjort.

Nu kom det an paa da — skulde hun lægge ivei og se til om hun kunde albue sig frem forbi alle de eventuelle andre. Eller gaa igjen —.

Hun hadde lyst til at le og lyst til at graate. At hun skulde ha en saan klænget hukommelse, saa tankerne hennes aldrig kunde slippe Sigurd. Eller kanske *hun* ikke husket. — Hadde hun hele tiden erindret — destillert enslags rusdrikk ut av det som hun husket og det som hun glemte om sitt og Sigurds samliv? Mens Sigurd husket, efter Kierkegaards definition av forskjellen mellem at huske og erindre. Hukommelsen, den har bare fluktuationerne mellem at huske rigtig og huske galt. — I begge tilfælder blir resultatet ikke nær saa gjildt som erindring.

Hun husket det med Sverre og haabet bare at med tiden skulde hun glemme det. Ialfald faa glemt en hel del av det. Det var brutalt, men det var sandt — selv hans død tænkte hun mest paa ut fra det helt egoistiske synspunkt, blir det lettere at glemme forholdet til ham, fordi min medviter er borte, jeg risikerer ikke at møte ham uventet, faar ikke høre om ham

— annet end av mamma — ellers saa blir de døde fort begravet av tausheten. Eller blir det umulig at glemme ham fordi han gikk bort og omkom saa kort tid efter at jeg hadde brutt med ham —?

Hvis det hadde vært et saant ulykkestilfælde saa der kunde vært skyggen av en tvil om at det var et tilfælde — ja da saa. Han var like færdig med henne som hun med ham, han kunde ikke negte for det. De visste om hinannen at de hadde vært falskspillere begge to, og at det hadde de vært paa det rene med om sig selv og om den annen, ialfald like siden de lappet sammen sit forhold efter den kvelden da an=noncen om Adinda Gaarders død stod i aviserne. Men likevel var det sandt, at hun var bare færdig med en elsker som hun uten held hadde anstrengt sig for at elske, men Sverre var færdig med sit livs store illusion.

Huff ja. — Det skjevtrukne hvite ansigtet hans, bare næsen var der farve igjen paa. Den kvelden da hun sa tilslutt, fordi hun var saa trætt av de evindelige scenerne, saa hun vørte ikke hvad hun sa længer:

«Naturligvis tror jeg det som du sier — at du har gaatt og fantasert saa meget i alle disse aarene omhvor=dan det skulde være at ha mig, saa du kunde ikke gi dig, før du fikk prøvet det. Men nu fikk du jo din vilje tilslutt da, og det har vært en skuffelse — det vet vi begge, enten du syns det gaar an at tilstaa det eller ikke. Det er bare trass, naar du endda maser paa at vi skal gifte os. I virkeligheten gruer du like meget for det eksperimentet som jeg.»

Hun turde ikke se paa ham, da hun hadde talt ut, og den rare, gjennemrystede stemmen hans fikk henne til at fæle for sig selv —

«Snakk om alvorlige og ærbare kvinner — det skal mye til baade av alvor og av dyd, før en blir saa ky=nisk som du tør være, Nathalie.»

Hun følte sig saa ramt, saa hun sa noe idiotisk:

«Men du bryr dig jo ikke om mig mere, Sverre —»

«Visst faen gjør jeg vel det. — Naar man er saa rædd et menneske saa man gruer sig, hver gang man skal være sammen med det — er ikke det at bry sig om?»

Tater eller ikke tater — han lignet en som er blitt jaget med haansord og har faatt døren smeldt igjen foran sin lange næse — og ikke har magt til at ta sig tilrette aapenbart, i dagslyset. — Aa Sverre. Det var vondt at huske ham, og det blev ikke lettere at glemme. — Det var saant et hyggelig venskap, og det endte saa ulykkelig. —

Men et rutefly som styrter ned i Sydfrankrike — det er et utvilsomt ulykkestilfælde. Der var et ungt par med, paa bryllupsreise, og en ældre amerikansk dame som skulde besøke sine barn i Rom. — Og det var ingen verdens nytte til om hun plaget sig med selvbebreidelser, fordi hun hadde hjulpet Sverre Reistad med at lage istand en saan trist og ekkel mølje —. Han hadde nok forresten kommet sig paa rett kjøl igjen, som Sigurd sa om sin —. Men det føles uoprettelig og uigjenkaldelig, naar de dør — det hadde han rett i.

Han trodde vel altsaa nu paa gjensyn, i en eller annen form, efter døden. Hun hadde syntes bestandig at det var en nifs tanke, — aldrig hadde hun ønsket at der skulde være et liv efter døden. Det var ikke det at hun ikke var glad i mange mennesker — men saa glad i dem saa hun skulde ønske at være sammen med dem en hel evighet — nei. — Jo hvis hun hadde hatt barn saa vilde hun vel ialfald ha haabet at det var slik. Kanske det kommer av goldhet, — en eller annen art av goldhet, den skrækken som saa mange mennesker har for tanken paa evig liv. — Hvis Sigurd var død da de var unge, saa vilde hun sagtens ha forsøkt at tro, han var til allikevel et sted, og en form for gjensyn maatte der være. —

Og nu satt hun her og visste ikke engang om hun ønsket at se ham igjen om fjorten dager. — Aa jo visst ønsket hun det. Det var simpelthen utrolig — fire aar, det var jo ingenting i deres alder, og endda hadde der hobet sig op en saan masse grus, som gjorde det ufremkommelig mellem dem. Naa, det hadde jo vist sig forresten, at længe før de blev skilt var han drevet av fra henne, meget længer end hun ante — eller vilde forstaa.

Aldrig hadde hun været skinsyk i al den tid de var gifte — og nu var hun blitt slik saa hun saa med mistro og misbilligelse paa hvert skjørt i hans nærhet — og paa en masse atpaa til som kanske ikke engang fandtes. — Men Sigurd, kanske han hadde det paa samme maaten — eller, det som han visste om henne og Sverre kunde ha tynt livet av den kjærligheten til henne som han endda følte, da hun sendte ham avgaarde for at gjøre sin pligt mot sit barns mor, som mamma vilde ha uttrykt det. Hun hadde vist uttrykt det slik hun og forresten. — Det var nok temmelig sikkert det, at han hadde hatt det stridt sommetider, innen han avfandt sig med den tanken at hun levet sammen med en annen mand og skulde gifte sig med ham. —

Naturligvis visste han like vel som alle andre, at naar en dame, en fraskilt frue tilmed, har et saant noksaa officielt forhold, saa er hele stimen der før en vet ord av, av mandfolk som tilbyr sin tjeneste. Ja Herregud, selv de derre to ubetinget komiske fyrerne som bodde nedenunder det første aaret —. Hun hadde syntes det var da næsten rørende og: Her gaar alle mænd i verden og indbilder sig at de er noe annet til karer end noen andre karer, begraver sine mindreværdighetskomplekser i skryt og fikter for sine ambitioner. Men ikke før blir det spurt om et kvinnemenneske at hun sætter pris paa e n mands kjærlige omgang, saa kommer de galopperende og forsøker sig med tilnærmelser — røber sin hemmelige demokratiske overbevisning om at alle mandfolk er like gode. — Hvis de ikke tænker da, at det der er jeg like god til som den bedste —.

Aa nei — det er vel det samme som med kvinnerne — nyfikenhet er et probat afrodisiakum. Sigurd var ikke mere godtroende lel end at han visste d e t.

Om det kunde bli det som man kaller «godt igjen» mellem dem saa var det vel ikke sikkert at det vilde bli særlig godt. Men skulde hun nu se ham forsvinne igjen, helt ut av hennes liv — saan saa hun visste, denne gangen er det for godt og bestandig. — Saa kunde hun vel umulig bli gaaende og være ulykkelig for det alle sine levedager, men det kom aldrig til at bli noen rigtig smak i livet mere. —

Gunvor hadde the til henne da hun kom hjem — og unegtelig var stuen hennes lun og vakker, med bare det ene hjørnet oplyst, og duft og glans av tulipaner fra alle de halvmørke krokene i rummet.

«Faar jeg komme ind til dig, gudmor,» ropte gutten fra soveværelset.

«Neimen sover du ikke endda da, Knut?»

«Det er saa vanskelig at faa'n til at lægge sig ordentlig t i l, naar 'n skal ligge alene,» oplyste Gunvor. «Sisste natten, da visste'n at jeg skulde ligge inne hos'n, og da sovnet han med en gang. Men naa naar jeg satt herinne saa bare laa'n og spurte naar fruen kom —»

Den lille figuren i buksebjørn var paa dørterskelen:

«Kan jeg værsaasnil og faa komme ind og faa en thefisk da gudmor?»

«Det burde du egentlig slett ikke faa lov til.»

Gutten kløv op i Nathalies fang.

«Jeg skal hilse dig fra mamma, Knut.»

«Blir hun snart bra naa da?» Men det gjorde ikke noe indtrykk paa ham. Han fikk lov til at ta et av de gode smaa hornene med masser av graatt frø paa, for dem var han saa glad i, og derefter fikk han ta et til.

Han var meget vakrere end Sigurds lille pike — Knut var spinkel, men fuld av myk ynde i alle rørsler. Det glatte nøttebrune haaret hans var tykt og silkebløtt og øinene hans store og mørke — de hadde en rar, ubestemmelig graafarve nu, men de blev vel guldbrune som farens naar han blev større.

Det var godt og lunt at kjenne den vesle skrotten som føiet sig saa tillitsfuldt indtil hennes; han holdt paa at sovne nu. Hun var vældig glad i dette barnet. Den ubændige lykken som hun hadde tænkt altid at en kvinne maa føle, naar hun kjenner sin egen levende unge i armene sine — det var vist rigtig nok det, men sommetider blir det nu bare saa som saa med lykken naar det lir utpaa. — Hvis hun hadde faatt det barnet med Sverre som hun ønsket sig saa heftig, saa hun etpar ganger var like ved at haabe — hun var vel blitt aldeles vanvittig lykkelig for det med det samme. Men siden vilde det jo bare ha gjort det hele endda vanskeligere og værre—.

Knut sov. Nathalie bar ham ind og puttet ham ned i den lille sengen som stod ut i vinkel fra fotenden av hennes egen. Han slog op øinene et øieblikk, blunket søvnør mot nattlampen — saa rakte han op armene sine mot henne. Ellers hadde Nathalie i vinterens løp forsøkt at venne ham av med litt av kjælegriskheten hans, men hun kysset ham altid godnatt.

Gudskelov, nogenslags uanstændig og sentimental fantasering fristet vesle Knut ikke til — han hørte likesom til et annet menneskeslag end Sigurd. Hun holdt av ham, fordi han var saan søt unge, og fordi hun var blitt avkrævet omsorg og kjærlighet til ham, fra han blev født.

2.

Det blev til Alfhild Totlands begravelse at Nathalie kom opover næste gang. Hun fikk opringning fra sanatoriet en tidlig morgen — fru Totland var død om natten.

Den lille byen lugtet av sprettende bjerkeløv og støvete gater, men oppe i lien var det vintervaar endda, med dyp skitten sne i skogen og gul issvull i bunden av de vassfulde bækkene som duret og klunket paa alle kanter omkring veien.

Paa kirkegaarden var det ialfald bart i solhellingen, hvor graven var hugget i stivtælet gulgraa jord. Men solsteken hadde tint de opkastede leireklumperne omkring hullet saa meget saa de var mørke og fugtige. — Den blaa himmelen var riflet av fine fjerskyer som laa blaast utover i nordlig retning.

— Der var vand i bunden da pappa blev sænket i det svarte hullet, husket Nathalie — det slapp da Alfhild stakkar, skjønt det kan jo være det samme hvadslags grav en blir lagt ned i; selv de som tror at de døde lever mener vel det.

— Likevel tænker man, — et sted som er saa vakkert som her skulde jeg gjerne ville ligge. Den stenaldersforestillingen om at de døde bor i gravene sine maa ha overlevet mange trosskifter og tusen aars kristendom, — som stemning ialfald sitter den i os endda. Her vilde jeg gjerne bli begravet —.

Kirkegaarden laa høit paa en haug; den var ganske ny, saa der var bare noen faa graver i den endda, og bjerketrærne som var plantet langs gjerdet var purunge og spinkle. Skogaas bakom skogaas var alt en saa utover herfra, og nede i søkket et snedækt vand som tøiet sig nordover med skog langs strenderne og litt gaarder ved den øvre enden. Suset fra elven nedenfor kirkehaugen og tonen av rindende vand rundt omkring fyldte den lysmætte luften, og fra et sted i nærheten tyyet noen dompapper sagte og blygt. Na=thalie opdaget fuglene i et stort træ rett utenfor kirke=gaardsmuren; hannerne lyste som roser paa de nakne kvister.

Sigurd var med i likfølget, og fru Fjalstad. Hun var klædd i bundløs sorg og hun hadde graatt i kapel=let. — Efter jordfæstelsen gikk hun fra graven i følge med noen fra sanatoriet, og Sigurd kom bort og hil=ste paa Nathalie.

«Stakkars, jeg ante ikke at hun var s a a ung. — Ja hun har vel ikke hatt det for lett i livet —.»

«Hun var bare nitten aar da hun begyndte hos os.» Graveren holdt paa og lempet op de kransene som laa paa kisten. Mange var det ikke. Den store fra kamerater i Hytter og Hus som Nathalie hadde lagt paa var begyndt at visne alt; de hvite syrinkla=serne hang med tupperne. «Det er ogsaa en av de ting man merker det paa, at man begynder at dra paa aarene. At man begraver saa mange av sine be=kjendte.»

«Ja. Stakkars den lille gutten hennes. — Presten sa noe om hennes mand, at han var langt borte i et fremmed land?»

«Tobben ja, han er i Italien. En søster av ham har pensionat i Fiesole, og da Alfhild maatte hjemme=fra reiste han dit. Han kan vel gjøre litt nytte for sig der — han er jo flink i sprog.»

«Gutten er hos dig fremdeles da?»

«Ja og jeg kommer nok til at beholde ham ogsaa. Jeg lovet Alfhild det. Der er ingen andre til at ta sig av ham. — Jeg visste ikke at fru Fjalstad kjendte Alf=hild Totland?»

«Hun traff henne i høst, sier hun, da hun var oppe og besøkte noen hun kjenner paa sanatoriet.»

«Jasaa — hun bar sig da saan i kapellet, saa en skulde tro hun var nærmeste sørgende efterlatte —»

Sigurd smaalo: «Aa ja, Ingjerd er saa lettrørt saan saa.»

«Hvor gammel er hun?» spurte Nathalie.
«Neimen om jeg vet. Hennes bror gikk sammen med mig paa Høiskolen; hun er noen aar ældre.»
«Da ser hun yngre ut end hun er,» sa Nathalie ædelmodig.
«Ja hun er saa liten og gratiøs. Begge guttene hennes er høiere end moren, og ingen av dem har tatt middelskolen endda. Hun er svært søt, morsom ogsaa.»
Fru Fjalstad kom bort til dem i det samme:
«Uff begravelser gjør saant indtrykk paa mig bestandig! Stakkars, saa frygtelig ensom som hun var — ligge og dø saan da, borte fra mand og barn naar hun har begge deler — fru Nordgaard kjører vel nedover med os nu da, Sigurd?»
«Ja — vil du, Nathalie?»
«Takk men jeg maa op paa sanatoriet igjen; jeg tar vel rutebilen nedover.»
«Aaja,» sa Sigurd, «den gamle boksen min er naa ikke noe heller paa dette føret, veien er rent vaskebrett lange stykker —»
«Neimen saa kjedelig,» sa fru Fjalstad. «Jeg hadde tænkt at dere kunde spist middag hos mig — men kan dere ikke komme til aftens da, saa faar jeg fatt paa Jon og ber ham ta med violinen — m a a De reise i eftermiddag alt! nei saa kjedelig, men næste gang De kommer hit da, fru Nordgaard?»
«Takk det er snilt. Men nu vet jeg jo ikke naar jeg kommer hit en annen gang. Jeg har ikke mere at reise efter nu, naar fru Totland er død, forstaar De.»
Idet de skulde til at si farvel husket Nathalie paa at spørre «hvordan staar det til med Anne?»
«Jo stakkars liten, hun har vært svært forkjølet —» han la i vei med en længre beskrivelse av sykdommens forløp.
«E r ikke Anne deilig,» jublet fru Fjalstad, «jeg har ikke sett saa prægtig unge, og saa kvikk da! Jeg har bare gutter selv, ser De, ja de er goe nok, det er

ikke for det, men smaapiker virker saa mye mere op=
vakte bestandig —»

«Jeg skal nedover til Oslo til uken,» sa Sigurd, «Har du noe imot at jeg kommer op og hilser paa dig?»

«Nei kjære, velkommen skal du være. Bare ring op saa jeg er sikker paa at jeg er hjemme —.»

Sigurd var paa stationen da Nathalie kom og skulde reise, men hun var sent ute, det var bare fem minutter til toget skulde gaa. Og straks efter stormet fru Fjalstad løs paa dem. Hun hadde med blomster til Nathalie.

Nathalie anbragte de hvite syriner i vandglasset i kupéen. De høie træete grenene stod ikke saa godt i det. Og da hun kom saa langt som til Jessheim var de saa visne, saa hun med god samvittighet kunde kaste dem ut av vinduet.

Hun blev ikke i bedre humør da hun kom hjem og fandt telegrammet fra sin mor. Mamma anmeldte sit besøk til onsdag eller torsdag. Uff ja, stakkars mamma kunde ikke komme over den skuffelsen som det hadde vært for henne at der ikke blev noe av giftermaalet med Sverre. De to hadde vært gode venner bestandig, saa —. Men hun burde holde op at snakke om det engang. —

Ta imot Sigurd hvis han kom til byen mens hun hadde mamma her, det vilde hun ikke. Da fikk hun heller foreslaa at de møttes ute et sted. For hvis hun bare negtet sig hjemme for ham uten videre, var hun rædd for at han skulde ikke gjøre flere forsøk paa at træffe henne.

Men torsdag telefonerte Ragna, mamma hadde opsatt byturen sin til næste uke. Saa gikk hun og ventet paa at høre fra Sigurd. Og da han omsider ringte op om fredagen sa hun uten videre ja, hun var hjemme søndag eftermiddag.

Det passet ikke saa godt, det var Gunvors fri-eftermiddag, saa hun maatte selv se efter Knut, men hun vilde ingenting risikere ved at foreslaa en annen tid. —

— Idiotisk var jo det hele, hun visste ikke engang — han kunde godt finne paa at ta med sig veninnen Ingjerd. Hvis Ingjerd ikke vilde la ham faa lov til at gaa hit alene. Nathalie demonstrerte for sig selv ved at dække thebord til tre.

De to smaapikerne i første etage hadde lovet at ta med sig Knut paa Sankthanshaugen, men nedenunder spiste de ikke middag før klokken fem. Saa Knut var paa verandaen da Sigurd kom.

Knut behøvet en aldrig be to ganger om at komme og hilse paa fremmede. Freidig gav han haanden og bukket saa pent saa det var en lyst at se det. Nathalie kjendte en liten tilfredsstillelse — her kunde da Sigurd faa se en velopdragen unge. Og samtidig blev den sterkere, den skyggen av uvilje som det hadde vakt i henne altid, at den lille gutten gikk likesom helt op i rollen som det indtagende barn. Enten det var hans natur eller dressur — han hadde gjort det like siden han saavidt kunde stabbe.

Han svarte — sa hvad han het og hvor gammel han var. Naar han snakket med fremmede lespet han litegran — det klædde ham søtt og pussig, men han gjorde det ikke naar han var sammen med noen som han kjendte godt. Da Nathalie hadde skjenket theen fikk Knut komme og forsyne sig med kake — han takket og han bukket som et rent mønsterbarn og trakk sig straks tilbake til verandaen og lekerne sine, som Nathalie bad ham.

«Han kaller dig gudmor?» sa Sigurd.

«Ja han blev døpt oppe paa landet hvor han er født, og saa bar jeg ham.»

«Men han skal vel ikke bli ved med det, naar du nu tar ham som din egen?»

«Hvorfor ikke?» Uvilkaarlig blev stemmen hennes skarp. «Naar jeg aldrig har hatt barn selv saa vil jeg ikke at noen andres skal si mor til mig. Og tante, tante Thali, det er jeg saa lei av at hete, saa det kan være nok med dem som jeg alt er tante til.»

«Men de var svært glad i dig, Thali, alle de barn som du var tante til.»

«Ja og jeg er da glad i dem jeg og, vet du. Men denne gutten her skulde jeg jo blandt annet gjerne forsøke at opdrage, og forsørge. Det har de andre barna noen andre til. Saa for dem s k a l jeg ikke engang være annet end enslags kilde til smaa ekstra-fornøielser. Og naturligvis er det bra at jeg kan være det.»

Sigurd satt og saa sig omkring, litt forlegen.

«Du har det svært pent her, Nathalie. — Det lig-ner forresten saan som dere hadde det hjemme hos dere.»

«Jeg fikk endel av mammas møbler, hun har ikke plass til dem der hun bor nu.» — Hun undret sig, om han kjendte igjen det lille pianoet til Sverre ogsaa. — Sigurd smilte i det samme — det var til Knut; gutten stod og klemte næsen sin mot ruten. Da han opdaget at Nathalie saa paa ham smilte han sit søteste skøier-smil og dukket ut av syne.

«Han er vist en ordentlig kvikk liten fyr? Ual-mindelig pen og.»

«Han virker svært opvakt. Men jeg vet jo ikke hvor meget det betyr. Hans far er nevrastheniker i høi grad. Og moren var muligens angrepet alt da han blev født; det brøt ialfald ut ikke længe efter. Ihvert-fald saa har hele hennes familie utpræget tuberku-losekonstitution.»

«Det er altsaa en — vanskelig opgave da, som du har tatt paa dig med denne gutten?»

«Skal en først ta til sig et fremmed barn saa maa det jo være fordi det trænger en. Ellers er det vel mere humant at anskaffe sig en hund — for et enslig kvinnfolk. Men for Knut var det eneste andre alternativet barnehjem.»

«Totland har altsaa helt gitt op gutten?»

«Han sender et prospektkort av og til. — Men han finner sikkert en kone snart igjen som vil forsørge ham. Der var en eller to som stod færdige til at ta ham, allerede før han blev ekspedert til Italien. — Det er jo slik det er blitt vet du. De unge pikerne som har vondt for at klare sig selv faar nøie sig med en elsker engang imellem. Hvis de vil gifte sig saa maa de kunne forsørge en mand.»

Sigurd var blitt rød — i det samme ringte det heldigvis paa entréen; det var smaapikerne som skulde hente Knut. Nathalie klædde paa gutten yttertøiet hans. I den nye vaarfrakken og luen saa han ut som en nydelig stor dukkemand.

— Det blev svært stille da barna var gaatt. Uten at tænke, bare for at gjøre noe flyttet Nathalie den ubrukte koppen og asjetten tilside.

«Skulde her kommet noen flere?» spurte Sigurd litt forundret.

«Jeg tænkte at du kanske hadde hatt med dig fru Fjalstad.»

«Ingjerd?» sa han endda mere forbauset. «Er h u n i byen da?»

«Nei det vet da ikke jeg.» Hun ventet litt. «Jeg hadde virkelig faatt det indtrykk at dere var saan — temmelig uadskillelige.»

Han saa paa henne, rystet litt paa hodet. «Da har du nok tatt feil.» Men saa lo han: «Ingjerd, hun er bestandig saan — enthusiastisk. Og hun blev saa kolossalt begeistret for dig den dagen hun traff dig oppe hos mig.»

«Hun er kolossalt begeistret for din datter ogsaa. Og sikkert nok for dig med.»

Igjen rystet han paa hodet. «Kjære dig Nathalie. Ingjerd Fjalstad hører til — fiffen kalles det vist — familien hennes har gjeldt for en masse der i byen bestandig. Du vet da selv hvad det betyr paa saanne smaasteder. Penger har hun ogsaa. Jeg er indflytter og alle mennesker vet at jeg er havnet deroppe paa grund av en skandalhistorie. Og at jeg akkurat klarer mig. Nils Thorsgard, hennes bror altsaa, har været hyggelig mot mig, og Ingjerd med. Men du maa da ikke indbilde dig at — Ingjerd Fjalstad er noe særlig interessert i mig og mine affærer.»

«Du Sigurd.» Nathalie taug litt. «Nu er du nærmere femti end firti aar. Da du var yngre var det svært klædelig til dig med denne manéren din — at du gjorde likesom de tekkelige og søte unge pikerne i gamle dager — naar noen var forelsket i dig saa lot du bestandig som det hadde du da ikke spor av anelse om —»

«Syns du at jeg gjorde det bestandig?»

Hun blev rød: «Neinei. Jeg burde naturligvis være smigret fordi du gjorde en undtagelse med mig.»

«Undtagelse. — Om jeg naa skjønte en og annen gang — da jeg var yngre altsaa — at her kunde jeg kanske ha faatt istand noe muskus om jeg hadde villet. — Naar jeg ikke brød mig om jenta —. Herregud, du tror da vel ikke det du, Thali, at alle mandfolk er saan saa de har ikke hjerte til at la en leilighet til — erobring kan en jo kalle det for at bruke et pyntelig ord — gaa forbi unyttet? Da er du mere godtroende end jeg visste. Dig, det var noe annet. Jeg vilde ha dig saa gjerne som jeg vilde leve, og da gjorde jeg naturligvis alt jeg kunde for at faa dig saa fort som mulig.»

«Aa ja.» Hun rørte hænderne sine hjelpeløst i fanget. «Og jeg burde vel være glad til, at vi var lykkelige saa længe som vi var. Det varte jo ialfald en god stund før du blev lei av mig.»

«Du vet godt at det var ikke det.»

«Aa jo da Sigurd. Fordi om du nu bakefter har laget dig enslags — religiøs forklaring paa det. Noe i den er sandt, det vet jeg nok. Det nedsatte dig i dine egne øine at din kone forsørget sig selv, og at du ikke fikk barn. Saa længe du ikke kunde være sikker paa at det ikke var din skyld.»

«Det var naturligvis noe saant og. At jeg liksom skulde bli ved at være svalgutten altid.»

«Svalgutten?»

«Det er noe de sier — du vet hvad sval er? Utenfor huset. Gardgutten sier de» — han uttalte det med tykk l — «og svalgutten. Gardgutten, det var Simen først, og siden blev det Asmund. Svalgutten, det var jeg det.»

«Det var denne bondske prippenheten din som jeg ikke opfattet saan at jeg tok den alvorlig nok.»

«Likevel var det ikke det — skjønt det var kanske det nærmeste paaskuddet til at jeg gikk paa eventyr. Men det er nu slett og rett saan da Thali, at alle mænd ønsker sig en kvinne, en hustru, som de kan holde av saa længe de lever og være tro imot. De aller fleste ialfald. Jeg tror forresten at naar noen ikke ønsker det saa er det fordi de har resignert, enten de vet det eller ikke. Noen gutter resignerer nok allerede inden de blir saa store saa de kan foreta sig noe med jentene — naar tiderne er slike saa alting er utsigtsløst, eller de ser saanne forhold hjemme, eller de er blitt lært op til at mistro den delen av sine instinkter. Likevel tror jeg naa de skal faa lov til at fylle et digert hull i sig selv med fraser og teorier før de holder op at føle den der — længselen efter trofastheten. Men naar vi saa har faatt den som vi vet at vi aldrig skal bli færdig med, fordi vi ikke kan det, saa kommer denne lysten somme tider til at prøve om vi ikke kan allikevel. Til en avveksling. Og saa finner en lett nok leilighet og paaskudd til at bli litt utro indimellem.»

«Naar du mener at det er slik,» sa Nathalie sagte, «saa var det endda større synd paa moren til Anne end jeg visste.»

«Ja det var det. Saa derfor skal du ikke tro at jeg tænker paa — uadskillelige veninner nu mere. Det blir det aldrig, Thali. Jeg faar ta det som jeg har stelt det, og forsøke at gjøre alt jeg kan for at det skal gaa Anne godt i livet. Be dig omforlatelse — det skjønner du nok at jeg gjerne vilde. Men jeg gjør jo ingenting ugjort med det. Hvis jeg endda ikke hadde ført dig bak lyset saa længe, saa du selv kom til at opdage, at du hadde stolt paa et menneske som var aldeles upaalitelig. Saa det er ikke noget rart om du er saa — uforsonlig.»

«Er j e g — uforsonlig —?»

«Du har været saa — bisk — og aggressiv hele tiden. Baade sisst vi snakket sammen og nu idag.»

«Har jeg det? — Kunde du ikke tænke dig, Sigurd, at jeg er — litt bitter kanske fordi du i k k e sier, jeg angrer. Ikke saan med synd og syndsforlatelse — synden, den tror du vel forresten at Gud har forlatt dig nu vel. Men om jeg hadde haabet at du skulde sagt, i al enkelhet — aa Nathalie, jeg angrer at jeg var dum og rev ned alt som vi to hadde bygget op i mange aar. Det var dumt, og det var stygt at jeg holdt dig for narr saa længe saa det blev uoprettelig.» Med en fort sint bevægelse tørket hun øinene sine og saa utfordrende paa ham.

«Det er jo det det er,» sa han sagte. «Det som er saa — ilde. Guds tilgivelse sier du, ja den tror jeg nok paa. Men det er sommetider vanskelig at være nøid med den, naar jeg vet at jeg kan ikke gjøre ugjort det som jeg har gjort mot noe menneske. Ikke mot dig og ikke mot Adinda. Hennes forældre og gikk det jo ut over. Og vesle Anne — for jeg vet selv at jeg er en noksaa utilfredsstillende far. Endda Anne — jeg kan da ialfald forsøke at lære henne at det er ikke mennesker en skal forlate sig paa. Og hennes mor og de folkene, de hadde vel i det hele aldrig hatt saanne — indbildninger. Saa med dem er det ikke paa den maaten haabløst, naar jeg tænker paa det.»

«Naa, hvad indbildninger angaar.» Nathalie smilte spotsk. «Du vet, at en mand er sin kone utro — saa galt hadde jeg da hørt før. Saa det var ikke det. Skjønt jeg hadde altsaa trodd at forholdet mellem dig og mig var mere — grundmuret, end det viste sig at være. Sommetider syns jeg næsten at det mest utaalelige, det var det som jeg opdaget bak-efter, om mig selv — at jeg ogsaa var svært meget anderledes end jeg hadde trodd. — Men det syns du formodentlig er frygtelig hovmodig og ugudelig?»

«Du har jo aldrig gitt dig ut for at tro paa noen Gud saa. — Du forstaar, nu syns jeg jo det var bare naturlig at det endte galt for os. Ja jeg mener ikke at jeg akkurat skulde behøvet at bedra dig — jeg mener ikke at det er noen undskyldning. Vi kunde blitt ved at bedra os selv, levet noksaa godt sammen uten at faa vite mere om hvordan vi egentlig var, og vært glad i hverandre saan som vi kjendte hverandre. Jeg vet godt at det er mange som lever godt sammen, uten at stelle til noen trekanter eller firkanter eller andre figurer, fordi om de ikke er kristne. Men det maa jo likevel bero saa meget paa — tilfældet, om noe lykkes, naar man ignorerer de — væsentligste reali-teter som man er omgitt av.»

«Realiteter, sier du — er det ikke snarere ønske-drømmer, hele denne religionen din?»

Sigurd smilte litt:

«Det der om ønskedrømmene, det har jeg ogsaa hørt ja. Trodd det selv og — saa længe jeg absolutt ikke ønsket at Gud skulde være til, eller at der skulde være noenting efter døden — tvertimot. Da haabet jeg ogsaa at alt det der skulde være digt og drøm. Ja — jeg kaldte det ønskedrømmer. Og naar du skal være ærlig, Nathalie — tror du at mange av de menne-sker som du har kjendt, som sier at de tror ikke paa Gud, at de ø n s k e r han skulde være til, og være den realiteten som slutter omkring alt annet som er, like-som en haand, og ikke noe som vi ønsker eller digter kan hjelpe os til at smette ut mellem fingrerne hans?»

«Det er sandt at Gud er ikke m i n ønskedrøm. —

Men saan som du snakker om det, Sigurd, jeg skjønner ikke hvadfor glæde du kan ha av at være kristen paa den maaten? Religionens trøst taler folk om —»

Han lo og rystet paa hodet.

«Du er slett ikke religiøs av naturen tror jeg. Det ligger ikke noe videre for bønder i det hele tatt, er mitt indtrykk. I virkeligheten har dere altid hatt det med at etablere enslags overenskomst med Vorherre. Dere gaar med paa at anerkjenne hans jurisdiktion og gjøre det og det, saa skal han til gjengjeld paata sig visse forpligtelser mot dere — her og hisset. — Ja for Adinda Gaarder for eksempel — var hennes religion annet end det i virkeligheten? Mitt indtrykk av henne var at hun var en egensindig og noksaa kry ung pike som gjorde det hun vilde, like til hun støtte paa — barrierer som hun var vant til at se paa som uoverstigelige.»

«Jeg snakket jo svært litet med henne om saant, kan du nok tænke dig. Men det er sandt at hun var egensindig — ikke mere end andre mennesker kanske. Men hun virket saan — netop fordi hun trodde at Gud er virkelig og personlig, saan at hun kunde holde av ham og gjøre oprør naar nye følelser brøt sig mot gamle følelser, og naar hennes egen vilje gikk i en annen retning end det hun trodde var Guds vilje. Men det skjønte jo ikke jeg heller før hun var reist hjem og hun skrev til mig noen ganger — tilslutt efterat Anne var født. Jeg talte med hennes far ogsaa engang. —

— Du kan nok ha rett i det at av naturen er for eksempel du meget mere religiøs end noen av os.»

«Jeg!»

«Ja — du er da meget villigere til at være saan som du syns det er rigtig, og gjøre det som du tror at du bør gjøre, enten du har lyst til det eller ikke? Ja — men det er sandt, Nathalie. Jeg har ikke tænkt paa det før. Du er faktisk — mere lojal mot det som du er lært op til at tro paa, end de fleste kristne er mot Gud. Og det endda du bestandig kritiserte dem som lærte dig, og hadde saa liten tillit til det de præket. Det er da det som er naturlig fromhet vel?»

«Fromhet eller dumhet.» Hun var paa graaten. «Jeg syns næsten det kan komme paa ett ut. Forresten — jeg hadde tænkt at det skulde du aldrig faa vite, men nu kan du høre det allikevel: den fromheten min, den var det ikke stort bevendt med længer end jeg var lykkelig. Da det var forbi — jeg var alene, og jeg var noksaa bitter. — Jeg gidder ikke snakke om det, men den historien med Sverre og mig, den var sgu alt annet end opbyggelig —» hun sprang op, gikk bort til verandadøren og stod med ryggen mot lyset.

Han var saa rar i ansigtet nu — blek, og med et stivt uttrykk.

«Hvad tænkte du igrunden da du fikk vite om Sverre og mig?»

«Jeg tænkte,» sa han lavt og behersket. «Jeg visste jo at Reistad hadde — beundret dig bestandig. Saa det var noksaa naturlig — om du nu — sluttet dig til en mand som virkelig — vurderte dig som du fortjente. — Fælles interesser hadde dere jo ogsaa mange av —.»

Nathalie lo høit:

«Fælles interesser er godt! Det har vist stort med kjærlighet at gjøre — du og jeg, vi hadde ikke mange fælles interesser just! — Var du ikke sjalu engang, Sigurd?»

«Sjalu!» Han lo kort. «Det var jeg vel! — Saan saa det gaar ikke an at snakke om det engang. Men jeg kunde jo bare — jeg visste at jeg fikk akkurat det som jeg hadde fortjent.»

«Vilde du ønske at det kunde gjøres uskedd?» spurte hun desperat. «At det derre» — hun slog ut med hænderne, et hjelpeløst flaks. «Sigurd, ønsker du aldrig at du kunde faa mig igjen?»

«Om jeg ønsker —.» Han var saa blek saa han saa

syk ut. «Jeg vet da hvor umulig det er. Nu har jeg jo mindre end noensinde at by et annet menneske. Det vilde bli saa trangt og slitsomt, og saa for en da som er vant saa rent anderledes. Jeg har nok tænkt paa det du sa, maa du tro, — om at du kunde klare dig, hvor du saa var — det tror jeg gjerne. Men du kan vite, jeg vil da ikke det. Du sa ista, at hvis en kvinne vil gifte sig nufortiden, saa maa hun kunne forsørge sin mand —»

«og du vil ikke ha noen kone, uten at du kan forsørge henne. — Er ikke det forfængelighet og hovmod forresten? Hvordan faar du det til at rime med kristelig ydmykhet?»

Han smilte svakt: «Aa — det er nok meget som jeg tænker og gjør som rimer daarlig med — Kristi væsen. — Men her er det da slik, at nu har jeg et barn, og du har tatt ett som ditt eget. Skulde jeg i det hele vaage at — spørre dig om du kunde tænke dig noe slikt, saa maatte jeg ialfald først ha det slik saa du ikke behøvet at ta dig av mere end — hjemmet — og barna —.»

Nathalie lo kort:

«Den jentungen din, hun var forresten aldeles instinktivt fiendtlig stemt mot mig — det merket jeg godt.»

«Aa — Anne er i det hele litet indlatende mot fremmede.»

«Hun likte mig ikke. Og jeg er ikke viss paa om det ikke er gjensidig.»

«Du vilde aldrig være istand til at være slem mot et barn, Thali» sa han fort. «Saa meget kjenner jeg dig da.»

«Det vilde jeg vel ikke. — Men ikke slem mot — det er for litet det Sigurd, naar det gjelder et barn.

— Du har altsaa tænkt paa det da,» spurte hun bløtt. «Har du? Tænkt sommetider, at du skulde ønske jeg var hos dig, og vi var gifte igjen, likesom i gamle dager?»

«Det vet du jo godt.» Igjen smilte han, det rare triste smilet. «Hadde du ikke visst det saa hadde du ikke spurt om det, Thali. — Jeg har aldrig holdt op at være glad i dig, og det har du aldrig tvilt paa.»

Hun stod med ryggen til verandadøren, ventet aandeløst. Nu maa han da komme og ta mig i ar=mene sine —.

Men han blev sittende. Og tilslutt gikk hun bort og satte sig i sofaen, i den andre enden av stuen.

«Du Sigurd —. Har du noengang — bedt til Gud om at du skulde faa mig tilbake?»

«Det har jeg kanske ogsaa gjort.»

«Kanske — vet du ikke det da?»

«Be og be. — Det er saa mangt det. Sommetider saa har man jo sine egne bestemte ønsker mens man ber ogsaa. Men saan — sende op rekvisitioner til himmelen, det er jo ikke at be. Siden vi maa be i Jesu navn, og da gaar det ikke an at be mot Guds vilje.»

«Og du tror at det er mot Guds vilje at vi to skulde komme sammen?»

«Nei hvorfor skulde det være det?» Han satt litt. «Hvis det skulde gaa saan for mig deroppe, saa det ikke betød at du maatte gi op altfor uforholds=mæssig meget — og du fremdeles kunde tænke dig at vaage et saant forsøk —».

«Nei vet du hvad Sigurd! Det der var et ufor=holdsmæssig ubestemt projekt — til at ta alt det braaket for, med at gifte sig omigjen ogsaavidere.» Hun lo iltert. «Kan du huske noe du sa engang, du og Asmund snakket sammen? Samliv og sam=arbeide maatte bli umulig i længden, sa du, mellem mennesker som tror paa Gud og saanne som tror at der er ikke noen som bekymrer sig om menne=skene, annet end menneskene —?»

«Har jeg sagt det? Det husker jeg ikke. Men jeg vet at jeg har tænkt noe saant sommetider.»

Havegrinden klikket, Nathalie hørte at Knut snakket til smaapikerne utenfor.

«Hvis du kunde bli kvitt alt det der — troen din altsaa, Gud, som likevel ikke er noe hyggelig mot dig, eftersom jeg skjønner — og faa igjen alt det som vi to hadde sammen engang? Vilde du ikke bytte?»

«Nei,» sa han sagte.

Hun slog hænderne sammen, saa fingrene flettet sig indimellem hverandre, skilte dem igjen og slog dem sammen paanytt.

«Jeg er meget mere glad i dig end som saa, Thali.»

«Jeg bryr mig ikke om at du er glad i mig paa noen ny maate. Jeg vilde ha at det skulde være som det har vært.»

Hun hørte de smaa skosnuterne til Knut mot entrédøren — guttungen stod og tøiet sig og vilde ringe paa selv.

«Men det er jo det som er umulig, Nathalie,» sa Sigurd, men i det samme feiet hun forbi ham ut for at lukke op for Knut.

Hun lunket melken til gutten og gjorde istand kveldsmat til ham. Mens han spiste — det hadde endda ikke lykkedes Nathalie at faa Knut til at ta til sig mat uten at noen gjorde kruseduller for ham imens — brøt Sigurd op. Hun forsøkte ikke at holde paa ham, hun var saa modløs og forbitret.

Hun hadde forberedt sig paa at han skulde bli til aftens. Men da hun hadde faatt Knut iseng tok hun bare en kopp the paa kjøkkenet. Mens hun satt og drakk den begyndte hun hvert øieblikk at graate. Bakefter blev hun ved at gaa op og ned over gulvet inde i stuen sin — ganske lydløst paa det tykke gulvteppet. Kvelden var saa lys — hun flyttet ut paa verandaen og satt der.

De gamle almetrærne utenfor huset var lysegrønne paa alle kvister av vingefrugter som satt tætt bortover i boller, bare fra grenspisserne tippet det mørke løvet ut. Nedenunder i den ustelte haveflekken lyste noen smaa bed med perleblomster og svibler — smaapikerne i første etage hadde laget sig hver sin lille hage i det ville græsset paa plænen.

Himmelen var hvit, og det svære lysegule komplekset paa hjørnet lyste som med en atterglans av dagens solskin. Men litt efter litt mørknet almetrærne utenfor verandaen, til grenverket tegnet sig silhouettagtig mot den bleke luft.

Hun hadde plantet i verandakasserne sine for en stund siden alt. — Plutselig steilet hele hennes væsen i oprør mot det ensformige velordnede livet som hun hadde forutsatt skulde gaa videre i det uendelige — de beplantede blomsterkasserne stod og vidnet om det, det gjorde stuerne hennes, det gjorde alting. Hun hadde allerede tænkt saa smaatt, hvor skulde hun reise hen i ferien med Knut — var ikke gutten for nervøs til at sjøen kunde være bra for ham?

— Men det var jo fuldkommen sindssvakt — naar hun var glad i ham, og han i henne. Han var det — hvis du ikke visste det saa hadde du aldrig spurt om det, Thali, sa han. Selvfølgelig hadde han rett i det.

At han kviet sig for at be henne bryte op fra den sikre eksistens som hun selv hadde skapt sig — det var vel ikke saa rart fra hans synspunkt. Han kunde jo ikke vite hvor lei hun var av alt dette. Hun behøvet bare tænke paa hvad mamma og Ragna og de vilde si, naar de fikk høre at hun gav slipp paa sin stilling i Hytter og Hus og strøk avgaarde, med en adoptert unge atpaa til, for at begynde aldeles forfra igjen, ved siden av Sigurd.

Forfra var forresten tøv; hun hadde sit navn, erfaring og forbindelser —.

Det blev vanskelig, det blev vanskelig — jamen Herregud da. Hun hadde da hatt det vanskelig før og, paa andre maater. Det skal bli artig, at forsøke vanskeligheter paa en ny maate. — Forresten var det skam for henne at snakke om vanskeligheter, i en saan tid som denne, — saa mange resurser som hun hadde, efter alle de aarene hun hadde arbeidet. —

Nathalie gikk op og ned paa gulvet i stuen igjen. — Nei naturligvis hadde han rett i det, det var umulig at det som hadde vært lot sig rekonstruere. Forøvrig hadde det altsaa aldrig vært saan som hun indbildte sig den tiden da hun gikk og var trygg paa sig selv og paa ham. — Og det som de hadde levet hver for sig i disse aarene, det kunde de ikke fragaa. —

—Bare dette myke gulvteppet her, det duse og dempede stil-interiøret, den gamle franske nøttetræsengen inde i soveværelset — det minnet henne om feilsteget med Sverre og alt som var blitt ødelagt ved det, baade for ham og for henne. Og Sigurd hadde denne jentungen, til evig anminnelse om sin flugt unda en lykke som han ikke hadde kunnet trives rigtig i.

Men det maatte da være bedre at de slog sig sammen — slog sine pjalter sammen kunde de gjerne kalle det — og tok tørnen med de to ungerne sammen. End at de skulde sitte alene hver paa sin pinne og klusse med at opdrage et barn enhendt. — Med Sigurd blev det saa aldrig til annet, hvadfor forsætter han saa fattet om at opdrage denne datteren sin til gudsfrygt med nøisomhet — det blev aldrig annet end de evindelige sagtmodige formaningerne som ungen knapt hørte paa, og smilende beundring av Anne. — Og hun hadde tatt paa sig at fostre en gutt som var nervøs og født behagesyk vist — og teorier og opskrifter om hvordan man skal gaa frem overfor slike problembarn er sgu ikke mye værd naar de skal tillempes paa et levende menneskefrø av kjøtt og blod og nerver. — Sagtens kunde Anne og Knut skrubbe enslags facon paa hverandre meget bedre enn noen voksne evner —.

Gud i himmelen — akcepterer man først det standpunkt, at mennesker som ikke har samme tro om de første og sisste ting ikke kan hjelpe hverandre med n o e — saa er jo alting haabløst her i ver⸗den. Om hun kom til at renne pannen sin mot Si⸗gurds nye tro aldrig saa mange ganger — hun kom vel til at bli sint, bedrøvet, desorientert ofte, men hun fikk ta livet som det var. Naar hun ikke orket at leve ham foruten saa fikk hun holde ut at han var blitt kristen. Hun vilde hatt ham igjen, om han var blitt teosof eller spiritist. — Skjønt spiritist, nei huff, hun grøsset. Saa er det da bedre at han tror, de døde er i Guds haand, og han slipper dem ikke løs til at falle de levende i talen med taapelige be⸗merkninger —.

Naar alt kommer til alt, to mennesker kan være saa glade i hinannen saa de tror at de eier og kjen⸗ner alt hos den annen, gir den annen hele sig selv. Det er bare en illusion, det visste hun jo nu. Det sisste, ugripelige i et menneske, som ingen annen like⸗vel kan faa tak i — Sigurd trodde altsaa saavidt hun forstod at det var der Gud og mennesket møttes. Vel, hun kunde tænke sig uhyggeligere hypoteser.

Han skulde med Stockholmstoget, saa Nathalie stillet vækkerklokken til syv for sikkerhets skyld, skjønt hun var ikke rædd for at hun skulde forsove sig. Og hun vaagnet i god tid, slog av alarmen og fikk staa op og klæ sig i den gode morgenstilheten som bare blev brutt av spurvenes skinger utenfra haven, og den økende og døende duren, hver gang en trikk kjørte borte i Ullevaalsveien.

Hun gjorde sig saa pen som hun kunde. Idet hun gav sit sorte graastripete haar den sisste overhalin⸗gen kom hun til at le — tænk at Sigurd hadde hatt det indtrykk at den var rødlig, den farven hun brukte paa det før i verden. — I det hele — hvordan mon det billedet av henne var som han hadde indi sig —?

Det er vel slikt som mennesker aldrig faar vite om hverandre.

Portieren paa hotellet hans svarte i telefonen, jo, ingeniør Nordgaard var vist i frokostværelset — skulde han sende bud efter ham? «Neitakk, det er ikke nødvendig. Hvis De bare vil si til ham at fru Nordgaard kommer ned, saa vi kan følges til sta= tionen.»

Ja bare la være at tænke nu da, sa hun til sig selv, da hun satt i bilen. Hun var kold i hænderne av spænding. Nu nytter det ikke længer at ville be= stemme sig om igjen —.

— Han stod paa fortauget utenfor hotellet, med en frakk over armen og haandkoffert i haanden. Na= thalie hoppet ut av bilen og betalte —.

— Den stillle sidegaten saa lysende tørr og graa= hvit ut i morgensolen. For enden av den kuplet noen gamle kastanjetrær kroner fulde av lysegrønne bladfingrer mot den blaa luften.

«Godmorgen Sigurd — men Gud saa trætt du ser ut, du ser ut som du ikke hadde sovet inatt,» sa hun glad.

«Saa galt er det da ikke. — Jeg laa og tænkte paa det som vi snakket om igaar. Og da saa portieren sa at du hadde ringt —»

«Ja — uff saa dumt, vi kunde tatt bilen videre til stationen — forresten, du har saa god tid saa —»

De skraadde over en liten plass. Utrivelige smaa lindetrær med sprinkler omkring kastet skygge paa den blaaagtige singelen — de var vakre likevel nu med løvet ganske klart, saa nytt var det.

«Jeg har tænkt paa det i hele natt jeg og, Sigurd. Og hvis du altsaa tør vaage det, saa v i l jeg. Be= gynde paa nytt.» Han stanset, og da hun saa hvor= dan han blev i ansigtet sa hun rivende fort: «Det er ikke offervilje eller noe saant, forstaar du, det er det som jeg vil helst av alt i verden.»

Han sa aandeløst:

«Jeg er jo saa glad i dig, Nathalie, saa — hvis jeg bare kunde faa sagt dig hvor glad jeg er i dig. Jeg skjønner bare ikke at du kan bry dig om mig saa meget endda, saa du tør —»

De stod og saa paa hverandre et øieblikk, til hun lo. Da han tok omkring henne, fort og kjevhændt, og ansigtet hans kom indtil hennes — det hete forvirrende hastige kysset var som en jordrystelse, saan skaket det henne — og saa, med alt dette reisetøiet som han holdt i den andre armen var det saa komisk og saa klosset —

«Er du gæren mand, midt paa gaten,» lo hun og var rædd for at hun skulde gi sig til at tute.

«Naar jeg bare visste sikkert at du aldrig kommer til at angre paa det?» sa han, de begyndte at gaa igjen. Han skiftet kofferten og frakken over paa den andre armen og tok hennes haand.

«Aa pytt, det ligger ikke for mig at angre!» Hun blev alvorlig medett, klemte haanden hans haardt. «Det er skryt forresten. Jeg har lært godt og grundig at angre siden sisst, men dette kommer jeg aldrig til at angre paa. Hører du, Sigurd —. Jeg er ikke saan som jeg var, ser du, jeg er blitt meget mere — utaalmodig og ilter, du kan nok komme til at faa dit kors med mig sommetider. Men selv om jeg skulde bli krakilsk og slem mange ganger — du maa aldrig, aldrig, aldrig tro at det er fordi jeg angrer d e t t e!»

Han rystet paa hodet:

«Slem — det blir du aldrig. Saapas kjenner jeg dig vel. — Temperament — det har du jo hatt altid.» Han knuget hennes haand.

Hun gikk stille ved siden av ham og saa paa alle dampskibene langs kaien. De laa og glinset i solen og larmet, og fra noen av dem stod røk op av skorstenen saa den blaa solluften kom i dirring. Har han glemt hvor slem jeg har vært, eller har han aldrig opfattet at jeg var det, tænkte hun. — Vi som har elsket hverandre saa evindelig længe alt og er nødt til at bli ved og elske hverandre — mere vet vi ikke om hverandre. Tanken fyldte henne med uendelig bittersødme. Det var resignation, men hun visste sikkert at det var resignation indfor lykken. Lykken faar en ta slik den er —.

«Aa nei da Thali. Jeg ønsker jo bare —»

«Hvad ønsker du?» spurte hun urolig.

«At du maa bli lykkelig. I gamle dager hadde jeg saan tillit til mig selv. Jeg syntes det var ganske naturlig at du var glad i mig. — Nei forresten,»— han lo. «Jeg syntes da dengangen og at jeg hadde faatt en kjæreste som ingen mand i verden fortjente at ha!»

«Det blir nok ikke fuldt saa — forgyldt — alting nu, Sigurd. — Men jeg syns —. Saa vet du, barna da. Vi greier vel dem ogsaa bedre, naar vi er to om dem — og de er to om at — være utsatt for de fadæser som vi kommer til at begaa mot dem.»

«For Knut og Anne blir det nok bedre at de skal være to sammen. Bare det ikke blir for meget for dig saa —.»

De gikk gjennem stationshallen.

«Har du billett?»

Han nikket. «Det er det, at hvis jeg ikke reiser idag saa maa jeg ta helt bort til Stockholm for at træffe denne konstruktøren. Om mandagen er han paa fabrikken ved Arvika, og det var avtalen ogsaa at jeg skulde møte ham idag.»

«Det er dette sykehusutstyret, ikkesandt?»

De hadde svært god tid. De drev utover perronnen, ut i solskinnet. Utover jernbaneterrænet randt skinnerne og glinset mot den kullmørke grunden, men ett sted saa Nathalie at der grodde noen leirfiviler — langgrodde nikket de med vissnende hoder mellem to vigespor. Over kullrøken som de aandet ind den skarpe teven av og boblerne av lett damp satte Ekebergaasen rygg, med vaarlig lysegrønt av løvtrær opefter høiden, og kammen av tustet mørk furuskog mot den solmætte morgenluften.

«At du ikke la ind bagagen din i kupéen da» sa hun, engang han stanset og kysset henne.

«Det har du jamen rett i — at jeg ikke tænkte paa det —.»

De gikk indover igjen mot toget som stod og gul⸗ket ut svart røk. Den lange vognraden glinset alt i solskinnet saa en kunde likefrem se, hvor varmt det skulde bli at reise idag. —

En herre hilste paa dem idet Sigurd sprang op paa vogntrinet: «Jasaa, De ogsaa er ute og reiser idag — ikke mange med toget forresten, ser det ut til at bli —» de gikk ind sammen.

«Hvem var det?» spurte Nathalie da Sigurd kom ut igjen.

«Paa Gratangen — den turiststationen som vi kom til fra Harstad — der traff vi ham. Vi satt sammen med ham om kvelden — han fortalte os en hel del om ruter og saant. Husker du hvad han het — jeg kan ikke komme paa navnet —.»

Nathalie rystet paa hodet. «Jeg husker ansigtet nu naar du sier det —»

«Ta plass, ta plass» ropte konduktøren langs vogn⸗rækken.

«Skal De ikke ha med Dem fruen da, Nord⸗gaard?» spurte herren fra Gratangen. «Skal De ikke med, fru Nordgaard?»

«Ikke idag nei» ropte Nathalie smilende. Hun blev staaende og vinket, til toget bøiet vækk i kurven.

Han vet aapenbart ikke at vi har vært skilt, tænkte hun idet hun begyndte at gaa opover gjennem stations⸗hallen. Hvor skulde han vite det fra forresten. —

Hun stod paa fortauget og ventet mens vandings⸗bilen bruste forbi og sprøitet, saa den friske sommer⸗lige luften av vaatt gatestøv slog op mot henne. Efter⸗paa blev hun staaende endda en stund, matt av lykke og forskrækkelse.

— Aldrig i verden kommer jeg til at angre det, tænkte hun. Hvordan det saa gaar nu — det blir ihvertfald bedre end noe annet. — Hun hadde tid til at gaa over torvet og se paa blomsterne — rart at tænke paa, næste aar skulde hun altsaa ikke være her i byen mere. Torvet, det blir noe av det som jeg kommer til at savne. —

Sigurd. — Hun lo sagte. Kanske han takker Vor-herre nu — daarernes formynder. Og det ialfald, det kan jeg da næsten forstaa. Hvis han bare er halvten saa betuttet og halvten saa glad som jeg er, saa maa det jamen være skjønt at ha noen en kan takke. —